いちばん詳しくて、わかりやすい！

英国IFA認定アロマセラピスト
和田文緒 著

# アロマテラピーの教科書

## はじめに

私は、アロマセラピストです。サロンのお客様をはじめ病院や在宅で療養中の方へアロマのトリートメントを施しています。

アロマテラピーっていいなといつも思うのは、手だけあればその場ですぐにしてさしあげられること。香りが広がる空間は、特別な場所に変わります。その中でお話をするだけでもセラピー：療法になるのです。精油の使い方や施術方法など注意する点はありますが、赤ちゃん、高齢の方、妊婦さんなど対象を問わず行うことができます。薬のように強力な作用はないけれどゆっくりと心と体の緊張が解かれて治癒力が戻ってくる、応用できない場面を探すのが難しいくらいバラエティに富んだ使い方ができる、そんな魅力あるアロマの世界をこの本でご紹介したいと思います。

アロマには簡単に家庭で行える方法もありますし、プロのセラピストが行うケアもあります。どちらでもよい効果が得られるのもこの療法のいいところです。香りに興味がある方、花やハーブが大好きな方、心と体を自然な形でケアしたい方、バイタリティを高めたい方、無駄な緊張を手放したい方……、どうぞ、アロマをはじめてみてください。

アロマがまったくはじめてという方から学習中の方、プロのセラピストの方まで幅広く活用していただけるよう、アロマテラピーの全容をできるだけわかりやすく、多方面からまとめるよう努力しました。また、精油とキャリアオイルガイドの全ページに原料植物の説明、学名の語源やラテン語での読み方の説明に加え、花が咲く時期、果実がなる時期などその植物にとってなるべくいい時期に撮影した写真を掲載しました。アロマの植物達がどんな姿かたちをしているか、歴史、使われ方、どんな場所に生えているのかなどを知り、より身近に感じていただけたら、こんなにうれしいことはありません。

本書が何かひとつでも皆様のお役にたてれば幸いです。

和田文緒

# Contents

はじめに……2

## AROMATHERAPY for Everyone!……9

## PART 1 アロマテラピーの基礎知識……21

### LESSON 1
### アロマテラピー入門……22
**01 アロマテラピーとは 22**
**02 世界の植物療法の歴史 26**
**03 アロマテラピーのメカニズム 30**

### LESSON 2
### 精油　Essential Oil……38
**01 精油とは 38**
**02 精油の抽出 40**
**03 精油の作用と吸収・排泄経路 44**
**04 精油の化学 48**

### LESSON 3
### アロマテラピーの実践……52
**01 アロマテラピーの基本ルール 52**
**02 実践のための基礎知識 56**
**03 ブレンディング 62**

## PART 2 アロマテラピーセルフケア基本ガイド……69

### LESSON 1
### そろえておきたい材料と道具たち……70
**キャリアと材料 70**
**セルフケアにあると便利なもの 72**
**クラフト作りのための器具 73**

### LESSON 2
### 基本のアロマクラフト……74
**作ってみよう 74**
入浴剤 74／ハーブ石鹸 76
ローション 77／ハーブティンクチャー 78
クリーム・ジェル類 80／クレイパック 83
アロマスプレー 84／オーデコロン・香水 86
簡単！まぜるだけのアロマクラフト 88

### LESSON 3
### 基本のトリートメント（アロママッサージ）……89
**トリートメントを行う前に 89**
**トリートメントの禁忌 90**
**セッティング 91**
**家庭で行うトリートメントの基本手技 92**
ホールディング／エフルラージュ／
フリクション／ナックリング／ニーディング 92
基本の姿勢／手のあて方・置き方／
食卓テーブルで行う基本手技 93
**家庭で行う他者へのトリートメント 94**
背中 94／腰・お尻 95／下肢（裏面）96
お腹 97／腕・ハンド（右手）98／頭 99
**セルフトリートメント 100**
ハンド・腕 100　／ひざ下・足裏 101
みぞおち・お腹 102／フェイス 102
デコルテ・首・肩 104

## PART 3
# 精油・キャリアオイルガイド……105

### LESSON 1
## 「精油ガイド」の読み方……106

- アンジェリカルート 107
- イランイラン 108
- オウシュウアカマツ（パイン）109
- オレンジ 110
- カモミール・ジャーマン 111
- カモミール・ローマン 112
- カルダモン 113
- キャロットシード（ワイルドキャロット）114
- クラリセージ 115
- グレープフルーツ 116
- クローブ 117
- サイプレス 118
- サンダルウッド 119
- シダーウッド・アトラス 120
- ジャスミン 121
- ジュニパー 122
- ジンジャー 123
- ゼラニウム 124
- タイム・リナロール 125
- ティーツリー 126
- ニアウリ・シネオール 127
- ネロリ 128
- バジル（スイート）129
- パチュリー 130
- パルマローザ 131
- ヒノキ 132
- プチグレン 133
- ブラックペッパー 134
- フランキンセンス（オリバナム、乳香）135
- ベチバー 136
- ペパーミント 137
- ベルガモット 138
- ベンゾイン（安息香）139
- マージョラム（スイート）140
- マートル 141
- マンダリン 142
- ミルラ 143
- メリッサ 144
- ヤロウ 145
- ユーカリ・グロブルス 146
- ユーカリ・シトリオドラ 147
- ユーカリ・ラジアータ 148
- ユズ 149
- ラベンサラ 150
- ラベンダー・アングスティフォリア 151
- レモン 152
- レモングラス 153
- ローズ・アブソリュート 154
- ローズウッド 155
- ローズオットー 156
- ローズマリー・カンファー 157
- ローズマリー・シネオール 158
- ローズマリー・ベルベノン 159

### LESSON 2
## 「キャリアオイルガイド」の読み方……160

- アプリコットカーネル油／アボカド油 161
- オリーブ油（エキストラバージンオイル）／カメリア（ツバキ）油 162
- グレープシード油／ゴマ（太白）油 163
- 小麦胚芽油（ウィートージャームオイル）／スイートアーモンド油 164
- 月見草（イブニングプリムローズ）油／ピーチカーネル油 165
- ヘーゼルナッツ油／ホホバ油 166
- ボリジ（ボラジ）油／マカダミアナッツ油 167
- ローズヒップ油／アルニカ油 168
- カレンデュラ油／キャロット油 169
- セントジョーンズワート（ハイペリカム）油 170

# Contents

## PART 4
## セルフケア症状別ガイド……171

セルフケアをはじめる前に **172**

### Self Care Guide
### からだと心編……174

**1 運動器系の不調 174**
肩こり・腰痛・筋肉痛・こむら返り 176
だるさ・疲労感 177
関節痛・坐骨神経痛・リウマチ・腱鞘炎 178
ぎっくり腰・捻挫・打撲・筋肉裂傷などの応急手当 179

**2 呼吸器系の不調 180**
風邪・インフルエンザ 182
のどの痛み 183
気管支炎、咳、痰 183
鼻づまり、鼻水 184
発熱、だるさ 184

**3 消化器系の不調 186**
消化不良・下痢（食あたり） 188
便秘・下痢など排便リズムの乱れ 189
胃痛・疝痛 189
二日酔い 190
腸内ガス（鼓腸） 191

**4 泌尿器系の不調 192**
腎臓の強壮と利尿促進 194
精神的緊張による頻尿 194
膀胱炎の予防とケア 195

**5 循環器系の不調 196**
冷え性 198
動悸（頻脈） 199
低血圧・起立性低血圧 199
むくみ・静脈瘤・痔 200

**6 ストレス性の不調 202**
抗ストレス・心を鎮めたいとき 204
不眠・眠りが浅いとき 205
不安・心配・プレッシャー 205
ストレス性の肩こり・頭痛など 206
ショック・落ち込み・憂うつな気持ち 207
精神疲労・消耗・無気力 207
目標に向かって頑張っているとき 208
気分転換・集中したいとき 208

## 7 女性のライフサイクルと不調 210
思春期の不調 212
成熟期の不調 213
更年期の不調 214
老年期の不調 215

## 8 免疫力と生活習慣病 216
生活習慣病予防 218
肥満予防 218
高脂血症・糖尿病予防 219
高血圧・動脈硬化予防 219
花粉症の予防と対策 220
喘息の予防 221

## 9 皮膚のトラブル 222
オイリー肌のケア 224
ニキビのケア 225
乾燥肌のケア 225
敏感肌のケア 226
日焼けのケア 227
傷あと・色素沈着・しみの予防 227
肌の若返り・アンチエイジング 228
ヘアケア 229

## 10 応急手当 230
怪我、切り傷の応急手当 232
やけど、打撲・捻挫の応急手当 233
虫刺されに 233

## *Self Care Guide*
## 家族・生活編……234

### 1 赤ちゃんと子どものアロマ 234
不眠・不安・ストレス 234
風邪 235

### 2 入院中のアロマ 236
リラクゼーション・気分転換に 237

### 3 動物のアロマ 238
動物のアロマの注意点 239

### 4 掃除・洗濯のアロマ 240
キッチンやお部屋のお掃除に 242
衣類、洗濯に 243

## 日本のアロマテラピーの現状と展望……245
医療01 246
医療02 247
教育01 248
教育02 249
スポーツ 250

おわりに……252

索引……254

参考文献……255

### みんなのアロマ体験談
01 旅行中の心と体の疲れに…178
02 暴飲暴食後の赤いニキビに…188
03 手術後のお腹の痛みが緩和しました…191
04 通勤中のお腹の痛みに…191
05 家族の冷え対策…200
06 手放せなかった頭痛薬の代わりに…206
07 足の痛みにアロマのセルフケア…215
08 精油を予防に活用しています…221
09 アロマのおかげで活力が出てきました…221
10 かゆいじん麻疹に、アルガン油は◎…226
11 アロマは男性にもおすすめです…228
12 「足のお風呂」で元気になれました…234
13 ティーツリーとユーカリのうがい効果は抜群！…235

### アロマテラピーの症例
01 アロマは体調管理に役立っています 185
02 ローズマリーで生活にメリハリがつきました…201
03 アロマテラピーで全体的に体の不調が
　改善されました…209

### コラム
チャクラとアロマテラピー…68
足裏の反射区…170
主なリンパ節の場所とケア…198
妊娠中のアロマテラピー…244

## 必ずお読みください。

アロマテラピーは、医療ではありません。また、精油は医薬品ではないことをご理解の上、使用の際は製品の取扱説明書や注意事項を読み、正しくお使いください。特に、妊娠中の方をはじめ、健康状態に気になることがある方や医療機関で治療中の方は、必ず医師や専門家に相談の上、安全にお使いください。本書で紹介した精油の特徴やレシピ、臨床例は、著者の経験や研究をもとに健康や日常生活の質の向上に役立ったものを中心に掲載しています。必ずしもすべての方に当てはまるものでないことをご理解ください。本書の著者ならびに出版社は、本書で紹介したアロマテラピーの実践や精油の使用によって生じた問題に対する責任を負いません。

### 取材・撮影協力

岡本光世さん／小池亀之助さん／小池幹雄さん／竹山浩子さん／中浜賢一郎さん／中浜薫さん／
広瀬由幸さん／渡辺健三さん／渡辺博子さん／北見ハッカ記念館 佐藤敏秋さん／伊澤登志子さん／
北見市緑のセンター 久保勲さん／千葉県農林総合研究センター 柴田忠裕さん／
東京農業大学 宮浦理恵先生／東京農業大学 木村正典先生／東京農業大学農学部のみなさん／
東京農業大学付属植物園 伊藤健先生／慶應義塾大学 茶園美香先生／
慶應義塾大学看護医療学部のみなさん／スポーツアロマ・コンディショニングセンター 軽部修子先生／
トータルヒーリングセンター 中村裕恵先生／東京警察病院 横田実恵子先生／
北海道医療大学 関崎春雄先生／ポプリの里 ハーブガーデン／HOMEOPHARMA・精油蒸留所（マダガスカル）／
Institut Malgache de Recherches Appliqées（マダガスカル応用科学研究所）Del Phin. Rabehaja先生

### 資料・写真提供協力

ジャパン・ハーブ・スクール 尾上豊さん／斎藤誠さん／理恵・ワーケンティンさん／
小野セシリアさん／東京農業大学 宮田正信先生／東京農業大学 木村正典先生／
明治薬科大学名誉教授 大槻真一郎先生／IIAP（ペルー）Elsa.Rengifo先生

### 撮影協力

西村佳有さん（モデル）／本間佐衣子さん（モデル）／菊池美抄さん（ヘアメイク）／
遠藤友美さん／横田実恵子さん

### スタッフ

デザイン：飯野明美
撮影：一之瀬ちひろ
スタイリング：宮田麻貴子（ultratama）
イラスト：大西里江子
　　　　　佐藤 繁
コーディネート：新谷佐知子（MOVE Art Management）
DTP制作：株式会社グラフト

# AROMATHERAPY
# for
# Everyone!

植物の命が
ぎゅっとつまった
香りの物語。
1滴の精油から
アロマの世界がはじまります。

精油1滴、量はたったの0.05ml。その小さなひとしずくは、何倍にも広がって私たちの生活を豊かにしてくれます。
精油がもっている力はとてもパワフル。1滴の精油がどれほど心と体に働きかけるのかを実感するには、体験していただくのが一番ですが、まず、ある香りのお話をしたいと思います。

# ある気づき。

ネロリの香りが大好きな人がいました。調合するたびに必ず加えるのはネロリ。なぜこれほどまでネロリに惹かれるのか理由があるはずだと考えましたが、思い当たりませんでした。アロマの本には「ネロリは心を鎮める、鎮静作用がある」と書いてありましたが、鎮静というよりも、むしろ鼓舞、内側から力が湧いてきてわくわくする、元気になる、そんな気持ちになりました。大切な場面や勇気が必要なとき、必ずネロリの香りを身につけました。そうすると、不思議とうまくいったのです。

ネロリを使いはじめてから2年が過ぎたある日、突然のひらめきがありました。その人は昔、神奈川県二ノ宮にある農場で温州ミカンを栽培していたことがあったのです。手入れは様々ありますが、そのひとつが摘蕾と摘果。木の疲れを防ぐために春には蕾を、夏には青い実を摘み取ります。青空の下、大磯の海を見下ろす畑での作業は、青々しくさわやかな香りに包まれた中での楽しい時間でした。ネロリとミカン畑がむすびついたその瞬間、頭の中で霧がばあーっと晴れていくかのように記憶の奥にしまわれていた情景が浮かび、ネロリに「楽しさ」や「元気」を感じていた理由、香りに惹かれていたわけがわかったのでした。

アロマテラピーでネロリと呼んでいるのはオレンジの花、つまりミカンです。明るく楽しい体験と香りが結びついていたからいつも自分を励ましてくれた、そのことに気づいた瞬間から、精油の1滴のしずくはやさしい気持ちをもたらしてくれるもの、人生を豊かにしてくれるものに変わりました。忘れていた素敵な時間をリアルに思いださせてくれたネロリの精油。これからも香りに包まれて、毎日を楽しい豊かな気持ちで暮らしていきたいなと思ったそうです。

## はじまり。

農学部の学生だった私にとって、植物は「作物」であり、管理するものでした。畑で栽培される野菜や花は、収穫量を増やしたり、生育を調整したりするためにホルモン剤などを使います。私も実験用植物を、無菌室や温室で環境を制御しながら育てていたのです。

そんなとき、ただの「雑草」だと思っていたハーブが心と体の不調を癒し、アロマテラピーという立派な「療法」として、ヨーロッパでは病院などで行われているということを知りました。自分が管理していると思っていた植物の色や形、香りという目には見えないものから、実は、人のほうが影響されていたという事実は衝撃でした。そこから私のアロマ生活がはじまりました。

精油は、ブルーやグリーン、茶色のきれいなガラスのボトルに入っている製品だけれど、その後ろにはたくさんの植物の存在があります。そのことを忘れないでもらいたいし、精油は単なる香りの商品だけではないということに気づいてほしいなあ、アロマを通して植物にも興味をもっていただきたいなあといつも思っています。そんな私にとって、「アロマテラピーをやるうちに植物にも興味をもった。植物に目が行くようになった」というアロマスクールの生徒さんの言葉は、かなりうれしいひと言でした。

前述した「ネロリの人」は、私です。

大学卒業後、高校の理科の教師になりましたが、5年後に学校を辞めました。教師を辞めてアロマテラピーの世界に飛び込むという決断が出来たのは、アロマテラピーを教えることと、生物を教えることは何も変わらない、ひとつの幹につながるものであると考えたからです。

アロマを通じても理科を通じても、自分自身の心や体、花や緑、自然に目を向ける心を育てる助けにもなるし、物事を客観的に観察する見方もはぐくまれる、それは、ストレスや困難なことにぶち当たったときに現状を理解し、どうそれを乗り越えていくのか、その力を生み出すための土台作りにもなるものだと思っています。

## クラフト作りっておもしろい。

仕込んだハーブティンクチャーが、時とともに色や香りが変化し熟成していく様子をじっと待つ時間、クラフトが誰かの役に立つ、そんなことを楽しいと思える自分や作る喜びを見つけました。アロマ教室に通いはじめて間もない頃のことです。

教師として就職した私は、当初かなり忙しい毎日を送っていました。それなのに3か月も待たなければ出来上がらない「ハンガリーウォーター」。そんなに待てないと思っていたのですが、手間をかけた分、世界にひとつだけの愛着が湧くものに仕上がりました。92年の秋にはじめて仕込んだハンガリーウォーターは、もう残り少なくなりましたが大切な宝物です。その香りを嗅ぐと、アロマテラピーをはじめた頃の気持ちを思い出し、がんばる元気が湧いてきます。

　手芸や料理も苦手でセーターなど出来上がったことは一度もなかったですし、パッチワークにあこがれたものの挫折。根気のいるものは無理だとちょっぴりコンプレックスも感じていました。
　でも、アロマはそんな私でも出来たのです。それは、材料に精油を入れてかきまぜるだけで出来る、簡単なものだったからです！！
　みつろうと植物油でクリームを作ったのですが、「きれいに上手にできましたね〜」と先生にほめられたのがうれしくて、いくつも作ってお友達にプレゼントしました。喜んで最後まで使い切ってくれ、「鏡餅みたいだったかかとがすごくきれいになったよ」という声ににんまり。ラベンダーとティーツリー、オレンジ、ベンゾインを適当にまぜただけなのに、そんなに効果があるなんて驚きでした。レシピや基材を考えるのは理科の実験みたいで面白かったし、もくもくと無心に作る作業そのものが楽しかったのでどんどんはまっていきました。
　香りを選ぶことは、一歩止まって自分を見直すことにもつながります。クラフトを作りながら、新しい自分を創ることや本来の自分に戻るきっかけを得ていたように思います。

## フェイシャルトリートメント。

アロマセラピストとしての活動をはじめたある夏の終わり、近所の在宅医療を行うクリニックから患者さんへの訪問アロマテラピーの依頼がありました。病院から自宅に戻られたばかりの60代の男性です。ガンによる下肢の浮腫、全身の倦怠感の軽減と精神的なリラックスが目的でした。「少しでも楽になるなら何でもやってみよう」と奥様が決めたそうです。

「まあ、気楽に受けてみるよ。においかー、何でもいいけどなあ」といいながら、はじめに選んだのはサイプレスとジュニパー、オレンジの香り(精油)でした。後日、「あの匂いは、山中湖なんだよ」と話してくださいました。別荘があるお気に入りの場所だそうです。

腹水がたまり、うつぶせは難しいので、下肢を中心にフェイシャルと腕をトリートメントしました。「いいよ、顔は」とはじめは敬遠されましたが、やがて顔もやるものという流れが出来つつありました。いつの間にか眠ってしまわれ、そっと部屋を出ていくと奥様もソファーで眠っていることがあり、介護者の疲労も大きい問題だと感じました。

「最後まで現役でいたい」とおっしゃっていて、ベッドサイドには、いつもゲラ（校正紙）が置いてありました。その日はなぜアロマセラピストになったのと聞かれて、少しだけ私も話をしました。その方はジャーナリストで、取材や編集の仕事がたまらなく好きで「本当に半端じゃなく働いてたんだよ！　家族にとってはどうだったのかなー？」といいながら「でも、この人生でよかったと思っているんだ……。あんたも大変だなあ、でもな、苦しくても10年やめるなよ、10年続けたらまた違う展開になっていくから」と。

それ以外にも、アロマは全身美容で自分には関係ない、女性がやるものだと思っていたこと、人生の最後にまさか顔のトリートメントをされるとは思いもよらなかったこと、やってみて本当によかったと話してくださいました。

お顔を含め、体は、その人の喜びや悲しみ、疲れ、様々な思いや生き方を表現していると感じます。香りを媒介に触れながら伝わってくるもの、伝えられるものがあることが実感できます。在宅ホスピスでの訪問アロマテラピーを手探りではじめたばかりだった私にとって、大きな励ましとなった出会いでした。残念ながら、その日がお会いできた最後になりました。次のお約束の前日、容態が変わり永眠されたのです。

数か月後の春、取材依頼がありました。ご遺言だったそうです。その方が最後まで関わっておられた雑誌の巻頭で、アロマテラピーと私のサロンについての記事でした。

大きなプレゼントにうれしさと同時にいろいろな思いが起こり、涙してしまいました。今でもその記事を見ると「10年続けろよ」といってくださったお顔が浮かびます。そして新たな勇気が湧いてくるのです。

## AROMATHERAPY for Everyone !

「アロマは痛くないからいいわよね〜」とクライアントさんからいわれたことがあります。ひざに水がたまり、時々注射で抜く治療を受けていた方でしたが、主治医に勧められてアロマテラピーを定期的に受けることになり、次第にむくみやひざの痛みの程度が改善されていきました。

日本では医薬品としての認可はされていませんが、施術に使われる「精油」には、血液の流れをよくする、痛みを和らげる、心を鎮めるなど心身への作用があることが知られています。薬理的な裏づけがあるからこそ、海外では医療の現場でも活用されているのです。眠ってしまうほどの心地よさの中で、リラックスするだけではなくやり方によっては「治療」のレベルまで持っていくことも出来るのです。80代のクライアントさんは「アロマのあとは背中もしゃきっとするし、なんだか駆けられそうな気がするの。スキップしたい気分よ」とおっしゃいます。現実は、もちろん全力疾走することはないのですが、出来そうな気持ちになるのだそうです。いつもニコニコと背筋をのばして笑顔でお帰りになります。こちらもなんだかうれしくて笑顔になります。

　こういうセラピーがこの世にあって本当によかったと思いますし、喜ばれて感謝されながら仕事が出来る幸せを素直に感じます。アロマテラピーはビジネスマンもお母さんもお父さんも、男性、女性限らず、また人ばかりではなく動物にも使えます。肌と環境にやさしい自然素材を使って身の回りのものを手作りしたいという方にも喜んでいただけます。
　私自身も、はじめは趣味として楽しんでいただけでアロマを仕事にするとは思ってもみませんでした。教室に通うにつれて手持ちの精油は増えていきましたが、使いきれずに古くなってしまい、やむなく捨ててしまったものもありました。せっかく買った精油なのにもったいないと、期限内に上手に使い切るためのクラフトやレシピを考えることが新しい趣味になり、精油について勉強するうちにいつの間にかアロマテラピーの奥深さに惹かれていきました。そして、トリートメントの技術を身につけ、アロマを仕事にしようと自然と気持ちが変わっていったのです。
　アロマテラピーが求められている場面は「セラピー」の現場だけではなく、精油はセラピストだけが使いこなすものではありません。ちょっとした工夫で赤ちゃんからお年寄りまで誰もが生活の中でふつうに使えるものです。アロマを生活に取り入れることによって、体や心が軽くなったり、うきうきしたり、毎日が過ごしやすくなることがどれほど多いことでしょう。AROMATHERAPY for Everyone ─そういうアロマテラピーを伝え、実践する人でありたいと思っています。

## 動物たちもアロマが大好き!

もともとは自然界に暮らしていた動物たち。強い香りは嫌がりますが、草花や木など植物から抽出した精油や芳香蒸留水はすぐれたケアの道具になります。

ヒノキ、ペパーミントなど抗菌作用がある精油は、ケージとトイレの掃除やトイレトレーニングに使えます。粗相したときに重曹水と精油でふくとニオイも消え、その場所ではしなくなるので、我が家のうさぎのハリーは、わりと短期間でトレーニングが終了しました。また、犬のリキがノミアレルギーで困っていたとき、市販のノミ除けシャンプーで私の手が荒れてしまい、精油、シアバター、石鹸シャンプーなどの自然素材だけでシャンプーやクリーム、グルーミング&蚊よけスプレーを作りました。被毛もつやつや、手にもやさしく重宝しました。

アロマテラピーの有効例はたくさんありますが、かかりつけの獣医さんがいるのも心強いものです。両方のいいところを取り入れて元気で長生きしてくれたら、そんなふうに思います。

マッサージもいいものです。動物仲間との上下関係を知らずに育ち、自己中心的な子、いつも緊張しているナーバスな子も少なくありません。マッサージをきっかけにしつけがしやすくなる、お互いの距離が近くなり、信頼関係や絆が深まることを実感しました。

マッサージは、血流を促し、胃腸・神経・免疫など体の働きも活発にします。体に触れる習慣があると不調にも早く気づけますし、触れられることに慣れていると獣医さんの治療もスムーズになります。至福の時間なのか、ハリーもとても気持ちよさそうな顔をします。見ているこちらもうれしいものです。病気で麻痺した足や傾いたままの首も毎日続けるうちに動くようになりました。痛がるところは、無理に触らずにその周りからはじめます。「邪魔しないで、そっとしておいて」、「もう十分、終わらせて」などのサインをペットが出したら、すぐにやめます。

コンパニオンアニマル（伴侶動物）という言葉の通り、私たちは、かけがえのない時間を動物たちと共に過ごします。食餌、日常の世話、住居環境以上にペットにとって大きな環境は飼い主さん自身。大好きな人が健やかでいることがうれしく幸せなことなのです。心と体に穏やかに作用するアロマテラピーを、多くの飼い主さんとペットたちに取り入れてもらえたらと願っています。

# AROMATHERAPY for Everyone! 世界のアロマ事情

## 絶滅危惧種：PALO DE ROSA（ローズウッド）

ローズウッド（Aniba rosaeodora）、スペイン語でパロデロサと呼ばれる木の幹からはリナロールが豊富な精油が抽出されます。その香りには化学合成のリナロールは決してかないません。現在、この木は絶滅の危機に瀕しています。香料としての需要が拡大、伐採され尽くしたことが原因です。

大手精油メーカーのリストからalbum種のサンダルウッドやローズウッドが姿を消し、市場の混乱が続いています。ペルーやブラジルなどの原産国では植林活動や伐採規制を強化していますが、アマゾン流域の一部でしか自生せず、成長も大変遅いことから危機は依然として続いています。

毎年、広大な面積のアマゾンの森林が消えている事実をご存じでしょうか。違法な伐採や単一作物を栽培する畑にしているのです。一度、破壊された土地や失われた種は二度と戻ることはありません。精油だけではなく、身の回りの医薬品、衣料品、食品、石鹸、シャンプーにいたるまで植物由来の資源が私たちの暮らしを支えています。

アロマテラピーにおいても持続可能な農業、そこに生きる生物の多様性を残す農業を支援し、その上で限りある資源を大切に使い、代替種の可能性を検討することも求められています。

写真左：絶滅の危機に瀕しているローズウッドの木
写真右：Instituto de Investigaciones de la Amazonia Peruana = IIAPのElsa.Rengifo先生。ローズウッドの植林活動を行っている。

## 「バラの谷」カザンラクを訪ねて

首都ソフィアから東に約140km、人口5万人の小さな町カザンラクは、ずっと行きたかった憧れの場所。2つの山脈に囲まれ適当な湿度と日照を保ちやすいので、ここで育つバラは芳香成分が多く、ロウ成分が少ない良質の精油が抽出され「ブルガリアンローズ」というブランドを確立しています。ブルガリアは2007年にEUに加盟し、国営だったバラ産業は伝統を残しつつ新しい形ではじまっていますが、300年間変わらないものもありました。その年の恵みに感謝し、翌年の豊作を願う「バラ祭り」です。毎年6月初旬に開かれ、村人は、民族衣装を身にまとってバラを摘み、バラ水を撒きながら伝統的な踊りを披露します。

写真左：バラ摘みの人
写真右：バラ祭りの若者

## 日本での精油生産と北見の薄荷（ハッカ）

かつては日本でも、精油が生産されていました。明治30年頃、北海道で薄荷草 Mentha arvensis の栽培と蒸留がはじまりました。一時は、世界の薄荷油の生産量のトップを占めるほど繁栄しましたが、外国の勢いにおされて次第にその地位を失いました。

田中篠松氏考案の田中式蒸留器は、樹齢200年以上のエゾ松から作られ、薄荷油の生産量を大幅に引き上げた画期的なものでした。現在は役目を終えて、北見市にあるハッカ記念館に展示され、当時のおもかげをしのばせています。

写真左：薄荷草
写真右：田中式蒸留器／北見ハッカ記念館

PART *1*

アロマテラピーの

基礎知識

アロマテラピーは、
植物から抽出した精油と人の手とのコラボレーション。
専門的な内容にも少し踏み込んで、
知っておきたいアロマの基礎知識を
写真やイラストをまじえて解説します。

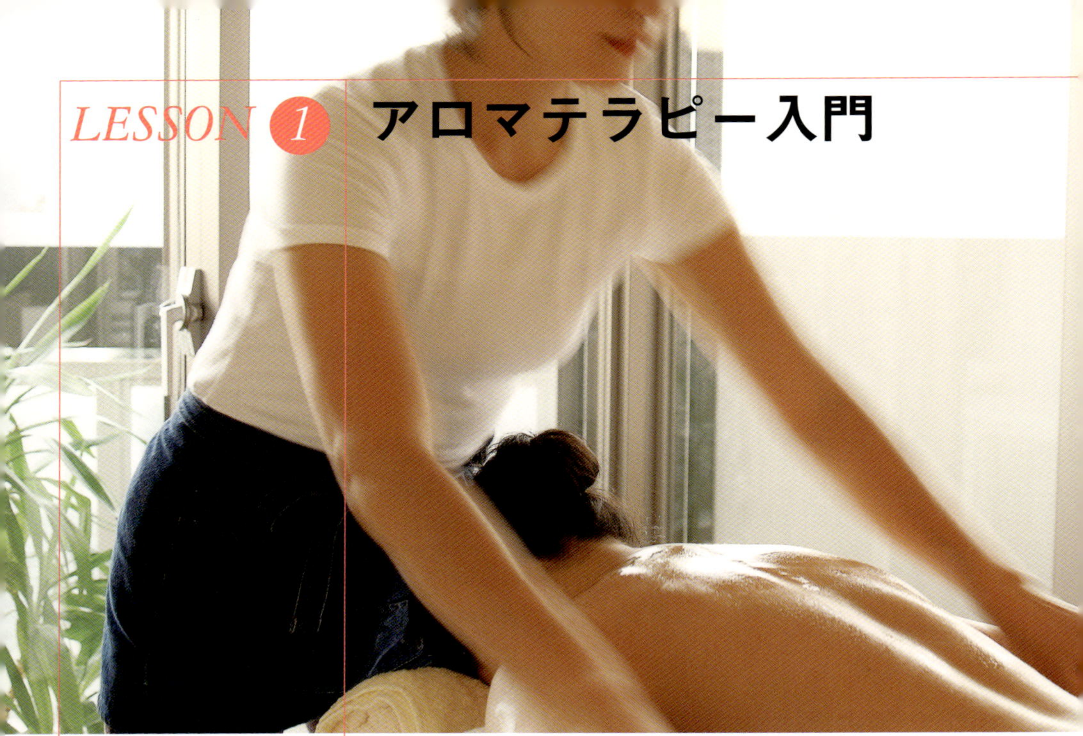

# LESSON 1 アロマテラピー入門

## 01 アロマテラピーとは

### 香りを使った療法(セラピー)

　アロマテラピーは、植物の香り(精油)を使って心身の不調を癒し、健康維持に役立てる療法です。「芳香療法」とも呼ばれています。最近では、施術が受けられるトリートメントサロンや代替療法として取り入れる病院も増えてきました。

　「アロマテラピー」という言葉を聞いたことがなくても、冬至の「ユズ湯」や5月の「菖蒲湯」はご存じではないでしょうか？　これらは、日本でも昔から行われていたアロマテラピーの形なのです。

　実際のアロマテラピーは、植物から抽出した芳香物質である「精油」をキャリアオイル(植物油)で希釈したものを使って行うトリートメント(マッサージ)をはじめ、香りの拡散、吸入などの方法で心身のバランスを整えます。

## 古くて新しい療法、アロマテラピー

現在のような形でアロマテラピーが行われるようになったのは20世紀になってからですが、古代の人々はすでに「香りが持つ力」を知っており、芳香植物を治療や儀式に使っていました。イラク北部のシャニダール遺跡から発掘された約5万年前のネアンデルタール人の墓の土から多くの花粉が見つかりました。死を悼み、花をたむける気持ちは私たちと同じだったのかもしれません。

いつの時代も人と植物は共にありました。医学、薬学、香水の歴史の中にそのままアロマテラピーの歴史を見ることができます。

1968年、シャニダール洞窟の土から花粉が見つかった植物のひとつ、コーンフラワー（矢車菊）の花。ほかにもノコギリソウ、タチアオイなど数種類の花粉が発見された。

## アロマテラピーの父：ガットフォセ

アロマテラピーという言葉は、フランス語の「aroma（アロマ）：香り」と「thérapie（テラピー）：療法」を組み合わせた造語です。フランス人の化学者ルネ＝モーリス・ガットフォセ（1881〜1950年）によって作られました。

1910年、彼は研究室でひどいやけどを負い、すぐに治療を受けましたが経過が悪く、壊疽となった傷にラベンダー精油を塗布しました。驚くほどきれいに治癒した経験から精油を用いた治療法について研究し、この療法は将来大きな役割を果たすだろうと予言しました。1937年、著書"AROMATHÉRAPIE"をフランスで出版しています。

ルネ＝モーリス・ガットフォセ著 ロバート・ティスランド編著 前田久仁子訳 フレグランスジャーナル社発行

## 精油を利用したジャン・バルネ博士

フランス人医師、ジャン・バルネ博士（1920〜95年）は、第二次世界大戦中、傷ついた兵士達の治療に精油を用い、よい結果をおさめました。やがて、軍籍を離れた後、書物を著します。1964年に出版された著書"AROMATHÉRAPIE"は、多くの臨床から得た精油の薬理作用を医師や薬剤師たちに伝えることになります。博士の研究の流れを汲んでフランスやベルギーでは、医療分野でのアロマテラピーが発展し、精油の内服も行われています。

ルネ＝モーリス・ガットフォセ（上記書籍より転載）

世界中で読まれている"Le Capital-Jeunesse"の日本語訳書、『生命と若さの秘密』クレイヴ出版事業部発行

### 香りを美容の分野へ応用

　オーストリア生まれのマルグリット・モーリー（1895〜1968年）は、若くして夫や子を亡くした苦悩を乗り越え、看護師の資格をとり、やがて1930年代に外科医のモーリーと再婚しました。夫とともにホメオパシー、鍼灸など代替療法を学び、香りを美容の分野に応用し心身両面のアンバランスを整え、若返りや健康を保つというホリスティック・アロマテラピーという分野を生み出しました。

　個々のクライアントのキャラクターや症状、ニーズに合わせて精油を選択するという考え方や、脊柱に沿って刺激しながら行うオイルトリートメントはその心地よさと効果から多くの顧客に支持されました。そのメソッドは、オーソードックスなアロマテラピーの手法として現在も行われています。1961年に出版された著書"Le Capital-Jeunesse"は、古典として今もなお世界中で読まれています。直接教えを受けた弟子たちが、彼女が亡くなった後も多くのアロマセラピストを育成しています。

### アロマテラピーのパイオニア：ロバート・ティスランド

　ロバート・ティスランドは、ガットフォセやジャン・バルネ博士の書籍、古代エジプト、古代ギリシャ・古代ローマ時代の医学、中国医学、アーユルヴェーダ、ホメオパシー、薬草療法などに関するさまざまな文献から精油が持つ療法としての可能性について深く研究し、1960年代後半から本格的な実践をはじめました。

　1977年、アロマテラピーの原理と精油の使い方をまとめた最初の著書"The Art of Aromatherapy"（邦訳『芳香療法の理論と実際』1985年、フレグランスジャーナル社発行）がイギリスで出版されました。この本は、日本にアロマテラピーが広がるきっかけをつくり、また、世界10カ国以上で翻訳され、現在も版を重ねています。また、セラピストの教育機関The Tisserand instituteを開設するなど、アロマテラピーの普及に力を注いでいます。

アロマテラピーのパイオニア、ロバート・ティスランド氏。（写真提供：ジャパン・ハーブ・スクール）

## 日本へのアロマテラピーの導入

1970年くらいから柚子、山椒、ワサビなど昔からの薬味に加えて、ハーブ（香草）は日本人の暮らしに徐々になじみつつありました。付けあわせのパセリをイタリアンパセリに変えると「スパゲッティ」は「パスタ」に、町の喫茶店は「イタリアンレストラン」へと衣替えし、ぐっとおしゃれになりました。ハーブやポプリのブームに足並みをそろえるように「精油」や「アロマテラピー」も浸透していきます。80年代後半から頻繁に開催されたロバート・ティスランドをはじめとする、著名な英国のアロマセラピストの来日講演は、一般の人々がアロマテラピーに触れる絶好の機会となりました。

相次いで設立された日本アロマテラピー協会（現・社団法人日本アロマ環境協会）、日本アロマコーディネーター協会、ナード・アロマテラピー協会、日本アロマセラピー学会などアロマテラピー関連団体の普及活動もあり、アロマテラピーは、幅広い分野で活用できるものとして市民権を得るようになります。90年代後半にはフランス、ベルギーなどで行われていたメディカル・アロマテラピーの情報も入りはじめ、医療分野でも応用できる可能性が今も広がり続けています。

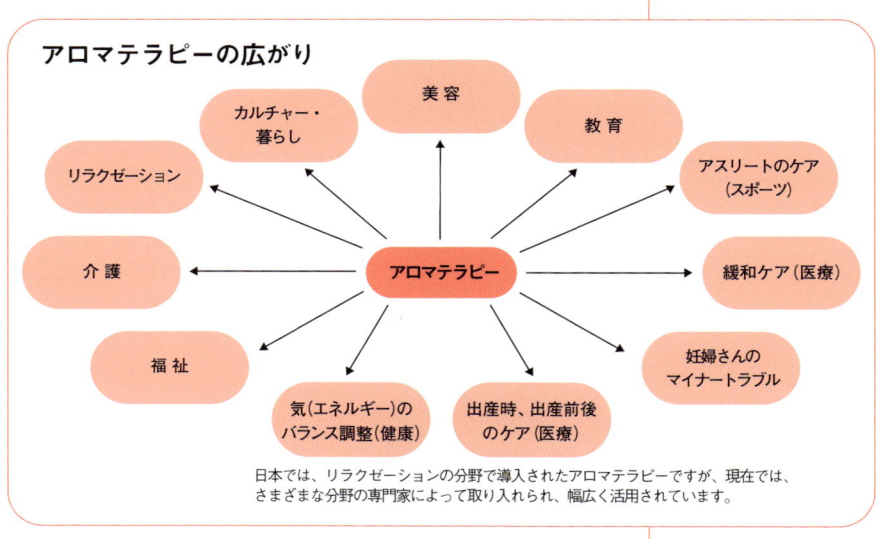

日本では、リラクゼーションの分野で導入されたアロマテラピーですが、現在では、さまざまな分野の専門家によって取り入れられ、幅広く活用されています。

## 02 世界の植物療法の歴史

セイロンニッケイ。樹皮の外皮をはいで乾燥させたものがシナモンスティック。

### メソポタミア

チグリス川、ユーフラテス川流域の肥沃な地域では、BC.6500年頃から約2000年かけて狩猟文化から農耕文化へと移りゆき、BC.4000年頃には世界最古の文明が発達しました。薬の処方や祈りの言葉が書かれた粘土板や素焼きの蒸留器の原型などが発見されています。当時は、医術が占星術や呪術とからみあい、香りを焚き、呪文を唱えてから治療が行われました。

ケシ、ヒヨス、センナ、ニッケイ、乳香、没薬などの芳香植物は、浸剤、軟膏、薫香、香油、沐浴などで利用され、ハチミツ、オリーブ油、ゴマ油、ワイン、牛乳などが基材となりました。

### 世界の植物療法の歴史地図

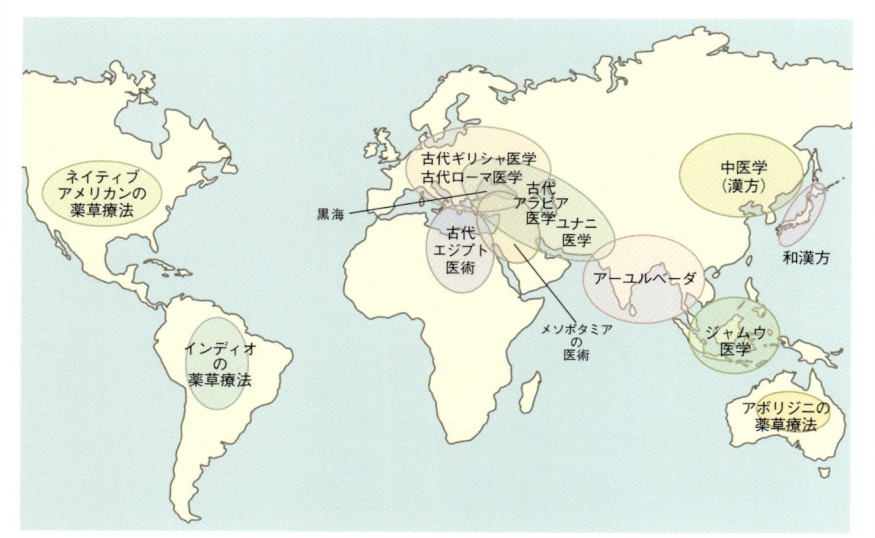

## 古代エジプト

BC.4000～BC.3500年頃、ナイル川流域で誕生したエジプト文明では、芳香植物が医術、呪術、化粧、ミイラ作りに用いられました。円錐型に固めた香料入りの軟膏を頭にのせた貴婦人の姿が壁画に残されています。

「香水」Perfumeの語源、ラテン語のPer（ペル）（〜を通して）fumum（フムム）（煙）の言葉が示す通り、儀式ではミルラ（没薬）やフランキンセンス（乳香）の樹脂を燃やした「薫香」が神に捧げられました。芳しい煙は人と神をつなぐものと考えられていたのです。

貴重な香料は、王族と聖職者しか使うことができませんでしたが、BC.1000年頃には一般の民にも広まりました。

キフィ、バラ、シベットの香りを愛した女王クレオパトラ（BC.69〜BC.30年）は香りの力を巧みに使い、世界の歴史を動かしたといわれています。

上・カンラン科、*Boswellia*属の木の幹からにじみ出る樹脂はやや黄色〜乳白色の涙形の塊になる。フランキンセンス（乳香）と呼ばれ、今でもイエメン、オマーンでは香として焚かれている。
下・ミルラ（没薬）の木の樹脂は、赤褐色の塊（上）。ベンゾイン（安息香）はエゴノキ科、*Styrax*属の木の樹脂（下）。ともに儀式や薬として使われた。

## 古代ローマ・古代ギリシャ

エジプトの香りの文化は、ギリシャ、ローマへと伝わります。この時代から呪術と医学は、はっきりと区別されました。

「医学の父」と呼ばれているギリシャ、コス島生まれの医師ヒポクラテス（BC.460〜BC.370年）は、「ARŌMA（アローマ）：芳香植物」を積極的に治療に取り入れ、「diaita（ディアイタ）：食餌法（＝diet／英語）」の重要性を説き、季節や体質に合わせた食べ方や芳香植物を用いた入浴や燻蒸、マッサージを推奨しました。ヒポクラテスや後述するテオフラストス、ディオスコリデス、ガレノスらの考え方が後のヨーロッパでの植物療法やアロマテラピーを生む源となります。

アリストテレスの弟子テオフラストス（BC.370〜BC.288年）は、『植物誌』を著し、「植物学」の父と呼ばれています。ディオスコリデス（40〜90年）は、軍医として諸国を歩き、『薬物誌：マテリア・メディカ』を著しました。この本は以後、千数百年にわたり重要な薬学の文献となりました。記載された植物は600種にも及びます。

医学の父：ヒポクラテス
「人生は短く、術の道は長い。機会は逸しやすく、試みは失敗すること多く、判断は難しい」―ヒポクラテス全集 箴言より（資料提供：明治薬科大学名誉教授 大槻真一郎先生）

## 古代イスラム

浴びるように香料を使い、繁栄を誇ったローマも次第に衰退して東西に分裂（395年）、やがて西ローマ帝国も滅ぼされてしまいます（467年）。都市は荒廃し、ヨーロッパでは物質的にも精神的にも文化は停滞してしまいました。

一方、東の地アラビアでは、製紙、印刷、火薬などの新技術が発明されるなど宗教、哲学、科学が独自の発達を遂げていました。ギリシャ・ローマの知恵は東に渡ります。ヒポクラテス、ディオスコリデスらの医学書は、アラビア語に翻訳され、アラビアの医学や錬金術と融合し、さらに発展をとげます。当時の面影は、「ユナニ医学」として現代に伝えられています。卑金属を金に変え、不老長寿の薬や物質の中の純粋な元素エレキシルを見つけようとした錬金術師たちは、結果的に学問や化学・薬学の発展に貢献することになりました。

10世紀頃「水蒸気蒸留法」を完成させたとして知られる医師・錬金術師・哲学者のアヴィセンナ（980〜1037年頃 イブン・シーナともいう）はローズ精油の抽出に成功し、著書『医学典範』は、16〜17世紀にいたるまで権威を誇り、教科書として医学校で使われました。

香水の歴史上、錬金術によるアルコールの発明も見逃せません。アルコールと精油を混合した「アラビアの香水」は、従来の動物や魚の油、ワインにまぜたものとは違って植物本来の香りを楽しむことができ、人気を呼びました。

## 古代インド

5000年もの歴史があるアーユルヴェーダ医学では、個人が固有に持つというヴァータ（空と風の要素）、ピッタ（火と水の要素）、カパ（水と土の要素）の3つのドーシャ\*のバランスの乱れが、アグニ（消化の火）を弱め、アーマ（未消化物）の蓄積が体内に無数にあるとされる通路（スロータス）を詰まらせ、病を招くと考えられています。ドーシャバランスの回復に役立つ多くの芳香植物が使われていました。

アヴィセンナの『医学典範』。
アヴィセンナはフェンネル、アニス、ニガヨモギ、カモミール、ローズ精油など数多くの芳香植物を治療に用いた。「医学典範」には、アヴィセンナの医学理論やその実践方法が記されている。
（資料提供：ジャパン・ハーブ・スクール）

\*ドーシャとは
漢方医学に「気」「血」「水」という独自の考え方があるのと同じように、アーユルヴェーダ独自の体質論がある。ドーシャとは、体質、体や心の状態に関係する3つの力・生命エネルギーをいう。空、風、火、水、土の5つの要素が集約されて、ドーシャになると考えられている。

## 中世ヨーロッパ

　ローマ帝国の滅亡後、500年もの間続いた「暗黒時代」にようやく復活の兆しが見えはじめたのは11世紀以降です。十字軍の遠征（1096～1270年）によりアラビアの科学技術、スパイス、精油、香水、ローズ水などがヨーロッパにもたらされ、東西の文化交流が復活しました。

　12～13世紀にはヨーロッパにも精油の蒸留所が出来ました。アラビア語で書かれたヒポクラテス、ディオスコリデスらの書籍は、ラテン語に翻訳され「写本」と呼ばれました。南イタリアの小都市サレルノでは初の医学校が作られ、十字軍兵士の治療にもあたりました。日常の健康法を記した『サレルノ養生訓』は大変有名です。この時代の修道院は病院の役目も果たし、薬草作りは大切な仕事のひとつでした。16世紀以降、植物療法は大変盛んになり数多くのハーバリスト（植物療法家）が輩出されました。当時の本草書も多数残っています。ペストなど伝染病が大流行したこの時代、香水工場で働く人だけは病にかかりませんでした。香料には殺菌消毒作用があったからです。医師は香料入りのポマンダーを首にさげ、カモミール、タイム、ラベンダーが床に撒かれ、ローズマリー、コショウ、乳香が消毒のために焚かれました。

## 19世紀～現在

　19世紀初頭から20世紀にかけて医学と有機化学は飛躍的に発展し、植物の有用成分を単体で抽出する方法や抗生物質、ワクチン、抗ヒスタミン薬、ホルモン薬などが開発されて合成薬が主流となり、精油や植物をそのまま利用する療法は衰退していきました。しかし、薬の副作用や耐性菌の問題、生活習慣病やストレス性の疾患などが増え、なぜ病気になるのか、治癒とは何かという医療の根本を見つめ、心と体をトータルに癒すというホリスティックな考え方を持つ伝統的な医療が見直されつつあります。植物（ハーブ）療法、アロマテラピー、ホメオパシー、アーユルヴェーダ、園芸療法などが医療とともに活用される場面が今後も増えていくことでしょう。

上・オオバコの植物画。「ディオスコリデスの薬物誌 ウィーン写本」より。きれいな色彩で描かれている。1世紀に著されたものが中世にいたるまで医学、薬学に影響を与えた。
下・カモミールの木版画。「H.ボックの本草書」（1577年初版）より。古いドイツ語で解説されている。16世紀は数多くの本草書がヨーロッパ各地で出版された。
（資料提供：明治薬科大学名誉教授　大槻真一郎先生）

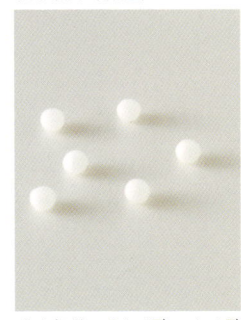

ホメオパシーのレメディ。レメディは、植物や鉱物、動物などから作られる。精油とは異なり、原料物質の成分はほとんど含まれていない。

# 03 アロマテラピーのメカニズム

### 原始的な感覚系：嗅覚と触覚

動物にとって、嗅覚と触覚はなくてはならない大切なものです。小さな赤ちゃんは、全身で色々なものに触れ、香りを嗅ぎ、その情報は、無意識のうちに脳に送られて心と体を育てます。

嗅覚と触覚は、進化の過程の早い段階で発達しました。生物が生きるために必要な生殖、捕食、危険の回避などに関わる感覚だったからです。身を守る武器でもあり、嗅覚と触覚を使って敵か仲間か、毒になるか食べられるかを見分けました。嗅覚は、哺乳類だけでなく魚類、両性類、鳥類にも備わっています。私たちが悪臭、ガスや腐った食べ物のにおいに瞬間的に気づくのは、それらが体にとって「危険なもの、避けるべきもの」だと本能的にわかるからです。また、触れて確かめたり、雰囲気を肌で感じる、直感的に触れたい、近づきたいと思う人やもの、場所を判断するなど、皮膚感覚もアンテナとして働きます。

今、パソコン、テレビなど圧倒的に視覚と聴覚からの情報にあふれていますが、アロマテラピーでは、精油を使ったトリートメントを通して、積極的に嗅覚と触覚を刺激します。忘れていた感覚を呼び覚ましてくれるかもしれません。

さわやかな香りを嗅ぐと一瞬で眠気が吹き飛んだり、心地よいトリートメントでイライラが鎮まったりするのは生き物の原始的な感覚である嗅覚と触覚に働きかけるため。これらの感覚は、感情や気分、記憶、本能行動、知的活動などとの関係が深い。

## 嗅覚に関わる脳の部位

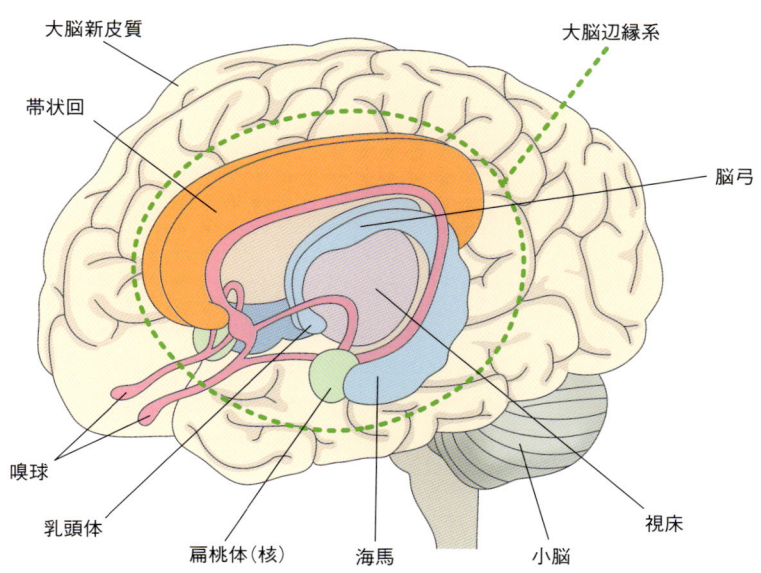

**大脳新皮質**：大脳表面の部位。大脳皮質ともいう。知性、理性、創造、知的活動などをつかさどる。

**大脳辺縁系**：脳の内側にあり、大脳の古い皮質と海馬、扁桃体（核）、帯状回、脳弓などを含む一連の部位。本能行動、記憶、情動などをつかさどる。

**扁桃体（核）**：快・不快、喜怒哀楽など情動の中枢。大脳辺縁系に含まれる。

**海馬**：記憶の中枢。大脳辺縁系に含まれる。

**嗅球**：大脳半球底面に左右一対ある。嗅神経からの信号を最初に受け入れる。

光や音の刺激を目や耳など感覚器（受容器）が受け取り、神経によって脳に伝えられることにより感覚が生じる。

嗅覚も例外ではない。鼻の奥にある嗅細胞が香りの刺激を受け取り、嗅神経によって脳に伝達される（詳しくは33ページ参照）。

嗅覚の中枢は側頭部のやや内側にあり、大脳辺縁系の扁桃体（核）や海馬がその信号をダイレクトに受け入れている。そのため、視床・大脳新皮質を経てから大脳辺縁系に入る視覚や聴覚など他の感覚よりも嗅覚は生物としての本能や感情を揺さぶる力が強く、反応が速い。

最終的には大脳新皮質の側頭葉にある嗅覚野で処理され、過去の記憶と照らし合わせて何の香りかを認識する。

### 香りは、一瞬で心身をシフトする

　アロマテラピーのメカニズムは、嗅覚と脳のしくみと関連づけて説明されます。香りは、一瞬で心身をシフトする力を持っています。香りの刺激が脳へ伝わるまでの時間はなんと0.2秒以下。歯痛や体の深部の痛みが伝わるまでの時間は0.9秒あるいはそれ以上です。どれだけ速いかおわかりになるでしょう。

　香りの刺激が伝えられる脳の部位と快・不快を感じる部位は大変近いので、香りによって人の気分（情動）は、左右されることがわかっています。香りを嗅いだとき、何となくいい気分になって嫌なことも忘れてしまった体験はありませんか？　ふつうに1週間、暮らしているだけでおよそ2000種類以上もの香りを嗅いでいるとの報告があります。様々な香りは、気づかないうちに体の生理的な反応や心に影響を与えています。ふと漂ってきた香りで唾液が分泌される、昔の記憶がよみがえる、イライラを忘れるなどもその例です。

### 視床下部と下垂体

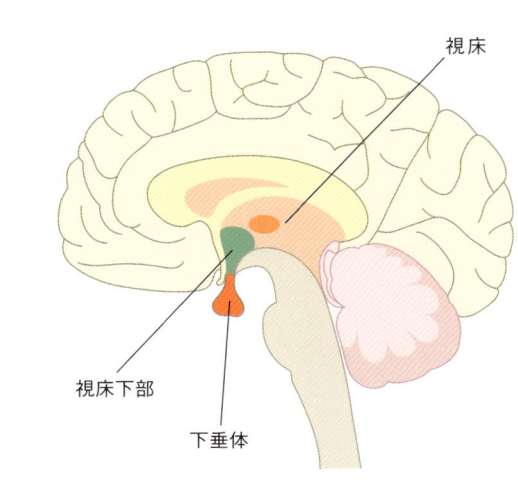

視床下部と下垂体はアロマテラピーとの関わりが深い。視床下部は、胃腸や心臓、膀胱などの働きを調節する自律神経系の中枢。下垂体は、甲状腺や卵巣、副腎など他の内分泌器官や体の働きを調節するホルモンを分泌する。下垂体自身は、視床下部からのホルモンによる調節を受けている。

## 嗅覚のしくみ

**図の label:**
- 大脳新皮質
- 嗅球（脳の一部）
- 嗅上皮
- 嗅毛
- 鼻腔
- 大脳辺縁系
- 芳香成分
- 拡大

**拡大図の label:**
- 嗅球
- 大脳辺縁系へ
- 嗅球の神経細胞
- 嗅神経
- 嗅細胞
- 粘液層
- 嗅毛
- 芳香分子
- 嗅上皮
- 鼻腔
- 刺激が伝わる方向

嗅覚刺激は、鼻腔→嗅上皮→嗅神経→嗅球→大脳辺縁系→扁桃体(核)・海馬の順に伝えられ、記憶、情動、本能行動などへ影響を与える。

鼻の奥の空間、鼻腔には嗅上皮と呼ばれる特別な粘膜が存在する。嗅上皮の粘液層には嗅毛（嗅細胞の先端）が露出している。鼻から取り込まれた芳香成分は嗅毛にとらえられると、その刺激は電気信号（インパルス）に変換され、嗅球を通って大脳辺縁系の扁桃体(核)や海馬に伝えられる。そのため、本能行動（食欲、生殖欲、睡眠欲など）や記憶、喜怒哀楽といった情動は嗅覚の影響を強く受ける。大脳辺縁系と神経同士の連絡が密な視床下部や大脳新皮質にも伝わるため、ホルモン分泌や内臓の働きなど生理機能、免疫、知的活動なども嗅覚の影響を受けると考えられている。

## アロマテラピーの作用

アロマテラピーには、①心に対する働き、②体に対する働き、③皮膚に対する働きという3つの作用があり、心と体に同時に働きかけます。精油のもつ肌への美容効果も期待できます。

| 3つの作用 | |
|---|---|
| 心に対する働き | 精油を嗅ぐとエンドルフィン、セロトニン、アドレナリンなどが分泌されるといわれています。これらは、多幸感や情緒の安定、心を鼓舞・活気づける、鎮静などの効果をもたらす脳内の神経伝達物質（脳内モルヒネ）です。香りによって刺激される大脳辺縁系、視床下部、下垂体といった脳の部位は、情動、記憶、本能行動、食欲、性欲、睡眠欲、自律神経系や内分泌系の働きをコントロールしています。これらは心の影響を受けやすく、感情が安定していると円滑に働き、病気にもなりにくいことがわかっています。心地よく、気持ちが休まる香りを選んでみましょう。 |
| 体に対する働き | 精油成分には、免疫系を強化して体がウイルスや細菌と戦う力を高める、血液やリンパ液の流れを促す、腎臓や肝臓、胃など体の各器官を刺激して働きを向上させるなどの効果が知られています。トリートメントそのものにも同様の効果と筋肉の緊張を和らげ、痛みを軽減する効果があります。精油成分の作用とトリートメントによる刺激は、複合してプラスの効果を発揮します。 |
| 皮膚に対する働き | 精油成分には肌の調子を整え、スキンケアに役立つものが多数あります。殺菌消毒作用もあるため、ニキビや傷のケアにも使えます。好きな香りで心地よさを感じ、リラックスすると、血管が拡張し、同時にトリートメントによっても血流が促進され、結果的に皮膚の新陳代謝（ターンオーバー）の活性化につながります。また、皮膚と心は密接に関係しており、皮膚へのやさしい触覚刺激が情緒を安定させ、ストレスへの耐性を高める効果があります。 |

## タッチングの効果 〜触れることの意味〜

温かな手でやさしく包み込まれるように施されるトリートメントは、こわばった体を緩め、頭の疲れをほぐしてくれます。いつの間にか眠ってしまう方がとても多いのもうなずけます。

「手当て：タッチング」という言葉がありますが、「やさしくなでさする」という行為がひとつのセラピー（療法）とし

て効果を発揮するのです。背中をさすってもらううちにだんだん気持ちが落ち着いてきた体験はありませんか？　触れることは、親密さや愛情を伝え、言葉ではないコミュニケーションがそこに生まれます。

　言ってみれば、自分と外部との境界が皮膚です。皮膚をトリートメントされることで無意識のうちに自己を再認識し、ここに存在するという実感、おさまるところにおさまったという感覚、起きている心地よさをただ静かに体感する、それらが精神的な安定をもたらすのでしょう。触れ合うことで生じる皮膚感覚は、まさにその瞬間に起きているリアルな感覚以外のなにものでもなく、「今」という時を実感させてくれます。

　意識は、「今、現在」にとどまることがとても難しいもの。過去にも未来にも思いをめぐらせてしまい、それが心や頭を疲れさせる原因にもなっています。

## 外胚葉由来の皮膚と脳 〜皮膚は外に出た脳〜

　タッチングがなぜ脳を休ませるのか、発生学の点から考えてみましょう。

　あまりぴんと来ないかもしれませんが、皮膚をなでることは脳をなでることと実は同じなのです。受精卵が細胞分裂を繰り返し、外胚葉、内胚葉、中胚葉の3つの胚葉に分かれる時期を経て、それぞれの胚葉が心臓、胃、皮膚などの器官となり、やがて体が完成します。このとき、外胚葉と呼ばれる部分が外側に露出したものが皮膚、内側に入り込んだものが脳と神経になります。同じところから分かれた脳と皮膚。皮膚への刺激は、間接的に脳を刺激することにつながるわけです。

　ゆっくりとやさしく圧を加える接触も、脳を落ち着かせる効果があることがわかっています。同じ接触でも、恐怖や不安感、痛みを伴う体験は心の奥深くに記憶され、脳の海馬が萎縮してしまう例もあるそうです。お互いが心地よく思える触れ合いが一番大切なのでしょう。

　皮膚と脳はつながっていると意識することで、自然と手のあて方や気持ちの込め方が変わってきます。

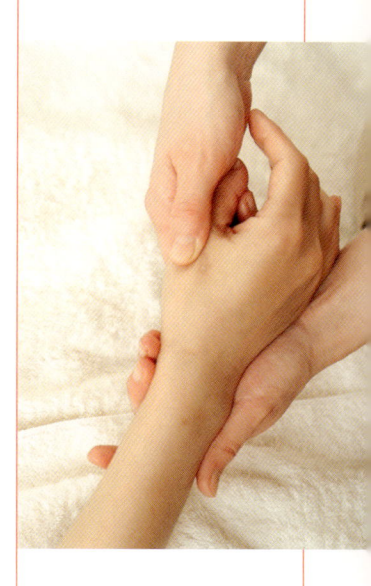

LESSON 1　アロマテラピー入門

## 痛みのゲートコントロール説と香り・タッチング

打撲や怪我をしたとき、その刺激は末梢神経によって脊髄に伝わり、脊髄にあるゲート（門）が開いて脳へと伝えられ、はじめて「痛み」として認識されます。この痛みを感じるしくみに香りやタッチング、感情が関係することがわかってきました。

不安、恐怖の感情はゲートを開き、痛みを増幅する方向に働きます。また、長く続く痛みは交感神経を緊張させ、新たな発痛物質を作り出すことも知られています。

一方、喜びの感情、高揚感、やさしくなでる・さするなどの触覚刺激はゲートを閉じ、痛みを軽減する方向に働きます。「痛いの痛いのとんでいけ〜」が効果的なのは、言葉かけによる安心感やなでることでゲートが閉じるからです。

ゲートを閉じて痛みをブロック・軽減するという理論を「痛みのゲートコントロール説」といいます。指先を切る、針で刺すなど瞬間的で鋭い急性の痛みの信号はとても速く伝わり、あまりブロックされませんが、慢性的で鈍い痛みの信号は脳へ伝わるスピードが遅く、タッチングや香りの刺激でブロックされやすいのです。また、心地よさを感じる香りや触れ合いは、鎮痛作用がある神経伝達物質（脳内モルヒネ）の分泌を活性化すると考えられています。アロマテラピーで、できるだけ好みの香りになるよう精油を調合するのはそのためです。

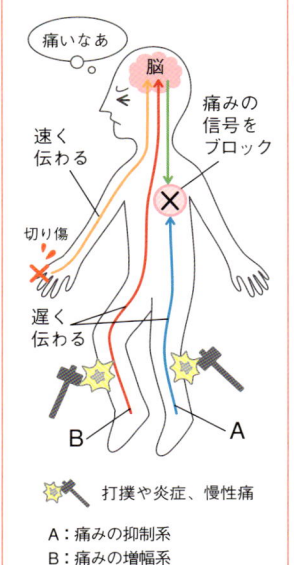

打撲や炎症、慢性痛
A：痛みの抑制系
B：痛みの増幅系
（下図参照）

### A：痛みの抑制系
- タッチング・快感
- 脳内モルヒネ
- 精油成分
- 血流の増加
- ゲートコントロール

→ 弱くなる

**痛みの度合**

### B：痛みの増幅系
- 不安・恐怖
- 発痛物質
- 病気・ストレス
- 交感神経の緊張
- 血流の減少

→ 強くなる

## オイル塗布はこうやる！

心地よいトリートメントを行うためにも、トリートメント前のオイル塗布はとても大切。しっかりとやり方を身につけましょう。

① トリートメントオイルを作る。

ビーカーなどのガラス容器にキャリアオイルを入れ、その後に精油を加え、よくまぜる。

② オイルを手にとってなじませる。

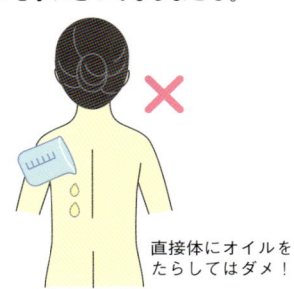

直接体にオイルをたらしてはダメ！

③ オイルを塗布する。

**体**

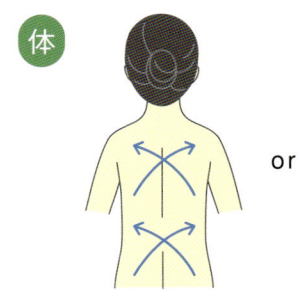

右手　左手
手を左右に交互に大きく動かす

or

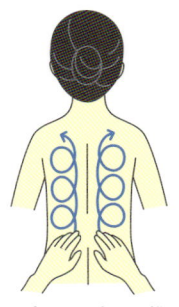

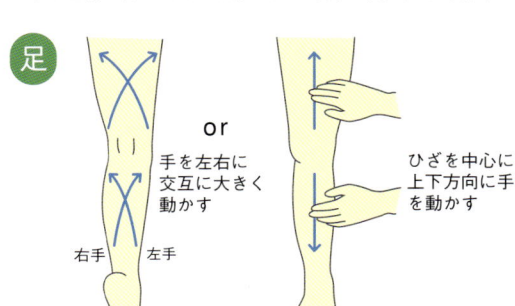

両手で円を大きく描く

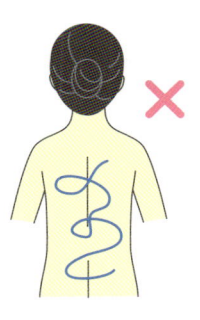

ぐちゃぐちゃに手を動かすのはダメ！

**足**

手を左右に交互に大きく動かす
右手　左手

or

ひざを中心に上下方向に手を動かす

トリートメントを行う部位にまんべんなくオイルを塗布します。
手の平全体を肌に密着させ、手を大きく動かすのがポイントです。

LESSON 1　アロマテラピー入門

# LESSON 2 　精油　Essential Oil

## 01　精油とは

### 芳香植物：ハーブ

　香りのある植物を思い出してみてください。庭木のバラ、キンモクセイ、沈丁花、山椒、ユズ。料理に使うローズマリーやバジル、コショウ、シソなど。香りのある草や樹木をハーブ、芳香植物、薬用植物などといいます。古くはラテン語でHerba（ヘルバ）と呼ばれていました。日本古来の和漢薬としてもともと使われていたものや、江戸時代のオランダ医学や明治時代のドイツ医学を通じて伝わったものがあります。

### 香りの正体：精油

　植物から漂っていた香りの正体は、「精油」という物質です。精油はいくつもの芳香成分の混合体で、成分の一つひとつが薬理的な作用を持ちます。
　多くの芳香植物の中から、コストの面でも商業的に採算が取れるものが原料となり精油が抽出されます。現在、入手可能な精油の数は200近くにものぼります。

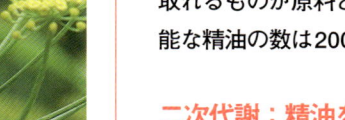

### 二次代謝：精油を作る特別な働き

　根から吸い上げた水（$H_2O$）、太陽の光、空気中の二酸化炭

フェンネルの花とミツバチ

素（$CO_2$）から生育に必要なブドウ糖（$C_6H_{12}O_6$）と酸素（$O_2$）を作り出す「光合成：一次代謝」という働きは全ての植物が行いますが、嗜好品や医薬品の原料、植物資源となる植物は、さらに「二次代謝」という働きを行います。ハーブ類の精油、コーヒー豆と茶のカフェイン、ゴムノキのゴム、柿の渋（タンニン）、タバコのニコチン、トリカブト、キナの木、インドジャボク、ケシなどのアルカロイド。これらは、すべて二次代謝で作られるその植物オリジナルの物質です。

### 精油が蓄えられる組織

精油は、腺毛、油胞、油道、油室などの名をもつ特別な組織に蓄えられます。それらがある場所は、植物により異なります。シソ科は葉の表面、セリ科は茎の中、ショウガ科は根茎の中、ミカン科の柑橘類は果皮にあります。

### 植物から見た精油の役割

植物は、なぜ精油を作るのでしょう？　諸説ありますが、動物と違って動くことができず、根づいたところで一生を終える宿命の植物にとって、身を守り、子孫を残すための武器のひとつと考えられています。たとえば、精油を空気中に発散してウイルスや細菌の感染を防ぎ、受粉を助けてくれる昆虫たちを香りで引き寄せます。また草食動物や昆虫が嫌う香りや毒を分泌し、食べられないよう身を守ります。

パラゴムノキ（*Hevea brasiliensis*）の樹皮に半らせん状に傷をつけ、天然ゴムの原料となる乳液（ラテックス）を集める。タイヤ製造に欠かせない。

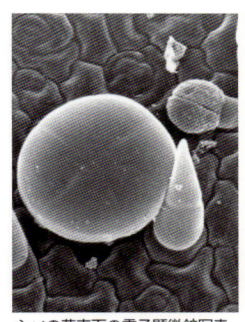

シソの葉表面の電子顕微鏡写真。中央に見える大きな丸い腺毛に精油が蓄えられる。右斜め上の腺毛は成長途中で精油はまだ少ない。

| 精油の特性 |
|---|
| ①水に溶けにくい。 |
| ②アルコール、油脂によく溶ける。 |
| ③揮発性の芳香物質。強い香りをもち、すぐに空気中に蒸発する。 |
| ④主成分は、炭化水素類、アルコール類、アルデヒド類、エステル類などの有機化合物。 |
| ⑤分子量が小さい。 |
| ⑥様々な薬理的な作用をもつ。 |
| ⑦精油成分は光、熱、酸素によって変化し、劣化する。 |

| 植物にとっての精油の役割 |
|---|
| ①昆虫誘引と忌避 |
| ②捕食者からの防御 |
| ③細菌・ウイルスからの防御 |
| ④癒傷 |
| ⑤他の植物の成長・発芽等の抑制 |
| ⑥乾燥の予防 |
| ⑦植物体内での生理活性 |

LESSON ❷　精油　Essential Oil

## 02 精油の抽出

### 精油と抽出方法との関係

　精油の抽出には、圧搾や蒸留などの特殊な方法が使われます。植物中の精油量は平均すると1〜1.5％程度。0.01〜0.02％とごくわずかしか含まれない植物もあります。

　植物の部位により芳香成分や精油量は違い、どの部位から抽出するか、どの抽出方法を用いるかによって精油の生産量（収油率）、香り、作用、価格が変わります。たとえばオレンジの木からは、ネロリ、オレンジ、プチグレンの3種類の精油が抽出されます。もっとも高価なのは花から抽出するネロリです。収油率が低く、大量の原料が必要となるからです。また、バラの花から抽出されるのはローズオットーとローズ・アブソリュートです。ローズオットーは、ダマスクローズの花を原料に水蒸気蒸留法で抽出した精油だけの呼び名です。

　一方、ダマスクローズとケンティフォリアローズの2種類のバラの花から有機溶剤法で抽出されたものがローズ・アブソリュートです。一般にはケンティフォリアローズが原料のアブソリュートのほうが多く流通しています。

　同じ原料でも抽出方法によって芳香成分の種類や割合が変わり、香りにも違いが出るのです。

上から、オレンジ、ネロリ、プチグレン。同じ植物から抽出される精油でも、抽出部位（果皮、花、葉）により異なる精油になる。

### ダマスクローズから抽出される2種類の精油

ダマスクローズ（右）から抽出されたローズオットー（左）とローズ・アブソリュート（中央）。抽出方法が異なると、色味だけでなく、香りや成分も異なる精油ができる。

## ケモタイプ（化学種）について

　収穫年や産地によって同じお米やミカン、ワインの風味が違うことはよくありますよね。農作物からの加工品である精油も同様です。

　精油の香りは、気温、土壌の質、日照条件など原料植物の生育環境の影響を受け、毎年微妙に変化します。大幅に違うものはアロマテラピー的な作用も変わってしまうため、別の精油として扱われますが、植物学的には同じ種なのでケモタイプ（Chemotype：化学種）と呼ばれます。

　ローズマリー、タイム、ニアウリなどにケモタイプがあります。同じローズマリー（*Rosmarinus officinalis*）でも産地によってカンファーの香りが強いもの、ベルベノンの香りが強いもの、シネオールの香りが強いものがあります。その場合、学名のあとに成分名を記し、タイプを区別します。

## 栽培か野生か、収穫時期によっても香りが変わる

　天然物である精油は、蒸留条件や原料植物の生育環境、栽培方法、収穫時期などによって品質が左右されます。一般にハーブは、開花直前か半開きから七部咲きくらいのもっとも精油量が多い時期に収穫し、生または陰干しで乾燥させて精油を抽出します。果実が未熟か完熟かによっても香りが違います。どの時期に収穫し、蒸留したかによって違う精油として販売される場合もあります。

　生産地の標高によっても香りが変わることがあります。標高800〜1600mくらいの畑で栽培されることが多いラベンダー（*Lavandula angustifolia*）を例にあげると、主要成分の酢酸リナリルは標高が高くなればなるほど増え、香りが甘くなり、鎮静効果が強くなります。また同じ標高でも畑で栽培したラベンダーの精油と野生ラベンダーを手摘みしたものでは香りに大きな違いがあります。1600〜1800mの山岳地帯に自生する野生ラベンダーの香りの力強さは格別で、畑と違って均一ではない荒れた土地にたくましく生きる姿をほうふつとさせます。

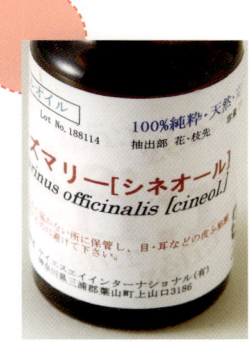

ローズマリー精油には、カンファー、ベルベノン、シネオールの3つのケモタイプがある。それぞれラベルには、
*Rosmarinus officinalis* [campher.]
*Rosmarinus officinalis* [verbenon.]
*Rosmarinus officinalis* [cineol.]
などと表記される（メーカーによる違いあり）。学名は共通だが、メインとなる成分が異なる。上記の写真は、シネオールタイプ。成分名の前に *ct.* と表記されることもある。*ct.* は、ケモタイプという意味。

### 精油の主な抽出方法
#### ①水蒸気蒸留法

　精油を抽出する最も一般的な方法です。ほとんどの植物には、この方法が使われます。原料植物を釜に入れ、水蒸気を吹き込んで加熱します。簡単にいうと巨大な蒸し器で蒸すわけです。水蒸気の熱で精油を蓄えていた細胞が壊れ、中の精油が放出され揮発します。気化して釜の上部に集まった精油の蒸気と水蒸気は冷却管を通る間に冷やされて再び液体に戻り、最終段階で水に溶けずに浮いてきた精油を分離します。残った水には精油が若干溶け込み、芳香蒸留水と呼ばれて化粧水や飲用に使われます。

　原理は簡単ですが熟練した腕を要し、植物によって時間・温度・圧など最適な蒸留条件は違います。たとえば短時間、高温、高圧で一気に蒸留すると揮発が遅い有用な成分が含まれず、香りや品質が劣った精油が抽出されてしまいます。イラストはSteam distillation法です。釜の中に水と植物を入れ、直接加熱するWater distillation法もあり、ローズなど花精油の抽出に使われます。

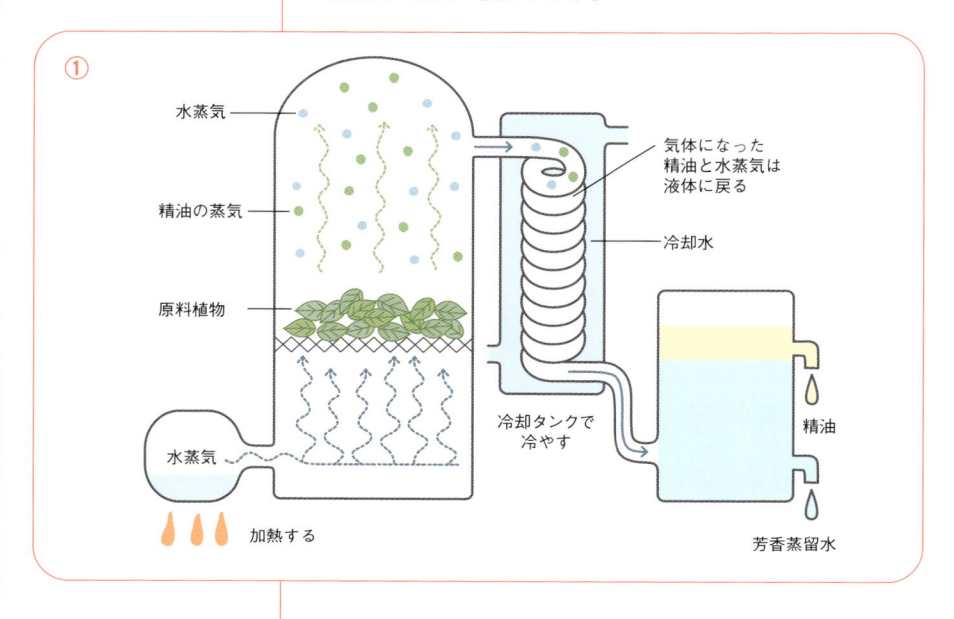

水蒸気蒸留法の最終段階。写真はマダガスカルでラヴィンツァラと呼ばれる木からとるラベンサラの精油と芳香蒸留水。2層に分かれた上部の黄褐色の部分が精油、下部が芳香蒸留水。

①
- 水蒸気
- 精油の蒸気
- 原料植物
- 水蒸気
- 加熱する
- 気体になった精油と水蒸気は液体に戻る
- 冷却水
- 冷却タンクで冷やす
- 精油
- 芳香蒸留水

## ② 有機溶剤法

ジャスミン、ローズ、チュベローズ、フランキンセンスなど花や樹脂の芳香成分を溶剤で溶かして抽出する方法です。原料植物を石油エーテルやヘキサンなどの有機溶剤に浸した後、溶剤を蒸発させると「コンクリート」が残ります。コンクリートをアルコールにまぜて芳香成分だけを抽出し、最後にアルコールを除いて精製したものが「アブソリュート」です。樹脂が原料のものを、「レジノイド」と呼ぶことがあります。

この方法だと水蒸気蒸留法では抽出されにくい成分や色素、ロウ成分なども含まれ生産量もやや増えます。

## ③ 冷浸法（アンフルラージュ法）

ラード（牛脂、豚脂）が芳香成分を吸着する性質を利用した伝統的な方法です。近年、あまり行われなくなりました。

周囲を木枠で囲ったガラス板（シャッシー）の両面にラードを塗り、櫛ですじを入れた上にジャスミンやチュベローズの花を丁寧に敷き詰め、手作業で新しい花と取り替えながら、3週間から1か月程かけて芳香成分を吸着させます。十分芳香成分で飽和したラードを「ポマード」といいます。

ポマードをアルコールにまぜて芳香成分を抽出し、最後にアルコールを除いて精製したものもアブソリュートです。溶剤抽出したものと区別してシャッシーアブソリュートと呼ぶこともあります。

## ④ 圧搾法

柑橘系の果実の皮を搾って芳香成分を抽出する方法です。加熱はしないので自然な香りをそのまま抽出できます。

圧搾法で抽出されたものは、正確には「精油」ではなく「エッセンス」と呼ばれます。高品質のものは果皮と果実を分けて果皮だけを圧搾し、エッセンスを抽出します。

古くは、果皮を手でつぶし、海綿で果汁を吸収する方法や「エキュエル法」といって内側に尖った突起がたくさんある漏斗のような道具で果実を押し当てるなどの方法で果汁を集め、上に浮いたエッセンスを分離していました。

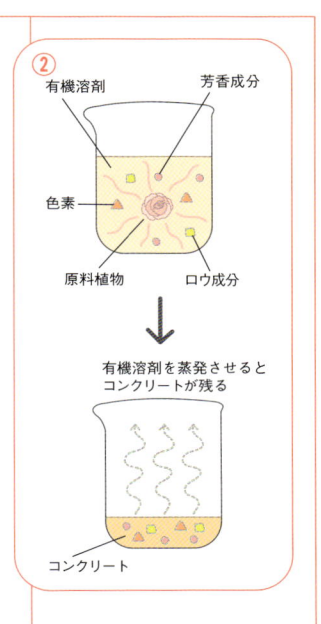

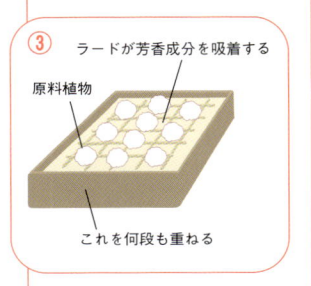

LESSON ❷ 精油 Essential Oil

## 03 精油の作用と吸収・排泄経路

### 精油の持つ幅広い作用

アロマテラピーが注目される理由のひとつには、精油が多岐にわたる作用をもつということがあるでしょう。ひとつの作用に注目してブレンドしても、結果的に効果が及ぶのはひとつだけではありません。室内用のフレグランス目的として使っても、天然精油であるがゆえにいつのまにか心と体に作用します。

次ページで、たくさんある作用のなかから、主な精油の作用とその意味を紹介します。

ペパーミントの花

### 精油の抗感染作用

カルバクロール、チモール、オイゲノール、$\ell$-メントール、パラシメン、ゲラニオール、リナロール、テルピネオール、リモネン、α-ピネン、1,8-シネオール、テルピネン-4-オールなどの精油成分は、細菌やウイルス、真菌（カビ）の増殖を抑え、感染症の予防に役立つことが知られています。

ペパーミント精油とその主成分$\ell$-メントールは、病原性大腸菌O-157を抑制する効果があるといわれています。ペパーミントはキッチンやトイレタリー製品、ガムなどでおなじみの香りです。相性がよいレモンやユーカリ、ティーツリー、ラベンダーなどと抗菌目的のアロマクラフトに使ってみましょう。

ペパーミントで抗菌アロマクラフト！

アロマスプレーの作り方は、84ページを参照してください。

## 精油の主な作用と意味

抗菌作用：細菌の増殖を抑え、感染を予防する
抗ウイルス作用：ウイルスの増殖を抑え、感染を予防する
抗真菌作用：真菌の増殖を抑制、感染を予防する
去痰作用：痰の排出を促す
粘液溶解作用／抗カタル作用：体内の過剰な粘液を溶解し、排出を促す
鎮咳作用：咳を鎮める
強壮刺激作用：体の機能を刺激し、働きを高める
免疫強化作用：免疫機能を高め、体の防衛能力を高める
鎮静作用：中枢神経系を鎮め、気持ちを落ち着かせる
抗ストレス作用：ストレスへの抵抗性を高める
抗不安／抗うつ作用：不安を和らげ、気分を明るくする
自律神経調整作用：自律神経のバランスを調整する
神経強壮：神経を刺激して強化し、活力を与える
精神安定：精神的に不安定な状態を安定させる
多幸作用：幸福感を高め、幸せな気持ちにする
精神高揚作用：リラックスさせ、気分を高揚させる
頭脳明晰作用：脳の働きを刺激、クリアにする
催淫作用：リラックスさせ、性欲を高める
加温作用／引赤作用：血管を拡張し、局所的に温める
血流促進作用：血液の流れを促進する
うっ滞（うっ血）除去作用：滞った体液（血液、リンパ液など）の流れを促す
脂肪溶解：体内の脂肪の燃焼を助ける
解毒作用：体内の老廃物の排出を助ける
抗痙攣作用、鎮痙作用：痙攣を鎮める
筋肉弛緩作用：筋肉の緊張をゆるめる
鎮痛作用：痛みを緩和する
麻酔作用：局所的に痛みを緩和する
抗炎症作用：炎症を緩和する
鎮搔痒作用：かゆみを緩和する
抗アレルギー作用：アレルギー症状を緩和する

瘢痕形成作用：肉芽組織の形成を助ける
癒傷作用：傷の治りをはやめる
皮膚細胞活性作用：細胞の新陳代謝を促す
皮膚軟化作用：硬くなった皮膚をやわらかくする
収れん作用：皮膚や組織を引き締める
血圧降下作用：血圧を低下させる
血圧上昇作用：血圧を上昇させる
皮脂分泌調整：過剰、少なすぎる皮脂バランスを調整
消化促進作用：胃腸の蠕動運動や消化液の分泌を促し、消化を助ける
肝臓強壮：肝臓を強壮し、働きを高める
胆汁分泌促進作用：胆汁の分泌を促進する
健胃作用：胃を強壮し、働きを高める
緩下作用：大腸の蠕動運動を高め、便通を促す
結石溶解作用：結石を溶解する
駆風作用：腸に溜まったガスの排出を促す
エストロゲン様作用：女性ホルモンに似た作用
コーチゾン様作用：副腎皮質ホルモンに似た作用
ホルモン調整作用：ホルモンのバランスを調整する
通経作用：月経を促す
駆虫作用：腸内の寄生虫を除去する
昆虫忌避作用：蚊など昆虫を忌避させる
皮膚・粘膜刺激：皮膚や粘膜を刺激し、炎症、発赤などを生じさせる
神経毒性：脳や神経にダメージを与える
肝毒性：肝臓の機能にダメージを与える
腎毒性：腎臓の機能にダメージを与える
感作性：アレルギー反応を起こす。少量の使用でも起こることがある
光毒性：紫外線に対する感作性を高め、発赤、しみ、炎症などを誘発する

### 精油の吸収経路と排泄までの流れ

　アロマテラピーでは、芳香浴やトリートメントを行うことで、精油成分を体内に取り入れ、心身の健康維持に役立てようとします。それでは、精油成分は、どのように体内に吸収され、体外に排泄されるのでしょうか。そのメカニズムを解説します。

#### 4つの吸収経路

| | |
|---|---|
| 皮膚からの吸収 | 精油成分は分子量が小さいので、容易に皮膚の内部に浸透します。一部は、毛穴、汗腺、皮脂腺などから、また一部は、皮脂膜や皮膚内部の脂質に溶け込むような形で浸透します。皮膚の真皮層にある毛細血管やリンパ管を通じて体内に入った精油成分は血流にのって全身へ運ばれ、組織や器官に働きかけます。 |
| 呼吸器からの吸収 | 空気と一緒に取り込まれた精油成分の一部は鼻、気管、気管支、肺の粘膜から、一部は肺胞でのガス交換の際に毛細血管を通じて血液に入り、血流にのって全身に運ばれます。 |
| 経口による吸収 | 吸収量がかなり多く、家庭で行うにはリスクが高い方法です。メディカル・アロマテラピーでは、精油を専用の希釈用基材とまぜて内服することもあります。 |
| 直腸・腟からの吸収 | 座薬や腟剤を作り、直腸や腟の粘膜から精油成分を吸収させる方法ですが、家庭で行うには不向きです。適切な方法で行わない場合、粘膜部分にかなりの刺激と痛みを感じます。 |

（注意）経口および直腸・腟からの吸収は、行わないでください。

### 精油の排泄経路

　精油は体内をめぐり、腎臓、肝臓に運ばれて解毒・代謝され、不要なものとして尿や便、吐く息、汗などから体外に排泄されます。精油の排泄は吸収と同じくらい大切です。溜め込んでいいものではありません。必要な働きを終えた後は、ちゃんと排泄されるよう、お風呂や足浴で体を温めて血液の循環や発汗を促す、温かい飲み物を多めにとるなどアロマ生活の中で少しだけ意識してみてくださいね。

## 精油の吸収・排泄経路

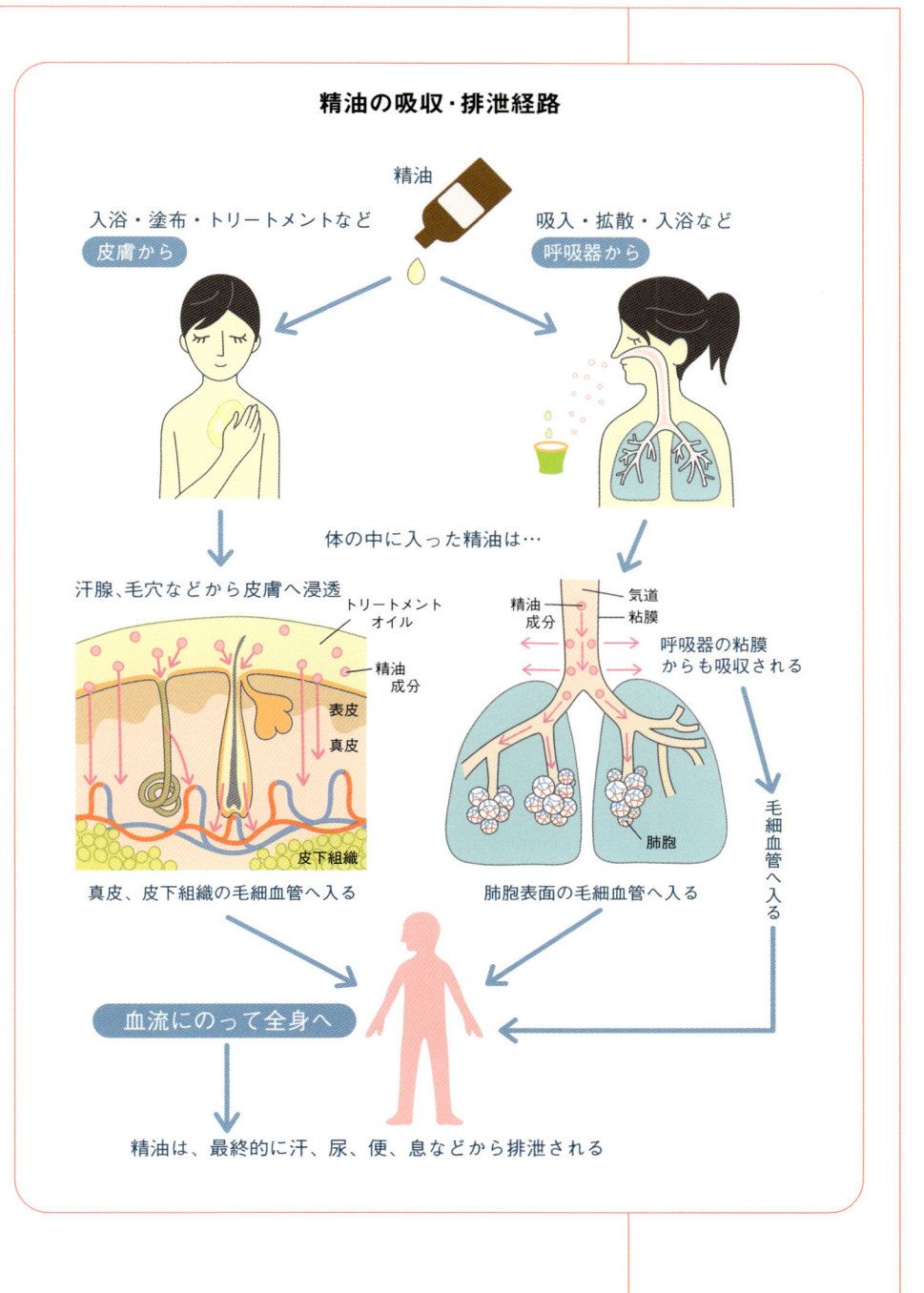

精油

**皮膚から**
入浴・塗布・トリートメントなど

**呼吸器から**
吸入・拡散・入浴など

体の中に入った精油は…

汗腺、毛穴などから皮膚へ浸透
- トリートメントオイル
- 精油成分
- 表皮
- 真皮
- 皮下組織

真皮、皮下組織の毛細血管へ入る

- 精油成分
- 気道
- 粘膜

呼吸器の粘膜からも吸収される

- 肺胞

肺胞表面の毛細血管へ入る

毛細血管へ入る

血流にのって全身へ

精油は、最終的に汗、尿、便、息などから排泄される

LESSON 2 精油 Essential Oil

## 04 精油の化学

監修：三上杏平

### 精油を作る3つの元素

精油は多種多様の芳香成分の混合体。主に炭素C、水素H、酸素Oの3つの元素が結合し、わずかな並び方の違いでいろいろな香りが作り出されます。あまりなじみがない世界かもしれませんが、アロマテラピーを安全に効果的に行うために知っておきたい化学の知識をご紹介します。

### 精油成分と香りのグループ

精油成分の多くは、テルペン化合物またはテルペノイドと呼ばれる化合物です。特に水素Hと炭素Cだけで出来ている炭化水素類は多くの精油に含まれます。モノテルペン炭化水素類の分子式は$C_{10}H_{16}$、セスキテルペン炭化水素類は$C_{15}H_{24}$と比較的分子量が小さく、容易に皮膚から吸収されるのが特徴です。炭化水素類が変化してアルコール類、フェノール類他などが作られます。精油成分は、炭素と水素の並び方や結びつく官能基によっていくつかの香りのグループに分類され、グループに共通、また個々の成分固有の薬理作用があります。

代表的なものを表にまとめました。成分の中には、安全に使用できるやさしい作用のものもありますが、あまり望ましくない作用を持つものもあります。そのような成分が多い精油の取り扱いや乳幼児、妊婦、高齢者、動物への使用には注意が必要です。神経毒性、肝毒性、腎毒性、皮膚刺激、粘膜刺激、光毒性があるグループ名と成分名、その成分を多く含む精油名という具合に順に整理して覚えておきましょう。

---

**化学の基礎①「結合の手」**
原子同士が結合するための手の数はそれぞれ決まっている。

酸素 —O— 2本
水素 H— 1本
炭素 —C— 4本

**化学の基礎②「構造式」**
精油成分を構成する原子の種類と結合のしかたが一目でわかる。その物質の性質を予想することもできる。

ふつうはCとHを省略して書く

リモネン($C_{10}H_{16}$)の構造式

リナロールとゲラニオールの分子式はともに$C_{10}H_{18}O$。構成する原子の種類と数は同じだが、構造式は左のように異なる。結合のしかたで香りが変わる。

リナロール　ゲラニオール

## 精油成分のグループ

| 成分のグループ名 | 主要成分名 | グループの主な効能 | 注意事項、その他 |
|---|---|---|---|
| モノテルペン炭化水素類<br>名前の語尾の母音が「〜エン」で終わる。オレンジ、レモン、オウシュウアカマツ、サイプレスなど柑橘の果皮や針葉樹の精油に特に多い。 | カンフェン、α-ピネン、β-ピネン、γ-テルピネン、パラシメン、フェランドレン、β-ミルセン、リモネン、δ-3-カレン | 多くの精油に存在する。優れた抗菌、抗ウイルス、抗炎症、うっ滞除去、血流促進などの作用が特徴。その他、コーチゾン様、去痰、鎮咳、強壮刺激、免疫強化など。 | 高濃度で使用すると皮膚刺激がある。揮発しやすい。反応性が高くすぐ酸化する。劣化したものは、皮膚刺激の原因になるので冷暗所に保管し、早めに使いきること。 |
| セスキテルペン炭化水素類<br>カモミール・ジャーマン、シダーウッド・アトラス、パチュリー、ブラックペッパーに多い。同じセスキテルペンでも鎮静と強壮刺激など成分により作用傾向が違う。 | カマズレン、β-カリオフィレン、クルクメン、ゲルマクレンD、ジンジベレン、セドレン、パチュレン、ヒマカレン、ビサボレン、ファルネセン | 優れた抗炎症、抗ヒスタミン、鎮掻痒、抗アレルギーなどの作用が特徴。その他、鎮痛、抗痙攣、強壮刺激、血圧降下、うっ滞除去など。抗菌、抗ウイルス作用はモノテルペン炭化水素に比べるとやや弱い。 | 酸化しやすい。このグループの成分は、香りが強い。ブレンドするときは少量で十分。<br>☆固有の作用を持つ成分も多いグループなので要確認。 |
| モノテルペンアルコール類<br>名前の末尾の母音が「〜オール」で終わる。ローズウッド、パルマローザ、ゼラニウム、ラベンダーなどハーブ系の精油に多い。 | ゲラニオール、シトロネロール、ツヤノール、テルピネン-4-オール、α-テルピネオール、ネロール、ℓ-メントール、リナロール、ラバンジュロール | 炭化水素に−OH（水酸基）が結合。優れた抗菌、抗ウイルス作用を持つ。その他、抗真菌、免疫強化、強壮刺激、神経強壮、鎮静、精神高揚、駆虫など。<br>＊ℓ-体のモノテルペンアルコールは、ほとんどが鎮静に働く。 | 比較的、肌にやさしく毒性が低いこのグループの成分が多く含まれる精油は乳幼児、高齢者にも使いやすい。<br>＊ゲラニオールには皮膚軟化作用、皮膚弾力回復作用がある。 |
| ジテルペンアルコール類<br>この成分を含む精油は数が少ないので覚えやすい。代表的なものは、クラリセージ、ジャスミン、ロックローズ。 | スクラレオール、フィトール、マノオール | エストロゲン様作用がある。その他、強壮刺激、うっ血除去など。<br>＊ロックローズの止血作用など精油により固有の作用もある。 | スクラレオール、マノオールは、エストロゲンと化学構造がよく似ている。ホルモン薬による治療を受けているときは、これらの成分を含む精油の使用を専門家に相談する。 |

## 精油成分のグループ

| 成分のグループ名 | 主要成分名 | グループの主な効能 | 注意事項、その他 |
|---|---|---|---|
| **セスキテルペンアルコール類**<br>名前の末尾の母音が「〜オール」で終わる。サンダルウッド、サイプレス、ニアウリなど樹木の木部と葉の精油とカモミール・ジャーマン、パチュリー、キャロットシードなど一部のハーブに多く含まれる。 | カジノール、カロトール、サンタロール、セドロール、ネロリドール、ファルネソール、ビサボロール、バレリアノール、パチュロール、ビリジフロロール | 強壮刺激、免疫強化、うっ滞除去、抗炎症、抗アレルギー作用などに優れる。モノテルペンアルコール類より抗菌、抗ウイルス作用はやや弱い。<br><br>＊カロトールには、肝細胞再生作用、ビリジフロロールには、エストロゲン様作用がある。 | 比較的、肌にやさしく毒性が低いこのグループの成分が多く含まれる精油は幼児、高齢者にも使いやすい。<br><br>☆固有の作用がある成分も多いグループなので要確認。 |
| **ケトン類**<br>名前の末尾の母音が「〜オン」で終わるものが多い。ケトンの種類により危険度が異なる。セージ、ペニーロイヤル、ワームウッドはツヨンやプレゴンが多く、肝毒性と神経毒性が特に強い精油。 | アトラントン、カンファー、カルボン、ツヨシ、ヌートカトン、ピペリトン、ピノカンフォン、プレゴン、フェンコン、ベルベノン、メントン、cis-ジャスモン | ⟩C=O（カルボニル基）を持つ。すぐれた粘液溶解、去痰、免疫強化、脂肪溶解、鎮痛、胆汁分泌、瘢痕形成、通経作用など。神経毒性と肝毒性がある。 | 高濃度、長期間の使用×<br>肝毒性、神経毒性があり、てんかん、妊婦、授乳中の方、乳幼児は使用不可。<br><br>＊全てのケトンが危険なわけではないが低濃度で用いること。ツヨン、プレゴンは要注意。<br><br>☆固有の作用を持つ成分も多いグループなので要確認。 |
| **アルデヒド類**<br>名前の語尾の母音が「〜アール」か末尾がアルデヒドで終わる。使い方に注意を要するグループ。アルデヒド類の成分が多く含まれる精油を最初に覚えること。 | シトロネラール、ゲラニアール、ネラール、シンナミックアルデヒド、アニスアルデヒド、ベンズアルデヒド<br><br>＊ゲラニアールとネラールの混合体をシトラールと呼ぶ。ゲラニアールとネラールの割合は植物により異なる。 | アルデヒド基を持つ。抗菌、抗ウイルス、抗真菌、抗炎症、鎮痛、血圧降下、鎮静、解熱、消化促進作用など。粘膜・皮膚刺激、肝毒性が強い。<br><br>＊シトロネラールは、蚊を忌避する作用に特に優れる。 | 高濃度、長期間の使用×<br>原液塗布は肌を荒らす。低濃度・短期間で使用する。アルデヒドは反応性が高く、保存状態が悪いとすぐ酸化して違う物質となり、皮膚刺激やアレルギーを起こすことがある。 |
| **フェノール類**<br>このグループの成分はベンゼン環に直接、−OH（水酸基）が結合しているため、刺激臭ともいえる香りと強い作用がある。アルデヒド、ケトン同様、最初に覚えること。 | オイゲノール、カルバクロール、チモール<br><br>**チモールの構造式**（ベンゼン環、−OH（水酸基）） | アルコール類と同じ−OH（水酸基）を持つが性質は異なる。精油中で最も強い抗菌、抗ウイルス、抗真菌作用を持つ。粘膜・皮膚刺激、肝毒性が強い。その他、鎮痛、麻酔、免疫強化、神経強壮、鎮痙、駆虫など。 | 高濃度、長期間の使用×<br>原液塗布は肌を荒らす。低濃度・短期間で使用する。<br><br>＊フェノール類は、タイム・チモール、クローブ、オレガノ、シナモン（葉）に多く含まれる。 |

## 精油成分のグループ

| 成分のグループ名 | 主要成分名 | グループの主な効能 | 注意事項、その他 |
|---|---|---|---|
| **フェノールエーテル類**<br>このグループの成分は、フェノール同様、使い方に注意を要する。アニス、サッサフラス、タラゴン、フェンネル、ナツメグ、バジルなどに多く含まれる。 | アネトール、サフロール、メチルオイゲノール、メチルカビコール（別名：エストラゴール）、ミリスチシン | フェノールに－O－（エーテル基）が結合したグループ。神経毒性、肝毒性がある。鎮痛、抗痙攣、筋肉弛緩、エストロゲン様作用など。抗菌、抗ウイルス、抗真菌作用は、フェノール類のほうがはるかに強い。 | 高濃度、長期間の使用×<br>低濃度・短期間で使用する。<br>＊アネトールが多いフェンネル、アニスは要注意。<br>＊発ガン性があるサフロール、興奮、幻覚作用があるミリスチシンが多い精油はアロマテラピーに用いない。 |
| **オキサイド（酸化物）類**<br>ニアウリ、マートル、ユーカリ・ラジアータ、ユーカリ・グロブルスなど樹木の葉の精油とカモミール・ジャーマン、ゼラニウム、ローズなど一部のハーブ系の精油に含まれる。 | 1,8-シネオール、ビサボレンオキサイド、ビサボロールオキサイド、リナロールオキサイド、ローズオキサイド、アスカリドール | 優れた去痰、抗カタル、粘液溶解作用がある。その他、免疫強化、抗菌、抗ウイルス、駆虫、抗炎症など。 | このグループの成分が多い精油は刺激が強いので乳幼児への使用はしない。ユーカリ・ラジアータ、マートルなど一部例外あり。<br>＊アスカリドールが多い精油は、皮膚刺激・神経毒性・肝毒性が強い。アロマテラピーには用いない。 |
| **エステル類**<br>果物のような甘くフルーティーな香りが特徴。花の精油に多い。〜酸○○という名前が多い。アルコール類と酸が反応して生成される。有機酸＋アルコール→エステル＋水 | アンゲリカ酸イソブチル、安息香酸ベンジル、アンスラニル酸ジメチル、酢酸ゲラニル、酢酸ベンジル、酢酸ボルニル、酢酸リナリル、サリチル酸メチル | 優れた神経系の鎮静、鎮痛、抗炎症、筋肉弛緩、抗痙攣作用が特徴。その他、抗菌、抗ウイルス、抗真菌、強壮刺激、血圧降下など。<br>＊酢酸ベンジルは、精神を高揚する作用がある。<br>＊サリチル酸メチルは皮膚刺激が強い。アスピリンに似た作用がある。 | サリチル酸メチルを除き、作用が穏やかで毒性は低いグループで使いやすい。<br>＊古くなるとエステル体は、アルコールと酸に分解され、精油中から減少する。<br>☆固有の作用を持つ成分も多いグループなので要確認。 |
| **ラクトン類**<br>分子量が大きいので水蒸気蒸留した精油には、あまり含まれないことが多い。圧搾して抽出した柑橘の精油と一部のアブソリュートに含まれる。 | クマリン、ジャスミンラクトン、フロクマリン類（フロクマリン〈別名プソラレン〉、ベルガプテン、ベルガモッチン、ベルガプトール、キサントトキシン、アンゲリシン、インペラトリン） | ラクトン類の一種、クマリンに肝毒性、フロクマリン類に光毒性がある。その他、血圧降下、鎮静、精神高揚、抗真菌、抗ウイルス、脂肪溶解、粘液溶解など。 | 塗布後、強い紫外線にあたらないよう注意する。<br>＊特にベルガモットとルーは光毒性が強い。<br>＊光毒性：紫外線と反応し、皮膚のシミ、発赤、皮膚ガンを誘発する可能性がある性質。ミカン科とセリ科の精油に多い。 |

# LESSON 3 アロマテラピーの実践

## 01 アロマテラピーの基本ルール

### これだけは守る精油の取扱いルール

　精油は、植物から抽出した天然の物質だからといって100％安全だというわけではありません。植物に含まれるときよりも成分は70〜100倍ほど濃縮され、その作用はとてもパワフルなものです。体調や体質、また使い方によっては皮膚炎やかゆみ、刺激を感じる原因にもなります。

　精油の原液での塗布や飲用をしない、赤ちゃんには基本的には精油を使わないなど基本的なルールを守ってアロマテラピーを楽しみましょう。また、精油はとてもデリケートな生ものです。抽出してから徐々に香りが変化し劣化が起こるので、一度開封したら1年以内を目安に使い切りましょう。

### 新しい精油を試す前に

　目安をつかんでおくために、新しい精油を使用する前に次ページの①②のテストをしてみましょう。月経前などお肌が敏感な時期は避けてください。本格的なパッチテストは、皮膚科で相談しましょう。

①精油をまぜるキャリアオイル(基材)のみを腕の内側に塗布し、様子を確認する(直後と1〜2日後)。
②①のキャリアオイル5mlに精油を2滴垂らし希釈した後、腕の内側に塗布し、様子を確認する(直後と1〜2日後)。

炎症やかゆみ、発疹が出た場合は、レシピの1/2以下の滴数になるよう薄めにブレンドするか、同じ作用があるとされる他の精油で代用する。

## 精油の使い方

①精油のボトルを振らずに、ゆっくりと傾けて1滴ずつ出すようにする。(精油は通常1滴0.03〜0.05ml)。
②内服は原則として行わない。(粘膜、消化管などへの刺激があり、体への影響も大きいため)。
③肌につける場合は、必ずキャリアオイル(植物油)などの基材で希釈する。
④敏感肌やアレルギーがある方は、使用する前にパッチテストを行う。
⑤赤ちゃん、幼児、ペット、妊婦、てんかんの方に使えない精油の種類を確認する。
⑥作用に慣れてしまうので、ある程度(1〜2か月が目安)でレシピを変更する。
⑦光毒性のある精油(ミカン科・セリ科)は、日光に当たるとしみになることもある。特にベルガモットは要注意。
⑧目や鼻、口、腟、肛門など粘膜部分に精油が高濃度でつくと刺激を感じるので注意する。精油がついた手で目をこすらないよう注意する。
⑨1日に使う精油の滴数を決めておく(大人の場合で目安は、6〜7滴程度)。

## 精油を購入するときの注意点

①原料植物の学名、栽培方法(野生、有機栽培など)、抽出部位、抽出方法、原産地などを確認する。
②成分添加、除去などの加工がされていない100%純粋で天然の精油を使用する。
③光、熱、空気によって劣化するので、遮光ビンに入った精油を購入する。
④数種のケモタイプがある精油を購入するときは、ケモタイプを確認する。
⑤ポプリオイル、フレグランスオイルと精油を間違えないこと。

## 精油の保存と管理

①精油を箱に入れて直射日光と湿度を避け、冷暗所に保管する。
②開封後約1年以内を目安に使い切る。ものにより半年以内のもの、2〜3年もつものもある。
③子どもの手の届かない場所に保管する。
④精油を基材とブレンドしたものは、1〜2か月以内に使いきる。
⑤プラスチック容器やゴムのスポイトは、精油で溶けてしまうことがある。
⑥精油は引火性。火気に注意する。

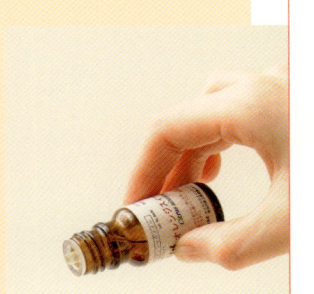

### アロマテラピーで特に注意したいこと

健康状態や精油の特性により、アロマテラピーが出来ない場合があります。特に、妊娠中や出産後、皮膚トラブルがあるとき、病気のときは、精油の使い方に特に注意してください。

PART3の「精油ガイド」には注意事項を掲載していますが、次ページの表では、特に注意したい精油を挙げました（「精油ガイド」に掲載していない精油も含む）。わからないことがある場合は、事前に医師やアロマセラピストに相談するようにしましょう。

## 出産前後のアロマ

| | |
|---|---|
| 妊娠中の<br>アロマテラピー | 妊娠初期は精油の使用を避け、安定期に入っても子宮を刺激する精油や毒性が強い精油は使えません。柑橘系の精油をメインとしたアロマバス、芳香浴がおすすめです。妊娠中は、肌が敏感になりやすいのでいつもより低濃度で使いましょう。妊娠37週以降に入ったら使える精油の範囲（244ページ参照）が広がります。 |
| 授乳中の<br>アロマテラピー | 赤ちゃんがお母さんの香りを覚える時期でもあるため、授乳期間や出産直後は、精油は控えるか、かなり低濃度で使いましょう。強い香りは、赤ちゃんを過度に刺激したり、眠りを妨げたりする可能性があります。また、乳頭のお手入れに精油やキャリアオイルを使用した場合は、授乳前には軽くふき取っておきましょう。 |

## 天然精油へのこだわり

アロマテラピーでは、成分調整のための添加や除去などの加工を一切せず、抽出された状態そのままの100%天然の精油が使われます。精油成分が互いに作用しあう絶妙なバランスをくずしてしまう可能性があると考えられているからです。望ましくない作用が他の成分により相殺される、成分同士が相乗効果を発揮することもよくあります。

たとえば、単離されたシトラールという成分には強力な皮膚刺激がありますが、レモン精油やレモングラス精油の中に存在するときは、刺激性が他の成分によって打ち消され、弱くなります。技術が発達した現在でも、天然精油の持つ香りを100%再現することはまだ不可能です。分析しきれない微量成分が精油の香りに独特の個性や深みを出しており、それがセラピーにもよい影響をもたらすものと考えられています。

## アロマテラピーの禁忌

| | |
|---|---|
| 高血圧 | ペパーミント、ユーカリ・グロブルス、ローズマリー |
| てんかん | シダーウッド（アトラス、バージニア）、セージ、ヒソップ、フェンネル、ペパーミント、ヤロウ、ユーカリ・ディベス、ローズマリー（カンファー、ベルベノン） |
| 乳幼児 | シダーウッド（アトラス、バージニア）、シナモン（葉、樹皮、カシア種）、セージ、バジル、ヒソップ、フェンネル、ベチバー、ペパーミント、ヤロウ、ユーカリ・グロブルス、ラベンダー・ストエカス、ローズマリー（カンファー、ベルベノン） |
| 腎臓の障害 | ジュニパー、フェンネル、ブラックペッパー |
| 妊娠初期 | 原則として、精油の使用は禁止。特に下記の精油は注意する。その他「精油ガイド」も参照のこと。<br>カモミール（ジャーマン・ローマン）、ラベンダー、ローズ |
| 妊娠中期・後期 | アンジェリカ、キャロットシード、クラリセージ、クローブ、シダーウッド（アトラス、バージニア）、ジュニパー、ジャスミン、シナモン、セージ、ニアウリ・ネロリドール、タイム・チモール、バジル、パルマローザ、ヒソップ、フェンネル、ペパーミント、メリッサ、ヤロウ、ユーカリ（グロブルス、シトリオドラ）、ラベンダー・ストエカス、レモングラス、ローズマリー（カンファー、ベルベノン） |
| 授乳中 | シダーウッド・アトラス、シナモン（葉、樹皮、カシア種）、セージ、バジル、ヒソップ、フェンネル、ペパーミント、ヤロウ、ローズマリー（カンファー、ベルベノン） |
| 飲酒時 | クラリセージ |
| 高濃度の使用 | イランイラン、オウシュウアカマツ、クローブ、サイプレス、ジャスミン、ジンジャー、ブラックペッパー、ペパーミント、メリッサ、ヤロウ、ユーカリ（グロブルス、シトリオドラ）、レモングラス、ローズマリー（カンファー、シネオール、ベルベノン） |
| 集中したいとき | イランイラン、クラリセージ、ジャスミン、ネロリ、プチグレン、マージョラム |
| 光毒性* | アンジェリカ、オレンジ、グレープフルーツ、ベルガモット、マンダリン、ユズ、レモン |
| 敏感肌 | オレガノ、クローブ、サイプレス、シナモン（葉、樹皮、カシア種）、ジュニパー、ジンジャー、タイム（特にチモール、パラシメン）、ティーツリー |

\*フロクマリン類と光毒性
アンジェリカ、ベルガモット（果皮）、オレンジ（果皮）などの精油は、皮膚につけてから日光に当たると炎症や発赤、しみを起こすことがあります。フロクマリン類のベルガプテン、ベルガモッチンなどの精油成分が紫外線と反応して起こるもので光毒性と言います。
高濃度（10〜25％）に精油をブレンドする香水の場合、フロクマリン類を除いた精油（FCF\*）が香料会社や化粧品会社では使われていますが、脱フロクマリン処理を施した精油は、抽出したそのままの100％完全な成分ではないということで使わないという立場をとるアロマセラピストもいます。
\*FCF：フロクマリンフリー（除去）の略

## 02 実践のための基礎知識

### 精油を希釈するキャリア

精油は原液のまま肌につけるのではなく、キャリアオイル（植物油）などで希釈して使用します。希釈するものをキャリア（基材）と呼びます。精油を「体内に運ぶもの：carry＝carrier」という意味から名付けられました。キャリアとして使われるのは、植物油（160ページ参照）をはじめ、無水エタノールやクレイ（粘土）、天然塩、はちみつ、みつろう、無香料クリーム、ジェル、芳香蒸留水などいくつかの種類（70ページ参照）があります。

### キャリア選びの基本

アロマテラピーでは、植物油と精油をまぜてトリートメント（マッサージ）する方法がよく知られていますが、会社でちょっと気分転換したいなと思っても家にいるときと同じようには出来ません。そんなときは、べとつかずさっと塗ることが出来るジェルやクリームがおすすめです。

キャリアの性質を知り、使用する場面に合わせて使い分けましょう。

外出先では、クリームやジェル、アロマスプレーも活躍します。

### キャリアの選び方のポイント

| | |
|---|---|
| キャリアの特性を生かす | キャリア（基材）によって皮膚への浸透性、滑り、使用感、含まれる有用成分などが違います。肌タイプや使用目的によって使い分けます。 |
| 身近な素材も利用する | 身の回りにある自然素材も精油と組み合わせることが出来ます。はちみつ、天然塩、重曹などが便利です。キャリアではありませんが、庭のハーブもクラフト作りに活用しましょう。 |
| 手ごろな価格の基材を選ぶ | 値段が張るもの、手に入りにくいものだと、毎日の暮らしの中では実践しにくいもの。近所の薬局などで簡単に購入出来るものも利用しましょう。 |

### 精油を生かすキャリアの条件

①植物油の場合、低温圧搾で抽出されたもので、すべりや浸透がよいもの。
②キャリアそのものに肌や体に有用な成分が含まれており、栄養価が高いもの。
③香料、添加物などが加えられていないもの。
④新鮮なもの。古くて酸化したものは肌につけると刺激やアレルギーを起こしやすい。
⑤精油がよく溶け、まざりやすいもの。

## 精油の希釈濃度

アロマテラピーでは、基材の量に対して精油がどのくらい入っているかを希釈濃度と呼んでいます。たとえば植物油30mlに30滴の精油を加えたときの希釈濃度は5％です。この濃度だと部分的な塗布はできますが、全身のトリートメントはふつう行いません。濃度が濃いため体に負担になる、皮膚刺激を感じることもあるからです。アロマテラピーの対象者や塗布する部位、肌質などによって、適宜希釈濃度は変えるようにしましょう（58ページ参照）。基材の量に対して1〜2％の割合で精油を加えるのが基本ですが、敏感肌の人、疾病がある人、常用する薬がある人、子ども、ペットへ使う場合は、もう少し薄めにします。

## 精油滴数の計算

基材の量と希釈濃度が決まったら、実際の滴数を計算しましょう。精油の種類により多少の差はありますが、精油1滴は約0.03〜0.05mlです。次の計算式で精油の滴数を求めます。

---

**50mlの植物油で2％濃度のブレンドオイルを作成したいときの計算方法**

50mlの植物油の2％分にあたる精油量を求める。
**50（ml）×0.02（2％）＝1（ml）**

1mlの精油は何滴になるかを求める。
**1（ml）÷0.05（ml）＝20（滴）**
※精油1滴を0.05mlとして計算

**20滴の精油を加えると2％濃度**
になると計算できました。

---

| 希釈濃度／基材の分量 | 0.1％ | 0.5％ | 1％ | 1.5％ | 2％ | 2.5％ | 5％ |
| --- | --- | --- | --- | --- | --- | --- | --- |
| 5ml | 0.1 | 0.5 | 1 | 1.5 | 2 | 2.5 | 5 |
| 10ml | 0.2 | 1 | 2 | 3 | 4 | 5 | 10 |
| 30ml | 0.6 | 3 | 6 | 9 | 12 | 15 | 30 |

（単位：滴）

0.1〜0.5滴を正しくはかることはできないので、たとえば、0.5滴の場合は、ごく少量（ティースプーン1杯以内）の植物油で1滴希釈し、その1/2量のみを目盛のついた容器に入れ、その上にキャリアオイルを必要な分量の目盛まで加えると、おおよそ0.5滴分の精油を入れることが出来ます。正確な希釈濃度にはなりませんが目安になります。

## 家庭で使うときの希釈濃度の目安

**一般の大人の場合**

- **FACE** 顔のトリートメント → 基材の量の0.1〜1％の精油をブレンド。
- **BODY** 全身トリートメント → 基材の量の1.0〜2.0％の精油をブレンド。
- **BODY** 部分トリートメント → 基材の量の2.0〜2.5％の精油をブレンド。
- **BODY** 局所への塗布 → 基材の量の3〜5％の精油をブレンド。

**一般の大人以外の場合**

| 年齢 | 使用するもの | 内容 |
|---|---|---|
| 1歳未満 | ティンクチャー、ハーブティー、芳香蒸留水中心 | 基本的には精油は使わない。部屋での拡散にとどめ、赤ちゃんの肌や体に刺激がないよう工夫する。ティンクチャーは、カレンデュラ、カモミール・ジャーマンを中心に。 |
| 1〜3歳 | ティンクチャー、芳香蒸留水、ハーブティー、右記の精油を少量 | 精油の使用については、ラベンダー、カモミール・ローマン、ティーツリーをメインにして希釈濃度は、0.1〜0.2％を目安にする。 |
| 3〜7歳 | ティンクチャー、芳香蒸留水、ハーブティー、右記の精油中心 | 精油は、3歳までの精油と同様のものを。希釈濃度は、3〜5才は0.2〜0.5％、5〜7才は0.5〜1％を目安にする。はじめて使う場合は、30mlの基材に2〜3滴を希釈して用いる。 |
| 7〜12歳 | 禁忌以外の精油は使用可能 | 希釈濃度は、0.5〜1％を目安とし、一般の大人の1/3〜1/2以下の濃度に調整する。禁忌の精油を確認する。 |
| 65歳以上 | 禁忌以外の精油は使用可能 | 年齢が高い方は、精油の濃度は薄めにする。一般の大人の1/2くらいで調整する。血圧、持病によって避けたほうがよい禁忌の精油を確認する。 |

## 暮らしの中での実践方法

毎日の暮らしの中で簡単に行えるオイルトリートメント、アロマバス、吸入などの方法をご紹介します。精油は使いすぎても効果はありません。基本的な使用法をマスターし、適量を守って行いましょう。

### 香りの拡散
（ボウル、アロマライト、ディフューザー、ファンなど）

お部屋の空気の殺菌・浄化やリラクゼーション効果が期待できます。お湯を入れたボウルに精油を数滴落とす方法が簡単ですが、電気の熱を利用したアロマライト、ディフューザーを使うのもよいでしょう。

ろうそくで温めるアロマポットは、置く場所や空焚き、火事に十分注意してください。熱しすぎると香りが変わってしまうこともあります。

### 吸入（洗面器、ボウル、カップなど）

精油成分の吸収、気分転換、のどや鼻のケア、フェイシャルケアなどの目的で行います。鼻や肺の粘膜や肺の毛細血管から精油成分が体内に取り込まれます。

風邪の季節やニキビ、肌荒れが気になるときに、試してみましょう。

ボウルや洗面器、カップに熱い湯（70〜80℃）を入れ、精油を1〜4滴（カップには1〜2滴ほど）垂らして湯気と一緒に精油を吸い込みます（5分程度）。バスタオルで覆うと効果的です。
注意点：必ず目をつぶります。精油成分が目の粘膜を刺激することがあるからです。

コットンに精油を数滴落とすだけでも、香りが漂います（上）。アロマライトは、手軽にアロマを楽しむことができます（下）。

LESSON 3　アロマテラピーの実践

### アロマバス

　精油の吸収、筋肉の弛緩、こりをほぐす、リラックスなどの目的で行います。いつもの入浴に、アロマ効果がプラスされます。精油をバスタブに数滴落としてかきまぜてから体を浸します。毛穴も開がり血行もよくなるので精油の皮膚吸収は高まり、同時に呼吸からも取り込まれます。肌質や好みに合わせて天然塩、乳化剤、クレイなどと精油をまぜた入浴剤（74ページ参照）もおすすめ。ご家族と一緒に入浴するときは、相手の香りの好みや体調にも配慮して精油を選びましょう。

　なお、精油は、湿気や高温に弱く、バスルームに置いておくのは劣化の原因になるので避けてください。

#### ①入浴

　一般的な家庭のバスタブ（300〜400リットル）で、1回分の精油量は6滴以内が目安です。多いと肌に刺激を感じます。どの精油でも最初は1〜2滴から試すとよいでしょう。ペパーミント、レモングラス、柑橘系、サイプレス、ジュニパーなどやや皮膚刺激がある精油は量を控えめに。みぞおちから下だけ浸かる半身浴も効果的です。ややぬるめに感じられるくらいの温度にすると、心臓に負担をかけずに長く入ることができます。入浴前に水を1杯飲む、または入浴中にも水を口に含むようにすると発汗が促されます。

#### ②部分浴（手浴、足浴）

　体の末端が冷える方や平熱が低い方におすすめです。2〜3滴の精油を入れます。ポイントは約15分、湯温をキープすること。熱い湯を入れたやかんを準備し、温度が下がったら途中で湯を足しましょう。

イラスト：半身浴（上）、手浴（下）

## 湿布（温、冷）

痛みや腫れ、こりや疲れの緩和が目的です。冷湿布は、怪我の直後や炎症があるときに、温湿布は、肩こり、腰痛、生理痛のときなどに行います。温湿布をラップと乾いたタオルで覆うと温かさが持続します。

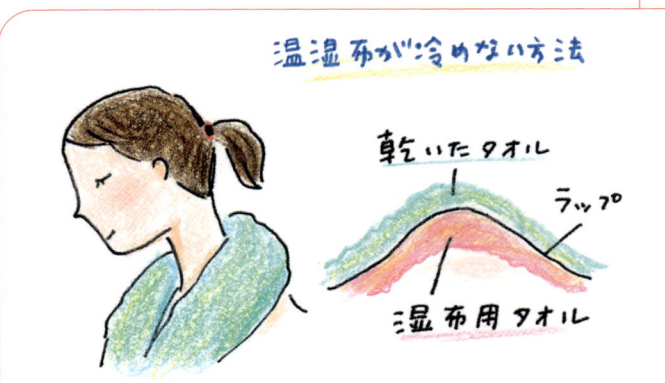

洗面器を用意し、熱めの湯（温湿布）か氷水（冷湿布）を入れます。目的に合わせて精油を選び、2～3滴ほど落とします。表面に浮いた精油をすくい取るようにタオルを浸し、絞ります。患部に当て何度か繰り返します。

## オイルトリートメント（アロママッサージ）

トリートメントには、筋肉のこりをほぐす、リラクゼーション、心身の刺激と強壮などの効果があります。全身を行うと精油の吸収量も他の方法よりも多くなります。精油の量は1日あたり6～7滴以内を目安にし、基材はボディで10～20ml、フェイスで5～10ml程度用意しましょう。顔を除き、一部位にポイントで塗布する場合は精油の希釈濃度を3～5％にすることも可能です。

希釈濃度は、ボディ1～2％、フェイシャル・敏感肌のボディは0.1～1％（1％は植物油10mlに対し精油2滴）が目安です。

## アロマクラフト（74ページ参照）

精油を生活で使いやすい方法で活用します。石鹸、シャンプー、リンス、ローション、ハンドクリーム、エアーフレッシュナーなどを精油と自然素材で作ります。

毎日アロマテラピーが行えて、いつの間にか心と体へのよい影響がもたらされます。

## 03 ブレンディング

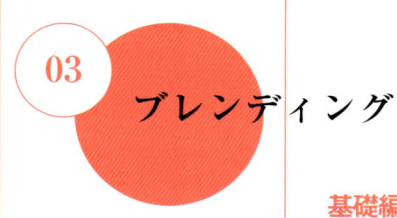

### 基礎編：目的を考えたブレンド

精油は、2種類以上をブレンドしてみましょう。相乗効果を期待できるからです。2つ、3つと香りをブレンドすることで絶妙な香りのハーモニーが生まれます。丁寧にブレンドされたオイルは、心身両面のバランスを取り戻すことを助けてくれます。

精神面への作用を期待してブレンドするときは好みの香りを加えましょう。心地よいと感じる香りは、私たちの内面を開く鍵になります。何かを気にかけるでもなく、無駄な力が抜けてゆったりとし、本来の自分らしさを取り戻すことができるでしょう。

動物は、本能的に自分に必要な食べ物や場所などを選ぶ力を持っているといわれています。私達も、心と体の要求に合うものを自然と選ぶ能力をもっているはずです。理由はわからないけど、引き寄せられるという香りはないでしょうか？反対に、もう必要ない香り、慣れすぎた香り、その精油が持っているテーマに取り組む準備がまだできていない場合など、不思議と拒否したい気持ちが湧いてくることもあります。

あなただけのアロマ専用のノートを作りませんか。
ブレンドやレシピを考えたり、クラフトの感想や新しいアイデアをメモしたりして、アロマ生活をより楽しむことができます。

---

### ブレンドの手順

① 目的を決める。
② 目を閉じて候補の精油の香りを嗅いでメインの精油を決める。
③ メインの精油と作用がよく似ている精油や作用を補助するような精油を選ぶ。
④ 使う基材の種類と量、希釈濃度を決め、合計2〜4種類の精油をブレンドする。

---

### ブレンドの目的を決める

ブレンドを考えるとき、まず使う人の状態に気づくことが大切です。何を最初に改善したいのかを考えてみましょう。症状の現れ方や背景などについてもチェックしましょう。

リラックスしたい、リフレッシュしたいなどという漠然と

した目的よりは、どんな状況のときにリラックスしたいのか、仕事中なのか、特定の誰かと関わるときなのか、そのときどんな気持ちになれたらいいのかなど、より具体的に考えたほうが精油を選びやすくなります。

　また、「肩こり」を和らげたいときに、体を温めるなど肉体面に働きかけて解消するようなブレンドもできますし、精神面に働きかけて、ストレスや心の緊張を和らげ、肩こりを解消するようなブレンドにすることもできます。精神と肉体は、必ず相互作用がありますので、どちらを目的にしても大丈夫ですし、両方を考えてもよいでしょう。

### 候補の精油を選ぶ

　目的が決まったら「精油ガイド」（107～159ページ）を参考にして1本選んでみましょう。あまり気負わずに、はじめの1歩を踏み出してみてください。

　まず、ブレンドの目的のキーワードを考えるとよいでしょう。先ほどの「肩こり」で考えると、重い荷物を持ったときや根をつめて同じ姿勢で仕事したあとの肩こりには、血流を促進し、筋肉の緊張を弛緩するローズマリーやレモングラスなどが候補になります。

　一方、心の緊張状態が続いたあとの肩こりには、心を落ち着かせ、リラックス効果が高いカモミール・ローマンやネロリ、ローズウッドなど精神面に働きかける精油が候補になるでしょう。緊張している筋肉と心の両方に作用するマージョラムやラベンダーの精油を選んでもよいでしょう。

　このようにして選んだメインの精油と作用がよく似ているものや作用を補うようなものを次に選びます。各精油に含まれる成分やその割合なども選択のヒントになるでしょう。また、直感に従って心地よいと感じる香りを選択してもよい結果が得られます。困っていることがすでに解決したというイメージを描きながら香りをいくつか嗅いでみましょう。なんとなくピンとくる、いいなと感じる香りがあるはずです。

LESSON ❸　アロマテラピーの実践

### 上級編：心地よさを感じられるブレンドにする

　ある精油を1滴入れただけで全体の印象が変わり、期待と違う香りになってしまうことも……。アロマテラピーにとって香りは大切な要素ですから、心地よく感じられるものに仕上げたいものです。

　より洗練されたブレンディングに役立つ調香の基礎知識をいくつかご紹介しましょう。調和した心地よく感じられる香りを使うとヒーリング（癒し）効果は高まります。精油成分の効能、直感、香りの強弱、香りのノートなどいろいろな側面からブレンドを考えてみましょう。

#### ①精油同士のブレンド比率

　香りも作用も強い個性的な精油、毒性や皮膚刺激がある精油は、適切な濃度で希釈されてこそ、心地よく感じられます。加える滴数が多すぎると他の香りを消してしまうことやトラブルの原因になることがあります。「精油ガイド」（107〜159ページ）のブレンドファクターも参考にしましょう。

---

**ブレンドファクター**

ブレンドファクター（B.F.）は、3種類以上ブレンドするときの精油同士の配合比率と考えてください。実際に基材に加える滴数ではありません。たとえば、B.F.1、B.F.3、B.F.7の3つの精油をブレンドする場合、基材に加える予定の総滴数の中で1：3：7の比率になるよう計算します。本書では、精油1滴の作用や香りが強いものや皮膚刺激や神経毒性など多量に使用するとリスクが高い精油のB.F.は1か2に設定しました。B.F.が小さい精油同士をブレンドするときは、はじめの希釈濃度の設定を2〜3割薄めにし、精油の総滴数を減らします。揮発も速く、作用も穏やかな精油はB.F.は大きくなります。数が小さいものと多めにブレンドできる大きいものから覚えましょう。

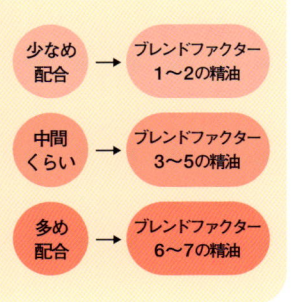

| | |
|---|---|
| 少なめ配合 | → ブレンドファクター 1〜2の精油 |
| 中間くらい | → ブレンドファクター 3〜5の精油 |
| 多め配合 | → ブレンドファクター 6〜7の精油 |

---

#### ②香りのノート

　精油が空気中に蒸発する時間には差があり、それぞれの揮発度があります。分子量が小さく軽い成分ほど揮発性が高く、重い成分ほど低くなります。ブレンドした精油を肌につけると、最初に揮発度の高い成分が蒸発します。やがて揮発の遅い成分が体臭となじみ、残り香として感じられます。

### トップ：ミドル：ベース＝2：2：1

　ブレンドするとき、精油の揮発度を考慮し、揮発が速いものと遅いものをバランスよく配合するのもテクニックです。すると最初にトップノートが立ち上がり、ブレンドを印象づけ、インパクトを与えます。徐々にミドルノート、ベースノートが立ち上がってくるので香りも変わっていき、その経過もまた楽しみとなるでしょう。

　一応の目安として、トップ：ミドル：ベースを2：2：1にしてみましょう。トップノートだけのブレンドは、はじめの印象だけは強いものの香りが持続しません。揮発が遅い精油をまぜるとトップノートが抑えられます。

　たとえば、ベルガモット、オレンジ、レモンの3つをブレンドすると、いずれもトップノートなのですぐに香りは消えてしまいます。そこにミドルノートのプチグレンやベースノートのフランキンセンスを加えるとブレンド全体が引き締まり、香りも持続するというわけです。

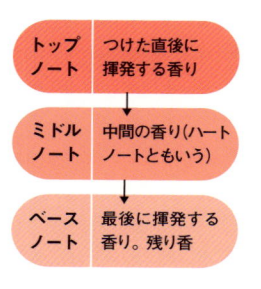

| | |
|---|---|
| トップノート | つけた直後に揮発する香り |
| ミドルノート | 中間の香り（ハートノートともいう） |
| ベースノート | 最後に揮発する香り。残り香 |

| | | |
|---|---|---|
| トップノート | 最も揮発が速く、つけた直後から感じる「先立ち」の香り。10〜30分ほど香りが持続。力強いインパクトを与えるのでこのグループの香りが入らないと最初の印象が弱くなります。柑橘系、草や葉の精油の多くはトップノートです。 | オレンジ、グレープフルーツ、ジュニパー、ティーツリー、ニアウリ、パルマローザ、ペパーミント、ベルガモット、マートル、マンダリン、ユーカリ、ユズ、ラベンダー、レモン、レモングラス、ローズマリー |
| ミドルノート | 香りの持続時間は30分から2時間ほど。ミドルノートはブレンドの心臓部。香水は、つけてから肌になじむ2時間後くらいに最も表現したい香りが揮発するようにブレンドされます。ローズやジャスミンなど花の香りのほとんどは、ミドルからややベースノート寄りの揮発度を示します。 | イランイラン、オウシュウアカマツ、カモミール、カルダモン、クラリセージ、クローブ、ジンジャー、ジャスミン、ゼラニウム、タイム・リナロール、ネロリ、プチグレン、バジル、ブラックペッパー、マージョラム、メリッサ、ヤロウ、ローズオットー、ローズ・アブソリュート、ローズウッド |
| ベースノート | 揮発が最も遅く、2時間から半日ほど香りが持続。2、3日残ることもあります。ブレンド全体の香りが持続し、持ちがよくなるので保留剤として1種類は必要です。木の香りや苔（オークモス）の香り、樹脂の香りがここに入ります。フランキンセンスはややミドル寄りですが、その他は重厚な感じのベースノートです。 | アンジェリカ、オークモス、サンダルウッド、シダーウッド・アトラス、パチュリー、ヒノキ（木部）、フランキンセンス、ベチバー、ベンゾイン、ミルラ |

### 全体の香調

　香料の種類や香り立ちにより、ブレンド全体に独特の特徴（香調）が生まれます。香水の世界では、香調別のファミリー名があります。調合してみたい香りのイメージはありますか？　シトラス系にハーバル系、寒い季節にはブレンドにスパイス系をほんの少しだけ加えて温かみを演出するなど、目的とするファミリーとは違うタイプの香りを隠し味的に加えてみるのもテクニックのひとつです。精油だけでも再現しやすい基本のファミリーを挙げてみましょう。

#### フローラル系
文字通り花々のもつ優雅で華やか、優しくエレガントなイメージ。ジャスミン、ローズなど花の香りにサンダルウッドやローズウッドなどウッディ系を加える。シングルフローラルは、一種類の花の香りを強調したときの呼び名でブーケは花束のこと。

#### ウッディ系
パチュリー、サンダルウッドは、ウッディとバルサムの両方の印象を与える。シダーウッド、ヒノキは鉛筆のようなウッディな印象。サイプレスやオウシュウアカマツは森林のイメージ。ベチバーは、重く土臭いウッディ、またはアーシー調の香り。

#### ハーバル系
フェンネル、クラリセージ、ラベンダー、ユーカリ、ローズマリー、バジルなどのハーブ系の香り。リナロール、1,8-シネオール、ピネン、カンファー、メチルカビコールなどの成分が多い精油をブレンドするとハーバル調に。

#### シプレー系
地中海のキプロス島の名に由来する古典的な香調。さわやかさと渋さをあわせ持ち、土臭さや原始林を思わせる甘さを抑えた個性的で落ち着きのある香り。地中海で産するオレンジ、ベルガモット、ローズなど柑橘系と花の香りにオークモス（苔）、パチュリー、シダーウッド、サイプレスをブレンド。

#### オリエンタル系
東洋の神秘的なイメージでエキゾチックな印象。バルサミックでむせかえるような甘さと重さ、奥行きがある。花の香りにインドや東南アジア、中近東で生産されるスパイスやフランキンセンス、ミルラ、ベンゾインなどの樹脂、サンダルウッド、ヒノキ、パチュリーなどをブレンドする。

#### シトラス系
オレンジやベルガモットを中心とした柑橘系のナチュラルな香り。活動的で若々しくさわやかな印象でユニセックス。柑橘系にラベンダー、サイプレス、ジュニパーなどウッディ系やフローラル系を加えると最初はキュートな印象でも落ち着いた感じや大人っぽさが演出できる。

#### スイート系
焼き菓子のバニラエッセンスのような甘い印象の香り。スイートオレンジ、マンダリン、ベンゾイン（安息香）、バニラなどを配合するとよい。

#### スパイス系
シナモン、クローブ、コリアンダー、ブラックペッパーなどスパイシーで刺激的な印象の香り。他のグループと組み合わせても独特の仕上がりに。花や樹脂と合わせるとオリエンタルな印象にもなる。

## 香りの強弱

精油の香りには強弱があります。香りが非常に強く、ごく少量で全体の香調を決めてしまうものもあるので、1滴ずつ加えて様子をみましょう。ブレンド全体がその香りになってしまうことがあります。

**強い**
アンジェリカ、オークモス、ガルバナム、カルダモン、カモミール・ローマン、カモミール・ジャーマン、クローブ、ジャスミン、シナモン、タイム、パチュリー、バジル、バレリアン、ベチバー、ベンゾイン、メリッサ、ヤロウ、ユーカリ・シトリオドラ、レモングラス

**やや強い**
イランイラン、クラリセージ、コリアンダー、シダーウッド・アトラス、ジンジャー、ゼラニウム、ネロリ、パルマローザ、ヒノキ、ブラックペッパー、プチグレン、フェンネル、マートル、ミルラ、ローズマリー、ユーカリ、ローズ・アブソリュート、ローズオットー

**普通～やや弱い**
オウシュウアカマツ、オレンジ、グレープフルーツ、サンダルウッド、サイプレス、ジュニパー、ティーツリー、ニアウリ、フランキンセンス、ベルガモット、ペパーミント、マージョラム、マンダリン、ユズ、ラベンダー、レモン、ローズウッド

### 調合するときは？

精油を調合するときに、時間帯や季節なども考慮しましょう。香りの感じ方の微妙な違いを意識してブレンドするだけでもワンランクアップして素敵に仕上がりますよ。
調合には、ムエット（試香紙）を用意しましょう。精油を1滴落として、ゆっくりと立ち上がってくる香りを確認します。アロマショップでも入手できますし、画用紙を細長く切ったものでも代用出来ます。

- ブレンドは頭がさえている午前中が向いています。
- 空腹時はアルコール臭の刺激を感じやすく、満腹だと脳の働きも鈍くなります。また、食後すぐは香りを選びにくくなります。
- 排卵日の前後は嗅覚が鋭くなり、ふだん感じない香りを感じ取ることがあります。逆に生理中は、嗅覚が鈍くなりがちです。
- 感じ方は季節、ムード、部屋の温度、湿度によって違います。たとえば、冬に好きだった香りは、湿度の高い梅雨時にはくどく感じることがあります。
- 目を閉じて一瞬心を無にして香りと向き合いましょう。

## column 1 チャクラとアロマテラピー

人間の体には、エネルギーの出入り口があると考えられ、チャクラと呼ばれています。主なものはイラストに示した7つで、色(イラスト参照)や音と対応し、手の平や足の裏などにもあるといわれています。チャクラがブロックされると、関係する臓器や内分泌腺、神経などへのエネルギーの出入りが悪くなり、不調が生じると考えられています。

精油もチャクラやサトルボディに働きかけることがわかってきました。元の植物の色や形、育つ環境、精油の色や抽出部位などが共鳴するチャクラを知るヒントになります。

各チャクラと対応する精油については意見が分かれるところですが、私が効果的だと考えているものを参考までにご紹介します。また、107ページからの「精油ガイド」でも、施術を通して感じたチャクラとの関係に触れています。

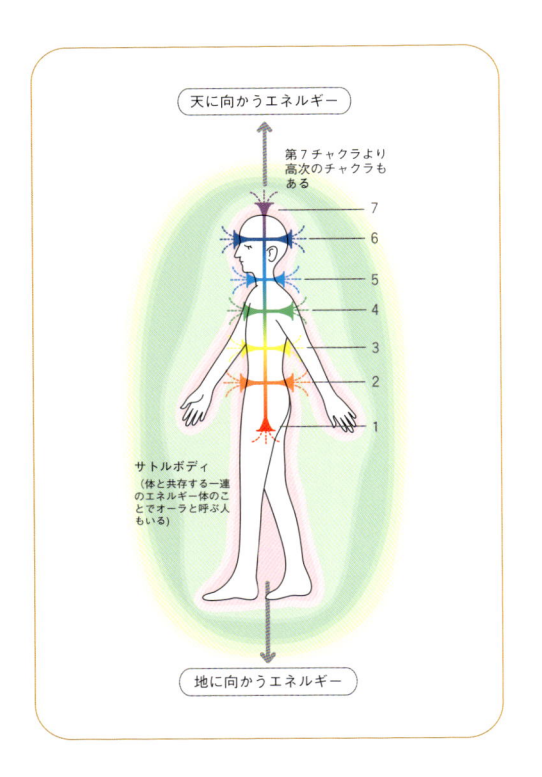

天に向かうエネルギー

第7チャクラより高次のチャクラもある

サトルボディ
(体と共存する一連のエネルギー体のことでオーラと呼ぶ人もいる)

地に向かうエネルギー

| チャクラ | 場所 | 働き | 対応する精油 |
|---|---|---|---|
| 第1チャクラ | 尾骨と性器の間 | 生存、生命力 | ジンジャー、ベチバー、パチュリー、ミルラ |
| 第2チャクラ | へその下2〜3cm | 生殖、免疫力、創造 | オレンジ、カルダモン、ジャスミン、ネロリ、ローズ |
| 第3チャクラ | みぞおち | 感情、意思、自尊心 | ブラックペッパー、ベチバー、マンダリン、ラベンダー |
| 第4チャクラ | 胸の中心 | 愛情、調和 | プチグレン、ベルガモット、メリッサ、ローズ |
| 第5チャクラ | のど | 表現、コミュニケーション | カモミール(ジャーマン、ローマン)、ユーカリ、ミルラ |
| 第6チャクラ | 眉間 | 直感、思考、気づき | ジュニパー、ペパーミント、ローズマリー |
| 第7チャクラ | 頭頂部 | 人生の目的、精神性 | ジャスミン、ネロリ、ラベンダー、ローズ |

高次のチャクラに対応する精油：ネロリ、ラベンダー、ローズマリー
上位と下位のチャクラに働き、エネルギーを上下に通す精油：アンジェリカ、サンダルウッド、シダーウッド、ヒノキ、フランキンセンス、ローズウッド

PART 2

アロマテラピー

セルフケア

基本ガイド

香りを楽しむだけではなく、
ローションや石鹸などを手作りしてみませんか。
このPARTでは、アロマクラフトの作り方と
トリートメントのやり方を詳しく紹介。
アロマライフを楽しんでみましょう。

# LESSON 1
# そろえておきたい材料と道具たち

### キャリアと材料

アロマテラピーを生活に取り入れ、ご自分とご家族の健康維持やリラクゼーションに役立てる、そのための方法は様々です。同じ精油でも組み合わせるキャリアをかえることにより使用感はかなり異なります。お使いになる用途や状況に合わせてコーディネートしていくとより効果もあがりやすくなります。

＊価格は目安となる金額を紹介しています。

## シアバター（カリテバター）

- **用途** ハンドクリーム、リップクリームなど。
- **価格** 30〜50gで1,000円くらい。
- **保存** 湿気を避け、冷暗所に保存する。
- **購入先** ハーブ・アロマショップ

＊無香料で、添加物の少ないものを選ぶとよい。

## ジェル基材（アロエジェルも含む）

- **用途** 風邪対策用ジェル・虫刺され用ジェルなどのアロマジェル。
- **価格** 100g　850〜2,200円
- **保存** 湿気を避け、冷暗所に保存する。
- **購入先** ハーブ・アロマショップ

＊無香料で、添加物の少ないものを選ぶとよい。

## クレイ（粘土）

- **用途** 歯磨き粉、パック、入浴剤、湿布、頭皮ケア、ローション、石鹸など。
- **価格** 30gで300〜400円くらい。
- **保存** 湿気を避け、密閉容器に入れて保存する。
- **購入先** ハーブ・アロマショップ

＊クレイには、カオリン、モンモリオナイト、ガスール（別名ラスール）などの種類があり、それぞれ吸着力や吸収力などが異なる。

## ドライハーブ

- **用途** ハーブソルト・ポマンダー・石鹸、ティンクチャー、入浴剤などの材料。
- **価格** 20gで300〜400円くらい。（種類により様々）
- **保存** 湿気を避け、密閉容器に入れて保存する。
- **購入先** ハーブ・アロマショップ、オーガニックショップ

＊アロマクラフト用には、ハーブティ用のものを購入すること。

## 天然塩

- **用途** バスソルト（入浴剤）、ボディトリートメントスクラブ、歯磨き粉など。
- **価格** 1kgで300〜2,000円くらいと様々。塩の種類、製法などによって異なる。
- **保存** 湿気を避け、密閉容器に入れて保存する。
- **購入先** 自然食品店、薬局

＊歯磨き粉やトリートメントスクラブには、微粉末のものを使うと使用感がソフト。

## みつろう

- **用途** 軟膏・ハンドクリーム・リップクリーム、練香など。
- **価格** 20gで300〜400円くらい。
- **保存** 湿気を避け、密閉容器に入れて保存する。
- **購入先** ハーブ・アロマショップ

＊脱臭・漂白している白いものと未精製の黄色いものがある。黄色いみつろうには、はちみつの香りが残っている。

PART 2　アロマテラピー セルフケア基本ガイド

## キャリアオイル（植物油）

- **用途** トリートメントオイル、クリームなど。
- **価格** 100mlで1,800〜6,000円くらい。（価格は様々）
- **保存** 冷暗所に保存する。
- **購入先** ハーブ・アロマショップ

＊詳しくは、160〜170ページで紹介。

## 乳化ワックス（エマルシファイイングワックス）

- **用途** 軟膏・ハンドクリーム・乳液など。
- **価格** 100gで1,200円くらい。
- **保存** 湿気を避け、密閉容器に入れて保存する。
- **購入先** ハーブ・アロマショップ

＊この基材を使ったクラフトを使用したあとすぐに水を使うと、少しヌルっとした使用感がある。

## 乳化剤（精油希釈剤）

- **用途** ローション、うがい薬、入浴剤など（精油を水にとけやすくする）。
- **価格** 200mlで2,000〜2,500円くらい。
- **保存** 冷暗所に保存する。
- **購入先** ハーブ・アロマショップ

＊レシチンを使ったもの、エタノールを使ったものなど使用感に違いがあるので、クラフトによって使い分ける。価格は、メーカー、乳化剤の種類によって差がある。

## クエン酸

- **用途** ローション、ヘアリンス、発泡入浴剤、掃除用クリーナーなど。
- **価格** 100gで200〜300円くらい。
- **保存** 湿気を避け、密閉容器に入れて保存する。
- **購入先** 薬局、食料品店

## グリセリン

- **用途** 保湿剤として用いる。ローション、歯磨き粉など。
- **価格** 100gで300〜400円くらい。
- **保存** 火気・湿気・直射日光を避け、冷暗所に保存する。
- **購入先** 薬局

## 水（ミネラルウォーター、精製水）

- **用途** エアーフレッシュナー、マウスウォッシュ、香水、ローション、ティンクチャーなど。
- **価格** 500mlで200円くらい。（価格は様々）
- **保存** 冷暗所に保存する。
- **購入先** 薬局、食料品店など

＊硬度の高いミネラルウォーターを使うと、沈殿物ができることがある。

## 無添加石鹸（純石鹸99％・無香料）

- **用途** アロマ（ハーブ）石鹸。
- **価格** 100gで130〜200円くらい。
- **保存** 湿気を避けて保存する。
- **購入先** 薬局、自然食品店

＊固形・粉・粒のタイプがある。精油は、エデト酸塩や香料などが添加されていない純石鹸と相性がよい。

## 無水エタノール

- **用途** マウスウォッシュ・香水・化粧水、エアーフレッシュナー、ティンクチャーなど。防腐剤としての役割も。
- **価格** 500mlで1,200円くらい。
- **保存** 火気・湿気・直射日光を避け、冷暗所に保存する。
- **購入先** 薬局

＊香水以外のクラフトには、エタノールがない場合は、アルコール度数35〜40％のブランデー、ウォッカ、ホワイトリカーで代用できる。

## 果実酢（アンズ、リンゴ、ブドウなど）

- **用途** ローション、ヘアリンスなど。
- **価格** 300〜500mlで400〜800円くらい。
- **保存** 湿気を避け、冷暗所に保存する。
- **購入先** 食料品店、オーガニックショップ

＊酢のにおいが気になる方は、代わりにクエン酸を使うとよい。

## 重曹（炭酸水素ナトリウム）

- **用途** 発泡性の入浴剤、歯磨き粉、掃除、脱臭剤など。
- **価格** 500gで250円くらい。日本薬局のものは若干高め。
- **保存** 湿気を避け、密閉容器に入れて保存する。
- **購入先** 薬局、食料品店

＊歯磨き粉には、日本薬局方の微粉末のものが望ましい。

LESSON 1　そろえておきたい材料と道具たち

### はちみつ
- **用途** アロマはちみつ、パック、咳用シロップなど。
- **価格** 500gで400〜1,000円くらい。（種類により様々）
- **保存** 湿気を避け、密閉容器に入れて保存する。
- **購入先** 食料品店、お菓子の食材店

### 無香料クリーム、クレンジングクリーム、乳液
- **用途** ハンドクリーム、乳液、クレンジングクリームなど。
- **価格** 400mlで400〜1,000円くらい。（種類により様々）
- **保存** 湿気を避け、密閉容器に入れて保存する。
- **購入先** ハーブ・アロマショップ、オーガニックショップ

### 芳香蒸留水（フローラルウォーター）
- **用途** うがい薬、トニック、クリーム、パック、ローションなど。
- **価格** 200〜250mlで2,000〜3,000円くらい。
- **保存** 湿気を避け、冷暗所に保存する。
- **購入先** ハーブ・アロマショップ、薬局

### 無香料シャンプー、リンス、ボディソープ
- **用途** アロマシャンプー、リンス、ボディソープ。
- **価格** 400mlで600〜1,500円くらい。（種類により様々）
- **保存** 湿気を避け、密閉容器に入れて保存する。
- **購入先** ハーブ・アロマショップ、オーガニックショップ

### パウダー類（米粉、コーンスターチ、市販のベビーパウダー）
- **用途** フットパウダー、パウダーフレグランス。
- **価格** 30gで300〜400円くらい。
- **保存** 湿気を避け、密閉容器に入れて保存する。
- **購入先** お菓子の食材店、薬局

### 抹茶粉
- **用途** ハーブソルト、石鹸、チンキ、入浴剤などの材料。
- **価格** 20gで300〜400円くらい。（種類により様々）
- **保存** 湿気を避け、密閉容器に入れて保存する。
- **購入先** お菓子の食材店、お茶専門店、オーガニックショップ

## セルフケアにあると便利なもの

タオルなど肌に直接触れるものは、3か月くらい使うとキャリアオイルの酸化臭がすることがあります。アロマ専用のものを用意しましょう。

手浴や足浴に使う、たらいやバケツは余裕のあるサイズのものを。足浴用には、ふくらはぎの中ほどまで足がつかるものを使いましょう。

①バスタオル（4〜5枚）
②浴用タオル（1〜2枚）
③化粧用コットン ④ラップ
⑤たらい ⑥バスマット
⑦靴下 ⑧短パン ⑨バケツ

④のラップは、髪をクレイパックしたあとに3分から5分程度置いておくときなどに使う。シャワーキャップでもよい。
⑦の靴下は、足の裏をトリートメントしたあとに履くと、床がべたべたとしない。
⑨のバケツは、足浴用のものでなくてもよいが、足を入れたときに余裕があり、ふくらはぎが半分くらいまでお湯につかるものを選ぶ。

**クラフト作りのための器具**

多くは台所にあるものですし、すべてそろっていないと作れないというものでもありません。容器類などは、クラフト用に何種類かそろえておくと便利です。

①紙コップ ②コーヒードリッパー、コーヒーフィルター ③ビーカーまたはガラス製計量カップ ④小鍋、フライパンなど ⑤ミル ⑥キッチンペーパー ⑦ラップ ⑧密閉ビニール袋 ⑨ゴム手袋 ⑩大根おろし（金属製でないもの） ⑪耐熱性ガラス小皿またはボウル ⑫ラベルシール ⑬割り箸 ⑭竹串 ⑮木のへら ⑯爪楊枝 ⑰滅菌ガーゼ ⑱はかり ⑲軽量スプーン　その他、ティッシュ、輪ゴムなど。

**容器類**
①クリーム容器
②スプレー容器
③ボトル容器
④点眼ビン
⑤リップクリーム容器
⑥ガラス製広口ビン
⑦ガラス製ふたつき密閉容器

容器は、ガラス製、プラスチック製のものがあるので、用途に合わせて使い分ける。

LESSON ① そろえておきたい材料と道具たち

# LESSON ②
# 基本のアロマクラフト

**作ってみよう**

PART4の「セルフケア症状別ガイド」のレシピもここで紹介するクラフトの作り方が基本となります。全て自然素材や精油を原料としています。肌にやさしく、生活の中で利用できるアロマクラフトを手作りしてみたい人にもきっと役に立つでしょう。

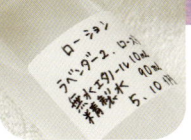

レシピと制作した日付をラベルに記入し、容器に張り付けておきましょう。

## 入浴剤

精油をビンから直接お湯に落としてアロマバスを楽しむことも出来ますが、天然塩や重曹、乳化剤、キャリアオイル、はちみつなどにまぜると入浴剤を作ることが出来ます。体を温めたいときは、精油を天然塩、クレイ、重曹などとまぜてみましょう。保湿力を高めたいときは、はちみつとキャリアオイルがよいでしょう。乳化剤（バスミルク）を使うと肌への刺激がマイルドになり、高齢の方や赤ちゃんなど、肌が弱い方に向く入浴剤になります。

## 基本のバスソルト（1回分）

特に冷えが気になる方に。発汗作用・加温作用がある天然塩に精油をまぜて作ります。紅こうじ色素や柑橘系の精油、抹茶粉をまぜるとピンク、イエロー、グリーンのバスソルトに。粒状の塩にすると湯船に入れるときの音がしゃらしゃらと心地よく、湯船の中にしばらく残り、さわっているだけで何だかうきうきしてきます。

### 基本の準備

| 好みの精油 3〜4滴 |
| --- |
| 天然塩 40g |
| ガラスの小皿、木のへら |
| スプーン、はかり |
| 袋（保存用容器）、ラベル用シール |

＊天然塩の量（40g）は、大さじ2杯くらいを目安にするとよいでしょう。
＊天然塩の代わりに、クレイ10g、はちみつ大さじ1、植物油小さじ1、適量の乳化剤のいずれかとまぜても。

## 作り方

① ガラスの小皿に塩を入れ、中央にくぼみをつけ、精油を落とす。

② 木のへらなどで軽くまぜ、精油を塩全体に広げる。

③ ラベルにレシピと作製日付を書き、袋（容器）に貼る。

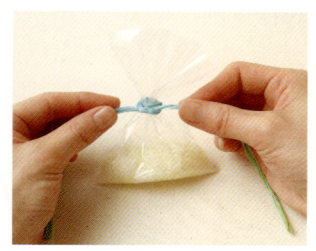

### 精油を入れる滴数について

家庭用のお風呂では、6滴までにしましょう。入れすぎると肌にちりちりした刺激を感じます。香りが強すぎてもあまり心地よくありません。はじめは1〜2滴入れてみて、次の機会に3滴、4滴と徐々に増やして適量を知っていくとよいでしょう。

## variation

### カラフルバスソルト（5回分）

視覚的にもリラクゼーション効果が期待できます。天然塩は、少し大きめの粒状のものを使います。抹茶粉や和菓子用の紅こうじ色素、くちなし色素、ハーブティンクチャーなどで色がつきます。ユズやマンダリンの精油を入れると色素なしでも黄色になります。

#### ●グリーン

抹茶の香りとよく合うヒノキやユズ、ゲットウなどの和精油、グレープフルーツなどがおすすめ。春先のデトックスにも向くブレンドレシピ。

レシピ／グレープフルーツ12滴、ジュニパー8滴、煎茶の粉末（抹茶）小さじ2程度、天然塩（粒状のタイプ）200g

#### ●イエロー

ゆっくりと休みたい夜に。マンダリン精油のやさしい黄色がそのまま天然塩にうつってきれいな仕上がりです。

レシピ／マンダリン10滴、ベンゾイン6滴、天然塩（粒状のタイプ）200g

#### ●ピンク

落ちこんでいるときに。やさしい桜色に仕上がる紅こうじ色素が絶対おすすめです。特別な日は、イランイランの代わりにローズをブレンドしても。

レシピ／ゼラニウム6滴、ローズウッド10滴、イランイラン3滴、天然塩（粒状のタイプ）200g、紅こうじ色素数滴（GABAN社製がおすすめ）

＊はじめに紅こうじ色素を数滴天然塩に加え、かきまぜてから精油を加える。桜の塩漬け6個程度かドライのバラをまぜても素敵。

LESSON 2　基本のアロマクラフト

## ハーブ石鹸

市販の無添加純石鹸を使う簡単な方法をご紹介します。精油以外にクレイ（粘土）、炭やシルクのパウダーなどを石鹸に加えて、使う方の肌タイプに合ったものを作ることもできます。ここでは、ドライハーブのカモミール・ジャーマンを使い、敏感肌用の石鹸をご紹介します。赤ちゃんにも使用できます。

右端の丸型は抹茶粉入り。ハート型と丸型の薄い茶色はクレイ入り。その他は基本のハーブ石鹸。

### 基本のハーブ石鹸

#### 基本の準備

- 無添加石鹸 1個（100g程度）
- ドライハーブのカモミール・ジャーマン 2g程度（ティーバッグ1つでも可）
- 精製水 80ml
- 好みの精油 15滴
- 小鍋、密閉ビニール袋（大）1枚
- 大根おろし、計量カップ

＊石鹸の大きさによって乾燥のスピードが違います。早く使いたい方は小さめにまとめましょう。ドライハーブを飾っても。

#### 作り方

① 小鍋にカモミール・ジャーマンと精製水を入れ、煮詰めて濃いハーブ抽出液を作る。

＊抽出液の代わりにハーブティンクチャーを精製水で4倍に薄めたものでも。

② 無添加石鹸1個を大根おろし器で細かく削る。

③ ②を密閉ビニール袋に入れ、①を少しずつ加え（やや温かめがよい）、袋の中でよくまぜ合わせる（クレイや抹茶粉などを加える場合はここで一緒に入れる）。

④ ビニール袋の上から手の平で練り、全体が滑らかになるようにまぜ合わせていく。

⑤ ひとつの固まりにまとめ、袋から出す。中央にくぼみをつけ、くぼみに精油を垂らし両脇からぴったりとくっつけるようにして練り込みながら、全体的にさらにまぜていく。

⑥ 好きな形にする。3週間ほど陰干しし、乾いたら完成。

### 一緒に練りこむ素材で使用感をワンランクアップ！

**クレイ**…古い角質や毛穴につまった皮脂の汚れを吸着する。ハーブ液と精油の浸透を助ける。美白効果もある。

**抹茶粉**…皮膚を清浄にして美白効果が期待できる。くすみがちな肌やニキビ肌に。

**炭パウダー**…特に皮脂が多く、小鼻周りの黒ずみが気になるときに。男性用に。

**はちみつ、黒蜜**…洗い上がりがしっとりする保湿効果をもたらす。

**ホホバ油**…少量加えるとあわ立ちがよくなり、保湿効果とシルクのような洗い上がりに。

### 粉石鹸でも作れます

石鹸を削るのが大変な方は、石鹸純度が高く、一切の添加物が含まれていない粉石鹸を使って作ることが出来ます。
おすすめ：シャボン玉石鹸スノール

## ローション
（化粧水、頭皮用トニック）

精油と精製水だけあれば簡単に作ることができます。自分の好きな香りやお肌に合ったものを選択してください。精油は、1種類だけよりも2種類以上ブレンドするとより効果的です。

### 基本のローション

**基本の準備**

| |
|---|
| 好みの精油 合計4滴以内 |
| 無水エタノール 10ml |
| 精製水 90ml（好みの芳香蒸留水でもよい）|
| ボトル容器（100ml）、計量カップ（ビーカー）、ラベル用シール |

＊敏感肌の方は無水エタノールを6ml以下に減量し、その分精製水を増やして全体を100mlにします。
＊使う前にそのつど容器をよく振りましょう。
＊保存期間は1.5～2か月程度。

### 作り方

① 無水エタノールをはかり、容器に入れる。

② 精油を加え、容器を軽く振ってまぜる。

③ 精製水を②に加える。

④ ふたをして容器全体をよく振り、完成。

⑤ ラベルにレシピと作製日付を書き、容器に貼る。

**精油のブレンド濃度について**
通常、ローションは0.5～1％くらいにしますが、はじめて精油を肌に使用する方は、合計100mlの基材に2滴（0.1％）～4滴（0.2％）くらいからブレンドし、肌の調子をみながら少しずつ濃度を変えてみてください。

**季節によって配合に調整は必要？**
乾燥する季節は、精製水を85mlにして保湿効果があるグリセリンかホホバ油5mlを加えるとしっとりとした使用感になります。
グリセリンの量は好みで減らしてもかまいませんが、全体量は100mlになるよう精製水の量を調整しましょう。無水エタノールを使わない場合は、保存性を考慮し、精製水ではなく、基材を芳香蒸留水100mlのみにして精油を1～2滴だけ加えましょう。無水エタノールに代えてリンゴ、アンズ、ブドウなどの果実酢を使ったローションを作ることもできます。

**肌別おすすめ精油**

| | |
|---|---|
| 普通肌 | ゼラニウム、パルマローザ、マンダリン、ラベンダー、ローズ、ローズウッド |
| 乾燥肌 | カモミール・ローマン、サンダルウッド、ゼラニウム、フランキンセンス、ラベンダー |
| 脂性肌 | イランイラン、ジュニパー、ティーツリー、ベルガモット、レモン、ローズマリー・ベルベノン |
| 敏感肌 | カモミール（ジャーマン、ローマン）、ラベンダー、ローズ、ローズウッド |
| 頭　皮 | オレンジ、パルマローザ、ヒノキ、ペパーミント、ラベンダー、ローズマリー・ベルベノン、マンダリン |

## ハーブティンクチャー
（ハーブチンキ）

乾燥したハーブをアルコールに浸して有用成分を抽出したもので、ハーブチンキとも呼ばれています。ハーブの有用成分を効率よく抽出・保存して利用できるのが特徴です。そのまま浴槽に入れると薬草風呂になります。また、精製水で薄めると化粧水になり、乳液、クリーム、石鹸を作るときに加えると精油なしでも十分なものに仕上がるので常備しておくと便利です。

### 基本のハーブティンクチャー

赤ちゃんのおむつかぶれやあせも、大人の乾燥肌やかゆみに役立つハーブを配合した万能ティンクチャーです。

#### 仕込みの目安

ハーブによって違いますが、目安は、ドライハーブ25～30gを単品または数種あわせて、40％エタノールかウォッカ約400mlに浸します。材料がちゃんと浸るくらいの量が必要です。材料のハーブ1の分量に対して抽出用のアルコールは8または9になります。

### 基本の準備

カモミール・ジャーマン 12g、ラベンダー 8g、カレンデュラ 10g（以上ドライハーブ）

無水エタノール 160ml

精製水 240ml

ガラス製広口びん、ガラス製密閉容器、ろ過用容器、ミル、コーヒーフィルター、計量カップ、はかり

ラベル用シール

＊エタノールは、ハーブ成分の抽出に必要です。精製水だけでは作製できません。無水エタノールと精製水を使わない場合は、アルコール度35～40度のウォッカか果実酒用ホワイトリカー400mlでも代用できます。

＊保存期間は約2年間。

### 作り方

① ハーブは、ミルで軽くすりつぶしてガラス製広口びんに入れ、無水エタノールと精製水を加え、ふたをする。

② ①は直射日光を避けて約1～3か月保存し、ハーブの成分を抽出させる。初めの3週間は、毎日ビンを振ってハーブとアルコール水をなじませる。

③ コーヒーフィルター（またはザルとキッチンペーパーなど）を使って②をろ過する。

④ ろ過した液をガラス製密閉容器に移し、レシピと日付を書いたラベルを貼って保存する。

### ハーブティンクチャーの使い方

ティンクチャーを使うときは、精製水か芳香蒸留水で4倍に薄めます（アルコール濃度は10％）。そのまま頭皮トニックやローションとしても使えます。クレイパックやハーブ石鹸を作るときに原液か水で薄めてまぜるとリッチな仕上がりに。

ティンクチャー15mlに対して、芳香蒸留水45ml（4倍希釈）／60ml（5倍希釈）／75ml（6倍希釈）

＊アルコールが苦手な方は5～6倍希釈にします（薄めたほうが保存期間は短い）または、芳香蒸留水や精製水を少し温めてから加えると、アルコール分を飛ばすことができます。肌への吸い込みは、アルコールが入っているほうがよいという結果が出ています。

#### ●消臭・デオドラントスプレー

靴の中、ストッキング、わきや首筋など汗ばむ部位にシュッとスプレーします。

レシピ／好みのティンクチャー20ml、好みの精油3滴、精製水40ml（肌の弱い方、傷のある方はティンクチャー10ml、精製水50mlに）／スプレー容器

#### ●ハーブクリーム

市販の無香料クリームにまぜるだけ。作製時間は約3分。

レシピ／好みのティンクチャー原液3～5ml、市販の無香料クリーム30g／クリーム容器

手前から時計回りに、緑茶ティンクチャー、美白ティンクチャー、ハンガリー水ティンクチャー

## variation

### その他のハーブティンクチャー

ハーブの種類とブレンドをかえて、ティンクチャーを作ってみましょう。2年ほど保存でき、様々なクラフトに使用できるので便利です。

#### ●ハンガリー水ティンクチャー（ハンガリーウォーター）

脂っぽい皮膚を清浄したいときに。お肌を若返らせる効果があります。鎮痛効果もあり、原液か水で2倍に薄めて筋肉痛や痛みがあるところ、立ちすぎて疲れた足裏にすりこんで使います。

レシピ／ローズマリー10g、ペパーミント10g、ローズ8g、オレンジピール2g（以上ドライハーブ）、無水エタノール160ml、精製水240ml

＊ハーブを漬け込むときに、一緒に精油（ネロリかオレンジ3滴）を入れても。保存期間は約2年間。

#### ●美白ティンクチャー

色素沈着を予防し、出来てしまったものが目立たなくなるよう皮膚細胞を活性化する効果があるハーブの中から入手しやすいものをブレンドしました。日焼け後の化粧水、パック、クリームなど主に美容面に応用できます。

レシピ／オレンジフラワー6g、カモミール・ジャーマン6g、ヒース6g、ローズヒップ6g（以上ドライハーブ）、無水エタノール160ml、精製水240ml

＊ハーブを漬け込むときに、一緒に精油のペパーミント2滴、ローズマリー2滴、オレンジ3滴、ラベンダー3滴を入れても。保存期間は約2年間。

#### ●緑茶ティンクチャー

殺菌消毒、消臭、美白、収れん作用がある緑茶を利用します。精製水で薄めると化粧水、消臭スプレー、うがい液、夏の日の安眠スプレーになります。

レシピ／煎茶40g、無水エタノール160ml、精製水240ml 葉が浸りきらない場合は、若干エタノールと精製水の量を多くする。

＊保存期間は約2年間。

LESSON ② 基本のアロマクラフト

# クリーム・ジェル類

みつろうやジェル基材などを使って、簡単に軟膏やクリーム、アロマジェルを作ることが出来ます。基材や入れる精油を変えることで、使用感に変化を持たせることが出来るので、慣れてきたらいろいろ応用してみましょう。

## 基本のみつろう軟膏

特徴：保存期間が長い。カバー力強。やや固め

ミツバチの巣からとる天然のろう成分、みつろう（ビーズワックス）を使って、軟膏を作ってみましょう。みつろうと植物油だけで作る軟膏はやや固いですが、油分が多いので肌に付けると蒸発しにくく他のクリームより肌に長くとどまります。薬用成分をゆっくりと浸透させたいときに向いています。ティーツリーとラベンダーを加えると傷、肌荒れ、虫刺されなどオールマイティに役立つ万能軟膏が出来ますよ。

## 基本の準備

好みの精油 5〜10滴

みつろう 5g、ホホバ油 20ml

鍋、耐熱性ガラスボウル

クリーム容器（容量30g）

竹串など、計量カップ、はかり

ラベル用シール

＊みつろうは60℃ほどで溶けはじめます。沸騰させないように注意してください。
＊精油を加えるタイミングは、容器周辺は固まりはじめているが、中心部分はまだ液体で、表面にうっすらと膜が張ってきた状態のとき。精油を加えるとすぐ固まりはじめるので、作業は手早く行います。
＊保存期間は約2か月。

## 作り方

① 鍋に湯を沸かし、耐熱性ガラスボウルにみつろうとホホバ油を入れ、湯煎して溶かす。

② ①をクリーム容器に入れる。

③ ②の表面にうっすらと膜が出来、ふちの部分が固まりはじめたら精油を加え、竹串でよくかきまぜる。

④ ある程度まぜたら、容器ごと机にトントンと打ちつけて軟膏の中に入った空気を抜く。

⑤ 完全に軟膏が冷めたのを確認してからふたを閉める。

⑥ ラベルにレシピと作製日付を書き、容器に貼る。

## 基本のみつろうクリーム

特徴：柔らかい。カバー力は中。水分を含む

みつろう軟膏より柔らかく仕上がります。クリームが完成してから精油をブレンドするので精油を入れるタイミングを逃すことがなく初心者でも上手に作ることが出来ます。ひじやかかと用に向くクリームです。

### 基本の準備

| | |
|---|---|
| 好みの精油 6〜12滴 | |
| みつろう 6g、ホホバ油 24ml | |
| 芳香蒸留水（あればローズ水）4ml | |
| 鍋、耐熱性ガラスボウル、紙コップ、クリーム容器（容量40g）、竹串など、計量カップ、はかり | |
| ラベル用シール | |

＊保存期間は約1か月。

## 作り方

① 鍋に湯を沸かし、耐熱性ガラスボウルにみつろうとホホバ油を入れ、湯煎して溶かす。

② ①を紙コップに移し、芳香蒸留水を加えて割り箸などでカスタードクリームのように白っぽく乳化するまで練り続ける。

③ クリーム容器に移しかえ、精油を加えて竹串でかきまぜる。

④ 机にトントンと打ちつけてクリームの中に入った空気を抜く。

⑤ 完全にクリームが冷めたのを確認してからふたを閉める。

⑥ ラベルにレシピと作製日付を書き、容器に貼る。

### みつろうと植物油の割合

気温の差で出来上がりの固さが変わります。割合を若干変えましょう。
夏場／重量比でみつろう：植物油を1：4の割合で作る。
（例：みつろう5g、植物油20ml）
冬場／重量比でみつろう：植物油を1：5の割合で作る。
（例：みつろう5g、植物油25ml）
スティック状のリップクリーム／重量比でみつろう：植物油を1：3の割合で作る。
（例：みつろう1g、植物油3ml）

### 湯煎しなくてもよい方法

湯煎は案外手間がかかります。クリーム1〜2個分なら1〜2分で溶ける簡単な方法をご紹介します。小鍋にみつろうと植物油を入れ、弱火にした炎から25cmほど離して加熱し、溶けたらすぐに紙コップに移します。
注意：ガス台に直接のせて直火で温めるのは危険です。一気に燃えて、火事になる危険がありますので、絶対に避けてください。

LESSON ② 基本のアロマクラフト

## 基本の乳液クリーム

特徴：水分多い。のびやすい

本来まざり合うことがない水と油ですが、乳化ワックスを使い、ホイップ状のクリームに仕上げます。水分を多く含み、のびやすくさらっとした使用感です。水分不足で乾燥しているボディ、フェイスにたっぷりと広い面積に使いたいときに。

### 基本の準備

乳化ワックス 4g

スイートアーモンド油 15ml

アロエやローズなどの芳香蒸留水（精製水でもOK）40ml

基本のハーブティンクチャー 10ml

鍋、耐熱性ガラスボウル、ハンドミキサー、クリーム容器（容量100g）、計量カップ、はかり

ラベル用シール

＊ティンクチャーがない場合は、芳香蒸留水（精製水）を50mlにして、好みの精油を6滴加えます。
乳化ワックスの分量は、好みで調整してください。

＊保存期間は約1か月。

## 作り方

① 鍋でアロエ水かローズ水（精製水）を人肌くらいに温める。これとハーブティンクチャーを合わせる。

② 鍋に湯を沸かし、耐熱性ガラスボウルに乳化ワックスとスイートアーモンド油を入れ、湯煎して溶かす。

③ ②に①を加え、ハンドミキサーで数分撹拌する。

④ ③をクリーム容器に移す。

⑤ ラベルにレシピと作製日付を書き、容器に貼る。

## 基本のアロマジェル

特徴：水分多い。使用感べとつきなし

かなりさらっとした使用感が好みの場合、ジェル基材が便利です。ジェル（水系の基材）を使うので、酸化が早い植物油を使わないようにしましょう。ホホバ油は浸透性に優れ、お肌になじみやすく肌質を選ばないことに加え、他のオイルに比べて保存期間が長いのでおすすめです。

### 基本の準備

好みの精油 6～10滴

ジェル基材 20g

好みの芳香蒸留水 3ml

ホホバ油 3ml

ボウル（紙コップ）、クリーム容器（容量30g）、木のへら、計量カップ、はかり

ラベル用シール

＊ホホバ油を加えると精油の肌への刺激が穏やかになり、より長時間保湿できます。

＊ジェルの固さによって、芳香蒸留水とホホバ油の分量を若干調整してください。

＊保存期間は約1か月。

### 作り方

① 上記の基材を、ボウルに入れ、木のへらなどでよくかきまぜる。

② 精油を加えて、さらによくまぜる。

③ クリーム容器に移す。

④ ラベルにレシピと作製日付を書き、容器に貼る。

乳液クリーム（左）、アロマジェル（右）

## クレイパック

クレイ(粘土)は、ミネラルたっぷりの大地の贈り物。余分な皮脂や毛穴の奥の汚れまでしっかりと吸着してくれます。夜にパックすると、翌朝のお化粧のノリも違い、続けるとお肌に透明感が出てきます。クレイには、白やピンクのカオリン、緑色のモンモリオナイト、茶色のガスール(別名ラスル)などがあります。

### 基本のクレイパック(1〜2回分)

**基本の準備**

| | |
|---|---|
| 好みのクレイ | 30g |
| 好みの精油 | 1〜2滴 |
| はちみつ | 小さじ 1/2 |
| 精製水(または芳香蒸留水:ネロリ水、ローズ水など) | 適量 |
| ガラスの小皿、木のへら(スプーン) | |

＊敏感肌の方は、モンモリオナイトを多めに、オイリー肌の方はカオリンを多めにするとよいでしょう。
＊保存する場合は、密閉容器に入れ、冷蔵庫で約2週間。

### variation

●**乾燥肌・敏感肌のクレイパック**
基本のクレイパックのレシピにキャリアオイル小さじ1/4〜1/2程度を加える。

●**美白クレイパック**
方法1／基本のクレイパックのレシピに抹茶粉小さじ1を加える。
方法2／クレイを練るときに美白ティンクチャー(79ページ)を使用。美白ティンクチャー1、精製水(芳香蒸留水)3の割合でまぜたもので練る。

### 作り方

① ガラスの小皿にクレイと精製水(芳香蒸留水)を入れ、ペースト状になるまでよくまぜる。
＊このとき、金属製のスプーンなどでまぜるのは避けます。

② はちみつ、精油を加え、さらにまぜる。

③ すぐに使わない場合は、密閉容器に移し、レシピと作製日付を書いたラベルを容器に貼る。

### 肌別 おすすめ精油

**普通肌**
イランイラン、ゼラニウム、サンダルウッド、マンダリン、ラベンダー

**しみ・くすみ対策**
オレンジ、ネロリ、パチュリー、ラベンダー、レモン、ローズ

**皮膚細胞活性化**
ゼラニウム、ネロリ、パルマローザ、ラベンダー、ローズウッド

**アンチエイジング・美肌**
キャロットシード、ローズ、ローズウッド、ロックローズ

**乾燥肌、敏感肌**
カモミール・ローマン、フランキンセンス、ラベンダー、ローズウッド

**ニキビ肌**
ティーツリー、パチュリー、プチグレン、マートル、ラベンダー

LESSON 2　基本のアロマクラフト

## クレイパックのやり方
（バスタイムに）

① メイクを落とし、ぬるま湯で軽く洗顔。洗顔料は少なめに。クレイ自体が汚れを落とすので軽く洗う程度でよい。丁寧に洗顔してからパックをすると皮脂が取れすぎてしまい、かなり乾燥するので注意。

② 水分をふき取り、顔全体にクレイを伸ばし、5分～10分程度置いて洗い流す。ベストの時間は肌の状態によるので、最初は5分くらいから試しながら使用感をみて時間を調整する。日焼けしたときやお肌に疲れを感じたときは、顔だけでなく、首やデコルテまでクレイを伸ばし、パックする。

③ ローションやフェイスオイルでお肌を整える。

＊クレイは、排水口に流れても問題ありません。朝など時間がないときや洗面所でTゾーンなど部分的にパックするときは、1～2分でもよいでしょう。

*目と口の周りは避ける。*

*首とデコルテにも。*

# アロマスプレー

香りを持ち運びたいときや、特定の場所に置いていつも香りを漂わせたいときに便利なクラフトです。精油は、アルコールによく溶けます。薬局で無水エタノールを購入し、精製水を加えて作りましょう。用途に合わせて精油の種類、エタノールの濃度を調整するとお部屋の芳香剤、ごみ箱や下駄箱、靴の消臭スプレー、トイレ、浴室の除菌・掃除用のスプレー、マウスウォッシュなどいろいろ作ることが出来ます。

## 基本のアロマスプレー

お部屋やカーテンなどに適時、スプレーして用います。空気の浄化、殺菌効果のあるものやリラックス効果があるもの、リフレッシュ効果があるものなど目的にあわせてブレンドしましょう。

### 基本の準備

| |
|---|
| 好みの精油 12滴 |
| 無水エタノール 10ml |
| 精製水 20ml |
| スプレー容器（容量30ml） |

＊保存期間は約1.5か月。

### エタノールと精油の濃度

直接肌に付けないものや掃除や除菌が目的の場合、精油がとけやすく、カーテンなどに噴霧してもすぐに蒸発するようエタノール濃度は20～40％くらいを目安にしましょう。精油も基材全体量に対して2～4％（30mlに12～24滴）くらいに調整します。

## 作り方

① スプレー容器に、無水エタノールを入れる。

② 精油を加え、希釈する。

③ 精製水を加える。使うときはよく振ること。

④ ラベルにレシピと作製日付を書き、容器に貼る。

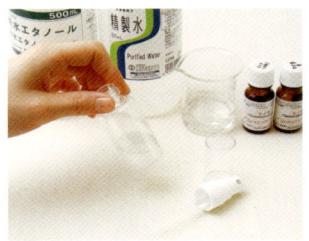

## variation

### ●基本のマウススプレー

のどの痛みや口臭予防に役立つ精油を使って作ります。ただし、食品添加物の認可を受けた精油を使うようにしてください。抗菌、抗ウイルス作用があるレモンやオレンジ、ペパーミント、など柑橘系、ハーブ系、葉の精油が役立ちます。エタノールの濃度は10%以下にしましょう。

**レシピ**／好みの精油4滴、無水エタノール2ml、精製水18ml、スプレー容器（20ml）

**使い方**／スプレービンをよく振ってから使います。口を大きくあけ、シュッとスプレーするだけ。うがいをする必要はありません。のどが痛いときは、のどの奥に向けてスプレーします。

＊作り方は、基本のアロマスプレー参照。
＊保存期間は約2週間。

LESSON ② 基本のアロマクラフト

## オーデコロン 香水

ホホバ油、みつろう、無水エタノール、精製水などを基材にして好みの精油を加えると手作りのフレグランスになります。精油の種類や濃度によって軽いタイプのオーデコロンからほのかな香り立ちの練り香、香りの持続時間が長い香水まで作ることができます。

### クラフトを作る前に

クラフトを作るときは、事前にどの精油を使うかを決めておきますが、香水のような香りのバランスをとるのがむずかしいクラフトの場合は、次のような方法で精油を選んでみましょう。

#### 精油の選び方

①まずは、作りたい香りを頭の中でイメージしましょう。そのイメージをノートなどにメモして、イメージに合うメインの精油の候補を5、6種類挙げていきます。

②次に、ムエット(試香紙。画用紙を短冊状に切ったもので代用可)を準備し、メインの候補の精油を1滴ずつ垂らします。

③精油を垂らしたムエットを扇状にして鼻の前で手に持ち、軽く振ってそっと香りを嗅ぎます。

④イメージした香りかどうかを確認しつつ、メインで選んだ精油以外の精油もムエットに垂らして、③に加えたり、どれかを除いたりして調整します。

⑤思い描いた香りができたら、その精油のビンを手元に準備しましょう。もう一度ムエットの香りを確認しながら、それぞれの精油の滴数を決めて(合計の滴数は、各レシピを参照)、ノートにメモしていきます。

＊62ページの「ブレンディング」の項目を参考にしてください。

手前から時計回りに、基本の香水、練り香、基本のオーデコロン、基本のパウダーフレグランス

### 基本のオーデコロン

精油を使っているので、軽やかなイメージのオーデコロンに仕上がります。季節や気分によって精油を使い分けるのもよいでしょう。

#### 基本の準備

好みの精油数種 15～20滴

無水エタノール 10ml

精製水 20ml

ガラス製ボトル容器（容量30ml）

### 作り方

① ボトル容器に、無水エタノールを入れる。

② 精油を加え、希釈する。

③ 精製水を加え、よく振ってから使用する。

＊保存期間は約2か月。
＊軽い香りの柑橘系、ハーブ、樹木の葉の精油をブレンドするとよいでしょう。

## 基本の香水

アロマ香水は、市販のものと違い、強い香りには仕上がりませんが、数種類の精油を組み合わせることによって、奥深い香りを作り出すことができます。

### 基本の準備

| | |
|---|---|
| 好みの精油数 | 20〜40滴 |
| 無水エタノール 8ml／精製水 2ml | |
| ガラス製ボトル容器（容量10ml） | |

＊作り方は、基本のオーデコロン参照。
＊軽い香りだけでなく、花、樹脂、木の精油など重厚なものをバランスよくブレンドするとよい。基材をホホバ油にすると香り立ちが変わります。
＊保存期は約2か月。

## 基本の練り香

みつろうを使った、塗るタイプのフレグランスです。胸元にほんの少し塗って、香りを楽しみましょう。

### 基本の準備

| | |
|---|---|
| 好みの精油数種 | 15〜20滴 |
| みつろう | 3g |
| ホホバ油 | 12ml |
| クリーム容器（容量20g） | |

＊保存期間は約2か月。
＊作り方は、みつろう軟膏（80ページ）参照。

## 基本のパウダーフレグランス

夏場のシャワーの後や、お風呂上りの足のケアに。さらっとして、汗ばむ季節に大活躍です。

### 基本の準備

| | |
|---|---|
| 好みの精油 | 12〜15滴 |
| カオリン | 大さじ1 |
| コーンスターチ | 大さじ1 |
| ボトル容器かパウダー容器 | |

### 作り方

① カオリン、コーンスターチを容器に入れ、精油を加える。

② よくまぜ合わせて少量を肌につけて使用する。

＊ドライハーブを使う場合は、ミルで粉末にしてから茶こしでふるったものを小さじ1〜2程度①に加えます。
＊保存期間は約2か月。

---

### エタノールと精油の濃度

オーデコロン…エタノール濃度は10〜30％、精油濃度は基材の量の2〜10％
香水…エタノール濃度は60〜90％、精油濃度は15〜25％
練り香…精油濃度は5〜10％
パウダーフレグランス…精油濃度は2〜5％

---

*variation*

### ●恋する香水

ある日、心の中にふっと芽生えた恋心。この気持ちを相手に伝えたい……。そんなときに、そっと背中を押してくれる香りを身につけてみませんか。繊細なのに魅惑的な甘さを秘めた、ちょっぴり大人のフレグランスです。

**レシピ**／オレンジ3滴、サンダルウッド4滴、イランイランまたはネロリ3滴、プチグレン1滴、ベルガモット6滴、ローズウッド3滴、好みの精油1滴

基材は香り立ちの印象が異なるA、B、Cから選択してください。写真はAのタイプ。さっと香りをまといたいときはA、ほのかに香らせたいときはBかCがおすすめ。

A：80％エタノール水10ml
　　（水：無水エタノール＝1：4）
B：ホホバ油10ml
C：みつろう2g、ホホバ油8ml

## 簡単！ まぜるだけのアロマクラフト

市販品を利用して、すぐに作ることができるアロマクラフトです。無香料・無添加のボディソープやシャンプー、リンスをはじめ、ハンドクリーム、乳液、クレンジングクリーム、無香料・無添加液体石鹸洗剤などに好みの精油などを加えてまぜ合わせれば完成です。

### 全身用シャンプー

お顔も髪もボディもこれ1本で洗うことができる優れもの。石鹸ベースのボディソープで低刺激性、無香料、無添加のものを選びましょう。

#### おすすめの精油
オレンジ、カモミール・ローマン、ゼラニウム、ティーツリー、ローズウッド、ラベンダー

#### レシピ
好みの精油合計10〜15滴、無香料・無添加ボディソープ100ml、好みでホホバ油10〜20ml
＊保存期間は約1か月。

### アロマシャンプー＆アロマリンス

紫外線の影響やパーマ、カラーリングなどで髪や頭皮が痛んでしまうことも多いのでは？　髪や頭皮のケアに役立ち、育毛効果がある精油を使い、シャンプーやリンスを作りましょう。

#### おすすめの精油
イランイラン、オレンジ、ティーツリー、マンダリン、パルマローザ、ペパーミント、ラベンダー、ローズマリー

#### レシピ
好みの精油合計10滴、無香料・無添加シャンプー／リンス50ml、ホホバ油5ml、グリセリン5ml
＊髪が乾燥しているときはホホバ油を多めに、髪がべとつくときはホホバ油を少なめにします。
＊保存期間は約1か月。

### アロマ乳液＆クレンジングクリーム

スキンケアに役立ち香りのリラクゼーション効果が高い精油を選んで加えるとよいでしょう。

#### おすすめの精油
カモミール・ローマン、グレープフルーツ、サンダルウッド、ゼラニウム、ネロリ、マンダリン、ラベンダー、ローズ

#### レシピ
好みの精油2〜3滴、無香料乳液／クレンジングクリーム100ml（g）
＊保存期間は約2か月。

シャンプーやリンスは、香料などが入っていないものを使うようにしましょう。

2週間くらいで使いきれるくらいの分量で作るとよいでしょう。ホホバ油やグリセリンがなくても、精油だけで十分楽しめます。

### ヘアケアスプレー

弱酸性で髪のクシどおりをよくする効果があり、頭皮のトニック効果もある芳香蒸留水に精油を加えて作ります。ブラッシング前やドライヤーの前にスプレーしましょう。寝ぐせ直しにも使えますよ。

#### おすすめの精油
ヒノキ、マンダリン、ローズマリー、ラベンダー、レモン

#### レシピ
好みの精油2〜3滴（子ども用は、ラベンダーとマンダリンにする）、オレンジフラワー芳香蒸留水かアロエ芳香蒸留水100ml
＊しっとりさせたいときは、ホホバ油かカメリア油3mlを加えます。
＊保存期間は約1か月。

## LESSON 3
# 基本のトリートメント（アロママッサージ）

**トリートメントを行う前に**

トリートメントは、言葉を使わないコミュニュケーション。オイルを使うので人の手が触れる心地よさがよりいっそう体感できます。自分だけでなく、ご家族同士で行うのもよいでしょう。

トリートメントの目的のひとつは、精油を体に浸透させることにあるので時間が無いときは、お風呂上りなど血行がよくなっているときにクリームのようにくるくると軽くオイルを塗布するだけでも十分です。

### トリートメントを行う前の注意

**オイル塗布**（37ページ参照）
トリートメントの前に必ず、施術する部位全体にオイルをのばします。塗布する際は、自分の手にオイルをとり、よくなじませてから、左右対称に手を動かして全体に過不足なくつけましょう。多すぎると滑って適当な圧が入りにくく、少なすぎると摩擦で皮膚を傷めることがあるからです。男性は体毛が濃いので多めに。肌が乾燥しているときは、どんどん吸収されるので適当なタイミングでオイルを足しましょう。全身20〜25ml、部分で5〜10mlくらいです。

**タオルの使い方**
施術するところ以外は、冷えるのを防ぐためタオルでしっかりと覆いましょう。

**施術のポイント**
方向：体の末梢から中心に向かいます。心臓やリンパ節に体液を戻すように手を動かしましょう。
圧：はじめは、なでさするくらいの軽い圧→部分的にやや強い圧→なでさするくらいの軽い圧に戻り、終了します。
回数：ひとつの動作は3〜5回を基本として繰り返し行うと、相手が安心感を覚え、リラクゼーション効果が高まります。
施術の流れ：ウォーミングアップを兼ねて全体を軽くなでさすり、疲れがひどい部位を中心に細かい手技を施してもみほぐします。最後に再び全体を軽く触って終了すると受けている人にとって無理がなく、心地よさを感じます。

**シーツやタオル**
シーツやタオルには多少のオイルが付着します。洗濯をしても使ったキャリアオイルの種類によっては、数か月たつと油が酸化したにおいが残ります。ホホバ油など酸化が遅いキャリアオイルを使用するとニオイがつきにくくなりますが、アロマ用のタオルを決めておくとよいでしょう。

**トリートメントオイル**
使いきる量だけを作るのが理想的ですが、余ったオイルは、ふた付の容器に入れて、直射日光を避け、常温で2週間は保存できます。

## トリートメントを行う際の注意

自分自身に行うときも他の人に行うときも、まず、深呼吸して心を落ち着けてから始めます。一部位につき5〜10分程度、長くても15分くらいで終えましょう。相手も自分も疲れるほど行うのはやめましょう。

冷たい手はリラクゼーションを妨げます。あらかじめ温めておきましょう。ブレンドオイルの容器を湯に浸して、温めてから塗布するなど工夫してもよいでしょう。

妊娠中は使える精油を確認します。うつぶせは避け、楽な姿勢(シムスの体位。244ページ参照)で短い時間にとどめます。妊娠中期・後期でもお腹のハリがあるときは、トリートメントは避けましょう。

照明は、やや落とします。室温は、トリートメントを受ける人の体感に合わせましょう。お好みの音楽があればBGMに利用してください。

痛いところを過度に押したりもんだりすると、痛みが増すこともあるので注意しましょう。トリートメント後は、老廃物の排泄を助けるために水分を多めに取りましょう。

お子さんは、じっとしていないことも多いので手の平全体を使って大きく動かして行いましょう。時間がなく、背中ができないときにポイントになる部位は、お腹、腰、仙骨周辺、足の裏です。

高齢者は、トリートメント後に、疲れがどっと表に出てくることがあります。はじめは背中と下肢を中心に30分以内で終わらせましょう。時間が無いときは、股関節周辺、お腹、腰、ひざの裏とひざのお皿(膝蓋骨)の周辺、足首、足裏を中心にオイルを軽くすりこみましょう。

### トリートメントの禁忌

下記のようなときは、体に負担をかけてしまったり、症状を悪化させたりする可能性があるため、トリートメントをしないようにしてください。

| | |
|---|---|
| 感染、伝染性の疾患があるとき | 極度に興奮状態にあるとき |
| 発熱しているとき | 皮膚に大きな傷があるとき |
| 骨折、脱臼の直後 | 予防接種の直後(24時間) |
| 抜歯や怪我で出血しているとき | 空腹時と食後(1〜2時間) |
| 急性の疾患があるとき | 飲酒後 |
| 衰弱が激しいとき | 作用が強い薬を使用しているとき* |

*向精神薬、ホルモン薬、抗てんかん薬などを内服しているときは、専門家に相談してください。

### セッティング

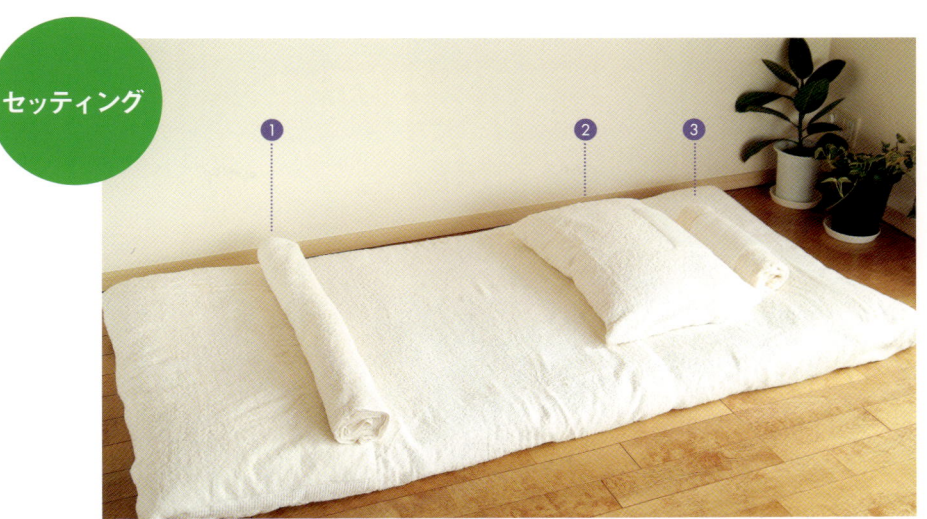

**ベッドのセッティング**　①足枕　②胸当て　③枕

＊顔があたる部分には、キッチンペーパータオルをまいてもよい

家庭には施術ベッドはないので、家にあるものを上手に使って施術用のスペースを準備しましょう。同じ姿勢をとり続けるとかえって疲れることがあるので、相手の体に合わせて、楽に寝られるように調整します。足枕や胸当ては必ず必要なわけではありませんが、あるほうが楽だという方は多いのです。セルフで行う場合も、自分が楽な姿勢を保てるように、工夫しましょう。

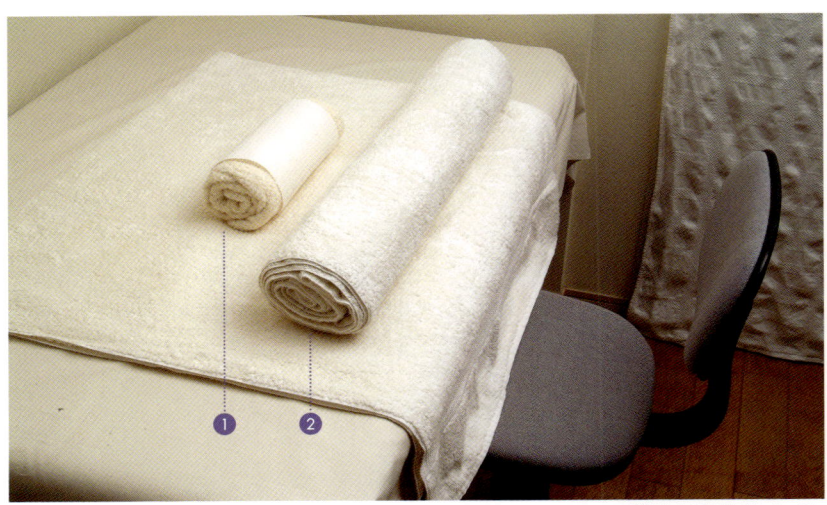

**食卓テーブルでのセッティング**　①枕　②胸当て

＊顔があたる部分には、キッチンペーパータオルをまいてもよい

家庭でベッドやふとんをセットして行うのは、案外手間がかかるもの。そんなときは、食卓テーブルを活用しましょう。準備も簡単です。タオルやバスタオルを使って胸当てやクッションを作ります。寒くないように、施術前は露出部分にタオルをかけておきましょう。

LESSON ③ 基本のトリートメント（アロママッサージ）

## 家庭で行うトリートメントの基本手技

アロマテラピーのトリートメントは、指圧や整体とはアプローチが異なり、ゆったりしたリズム・スピードとソフトな刺激が特徴です。始まりと終わりは、ホールディングやエフルラージュ（下記参照）で余韻を残して終えるようにします。「手の平を密着させ、軽くなでさする」動きがメインですが、こりをほぐす、血流をよくするためにツボを押したり、もんだり、多少の圧を加えたりすることもあります。

―→ は、しっかり圧を加える。　┈┈▶ は、圧を緩める。　↻ は、その場で3回行う。

### ホールディング

体温が伝わってくるくらいの時間、手を当て、静かに動かさずにいる手技。ホールディングは、安心感を与え、リラクゼーションを促す。タオルの上からでも行える。

### フリクション（強擦法）

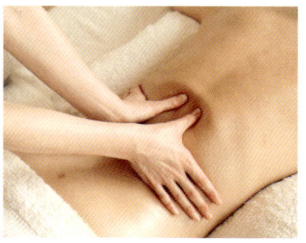

フリクションは、親指（母指）や親指以外の4本の指などを使い、エフルラージュよりも強い圧を加える手技。

### ニーディング（揉捏法）

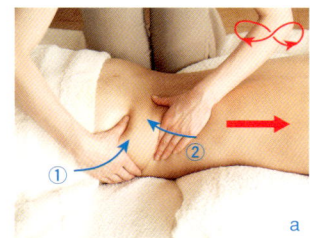

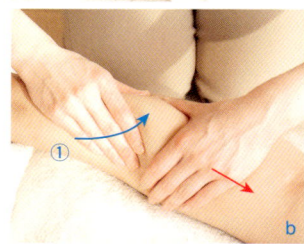

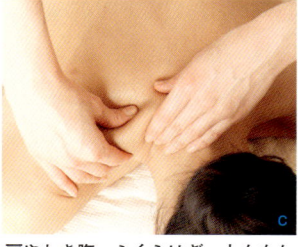

a

b

c

肩やわき腹、ふくらはぎ、太ももなどに向く手技。指先や手の平全体を密着させて筋肉をしっかりとつかみ、左右の手を①②の順に交互に動かしてひねりを加え、もみほぐす。①のとき、もう片方の手は、ひねりながらやや後方にずらす（b参照）。

### エフルラージュ（軽擦法）

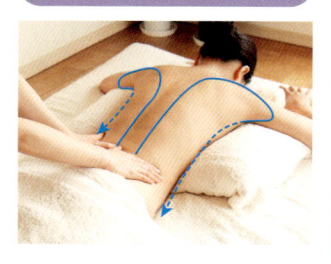

最も多く使われる手技。手の平全体を密着させて軽い圧を加え、皮膚表面をやさしくなでさする。精油の浸透を助け、皮膚を温めて血液やリンパの流れを促す効果がある。ゆっくりとしたスピードで行うと鎮静効果が高まり、眠りを誘う。やや早くリズミカルに行うと心身を活性化する。末端から心臓に向かって行う。

### ナックリング

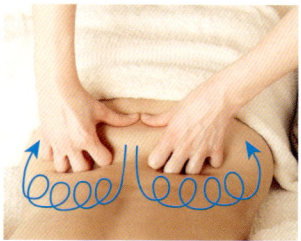

ナックリングは、フリクションの手技のひとつで、肩、腰、臀部、大腿部などの施術に向いた手技。指を曲げて握りこぶしを作り、左右同時に円を描くように動かす。皮膚表面よりも深い部分の組織に働きかけ、うっ血や老廃物の滞りを解消し、こりや硬くなった筋肉をほぐす効果がある。

## 基本の姿勢

余分な力を抜いて、楽な体勢で行う。ひじは軽く曲げる。手の平を密着させる。

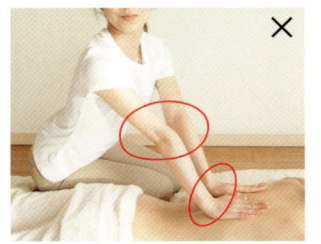

体が反り、腕もつっぱっていて圧の調節が出来ない。手首にも負担がかかる。また、相手を見ていない。

## 手のあて方・置き方

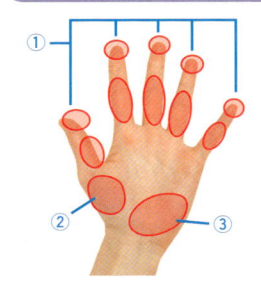

①指の腹、②母指球、③手根を意識して押し当てる。

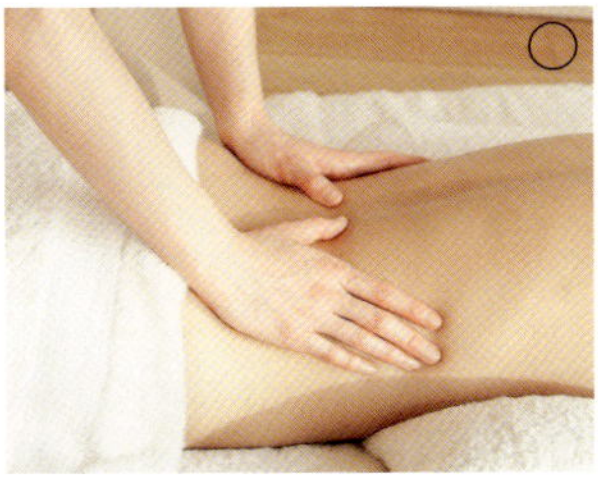

手のつけ根だけでなく、手の平全体を密着させる。

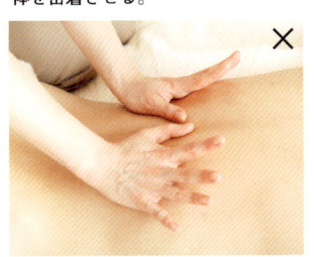

指先に力が入ると指先がピンとはってしまい、相手の体から手が浮いてしまう。

## 食卓テーブルで行う基本手技（首・肩、背中と腕の一部）

① 全体にオイルを塗布する。

② エフルラージュ。92ページを参考にタオルで覆われていないところは全て、手が触れるよう意識して行う。肩の関節周りや腕も忘れずに。

③ フリクション。肩甲骨の内側のラインに沿って圧をかけて親指を滑らせる（a）。背骨のすぐ横も軽く親指で刺激する（b）。

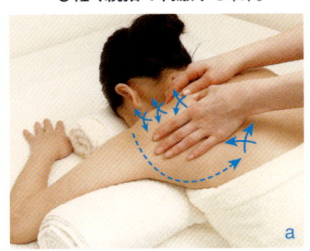

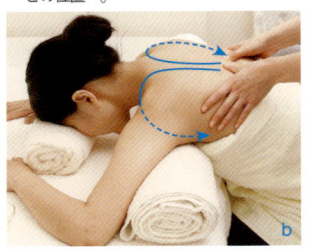

④ 首、両肩と腕の付け根を親指と他の4本の指で軽くもみほぐす。肩から腕にかけて、ニーディングでほぐすのもよい。

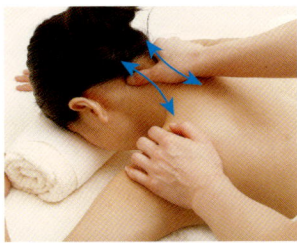

＊-----部は両手を重ね、肩を包んでもとの位置へ。

⑤ ②をもう一度繰り返して終了。

### ワンポイント

わきの下と胸元がしっかり支えられ、自然と肩や首の力が抜ける枕の高さは人によって違います。おでこや胸当て用の枕は、相手に合わせて調整しましょう。食卓テーブルのセッティング方法は、91ページを参照してください。

### 家庭で行う他者へのトリートメント

肌に直接触れますので、傷つけたりしないよう爪を短くし、手の温かさ、ざらざらしていないか、手の平や指先の傷やマメなどをチェックします。アロマトリートメントのメインの手技、エフルラージュは「手の平でなでさする」という簡単なものだけに施術者の状態がストレートにあらわれてしまい、それは相手にも伝わります。体調不良や気持ちに余裕がない日は施術をお休みしましょう。

## 背中

① 全体にオイルを塗布する。

② エフルラージュ。腰から首、肩まで手の平を密着させて圧を加えながら全体をなでさすり（a）、肩を包んで（b）、必ず側面を通って腰に戻る（c）。5〜10回ほど繰り返す。

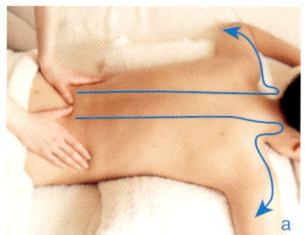

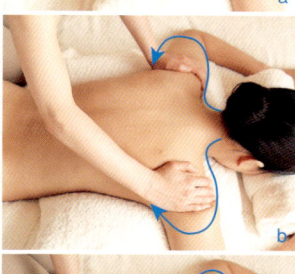

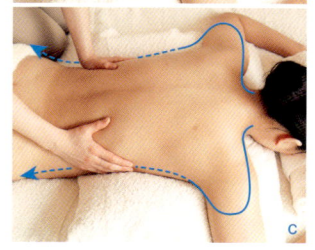

③ フリクション。下記のa、b、cをそれぞれ4回ほど繰り返す。

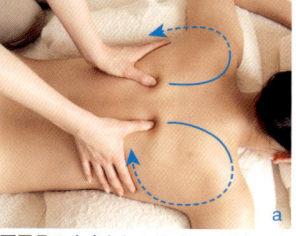

　a　肩甲骨のすぐきわのラインに圧をかけて親指で滑らせる。肩先からわきにかけては、親指以外の4本指で軽くなでる。

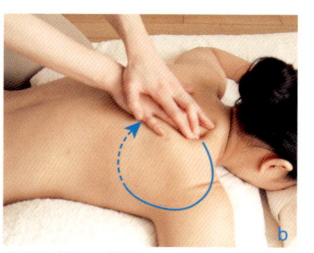

　b　両手を重ねて肩甲骨周りを中指を中心に圧を加え、4周する。肩先からわきにかけてのラインまでしっかりと触れる。

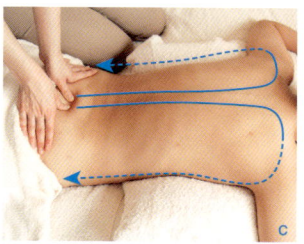

　c　仙骨から首の付け根までを脊柱に沿って圧をかけながら親指を滑らせる。
　＊脊柱のわきから出ている神経を軽く刺激すると心身のバランスを調整する効果があります。

④ 手をグーの形にして、首の骨の両側のラインを指の関節の平らな面を使って軽くなでる。 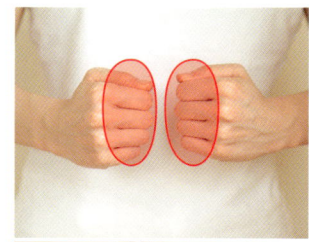 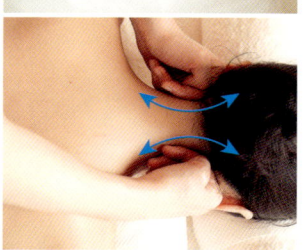
＊髪の生えぎわではなく、首の後ろのくぼみまで行うようにします。

⑤ ②をもう一度繰り返して終了。

---

**ワンポイント**

肩こりがひどい場合は、③のあとに肩先から首の付け根にかけて、親指と残りの指全部でつまみながらひねりを加える、ニーディング（92ページ参照）と呼ばれる手技を行うとよいでしょう。

心地よさを感じてもらえるポイントは、体重移動を上手に行って圧を調整しつつ、ゆったりとしたスピードと一定のリズムで行うことですが、最終的には技術の上手・下手ではなく思いやりが大切です。手の平を密着させて相手の体の輪郭に沿った丁寧なストロークを心がけ、寒くないか、圧は強くないかなど気配りしながら思いを込めて行えたなら、十分100点満点です。

## 腰・お尻

① 全体にオイルを塗布する。

② エフルラージュ。手の平を密着させて、腰全体を、a→b→cのように扇を開くようにしてなでさする。3～5回ほど繰り返す。

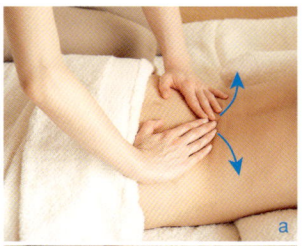

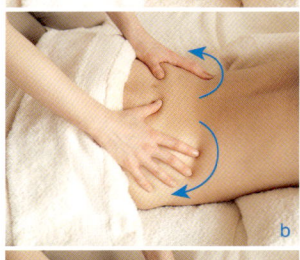

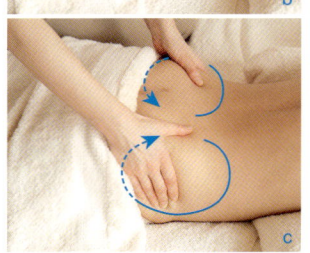

③ フリクション。仙骨から腰椎にそって、やや強めの圧で、親指で小さな円(a)や直線(b)のラインを描き、ウエストラインで左右に流す。

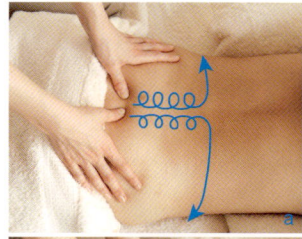

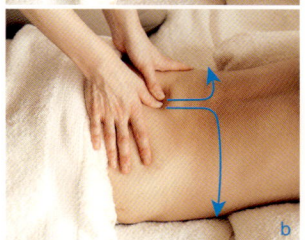

④ 次に、①②③…の順で、お尻を左右対称に親指で刺激する。上記の手順③と同様に、ウエストラインで左右に流す。

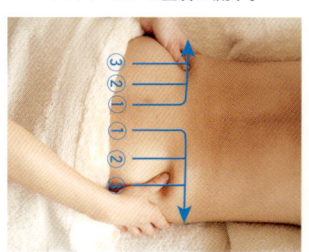

＊相手の体格に合わせて、ラインをとりましょう。4～5ラインとることもあります。

⑤ お尻全体をナックリングでもみほぐす。3～5回ほど繰り返す。

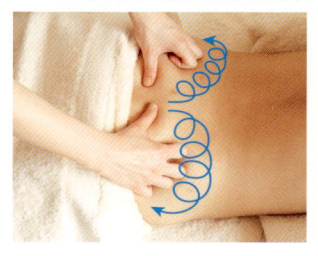

⑥ 両手を重ねて、片側ずつエフルラージュ。サイドは持ち上げるように、3回ほど繰り返して行う。左側は、左手を下にするとやりやすい。

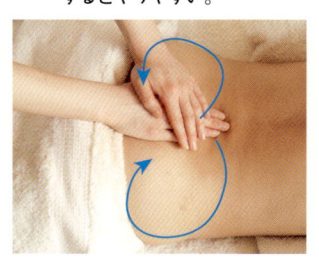

⑦ ②をもう一度3～5回繰り返す。最後にホールディング。仙骨の辺りに手を10秒ほどあてて終了。

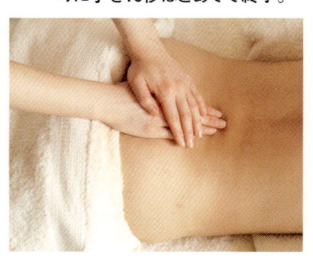

## 下肢（裏面）

① 全体にオイルを塗布する。

② エフルラージュ。両手を重ねて、足先から足のつけ根まで進み、足のつけ根のところで手を扇の形に開く。bのように側面を通り、足先へ戻る。3〜5回ほど繰り返す。
＊ひざの裏側は圧を抜きます。

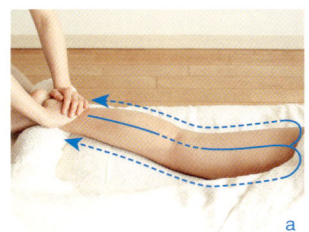

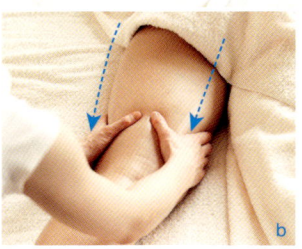

③ ナックリング。ひざ裏から大腿（太もも）にかけて両手の握りこぶしでらせんを描くようにしながら圧を加える。

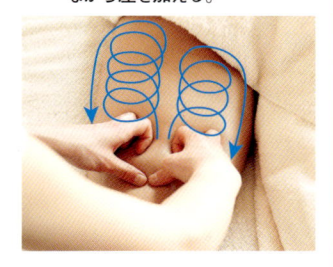

④ 大腿（太もも）の中央、内側、外側の順で、3本のラインを引くように親指を重ねて圧を加える。

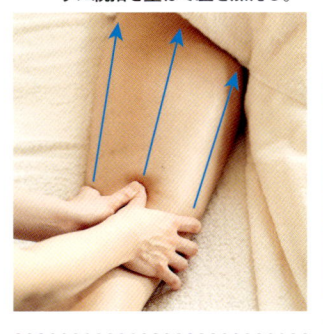

⑤ 足裏からひざ裏まで、両手を重ねて、軽く圧をかけてなでさする。ひざ裏まできたら手を扇の形に開き（b）、ふくらはぎの側面を通って（c）、足裏に戻る。3〜5回ほど繰り返す。

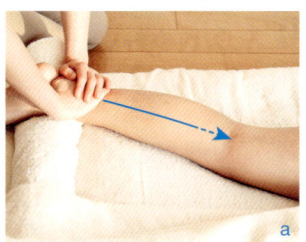

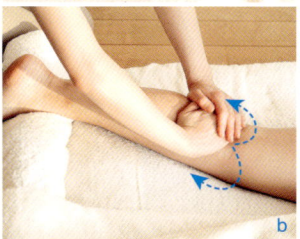

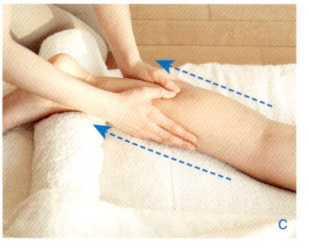

⑥ 片手で足首を支え、アキレス腱の両側を、もう一方の手の親指で小さな円を描く、あるいは直線のラインで、やや強めの圧を加える。

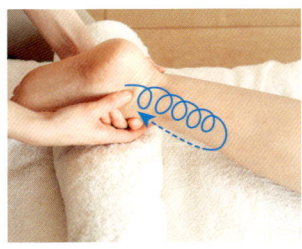

⑦ 足裏全体を（指も）手の平や親指を使い、もみほぐす。

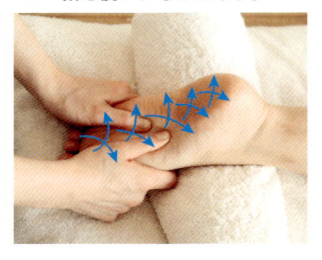

⑧ ②をもう一度繰り返す。最後にホールディング。足裏に手を10秒ほどあてて終了。

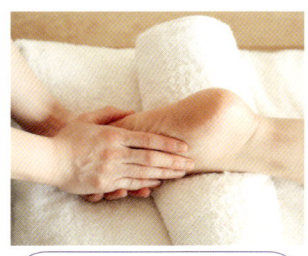

### ワンポイント
写真のようにバスタオルで足枕を作ります。関節が軽く曲がるので足の筋肉がゆるみ、脱力しやすくなります。足枕の高さは好みで調整します。ないほうが好きな人もいます。

## お腹

① **全体にオイルを塗布する。**

② **おへその上に10秒ほど手の平をおいてから（ホールディング）、ゆっくりとみぞおち、腹部全体をエフルラージュ。あたたかさが感じられるまで繰り返す。**

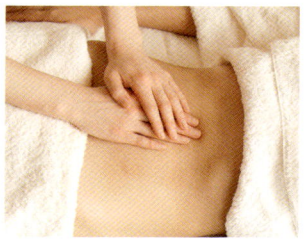

あたたかさが感じられるまで、静かに手を置く。

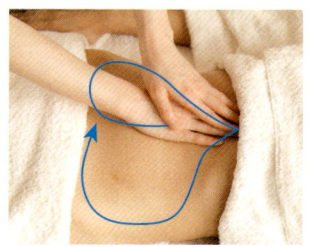

みぞおちのあたりから「の」の字を描くように、やさしくなでさする。

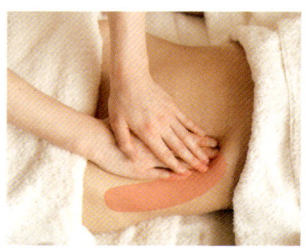

赤い色をつけたところは圧痛を感じやすい部位。ゆっくりと手を進める。

③ **人差し指、中指、薬指を使って、同じリズムで3回ほど小さな円を描きながら軽く圧をかけ、刺激する。腸の走行にそって、腹部全体を移動する。**

＊相手に軽くひざを曲げてもらうと、腹筋が緩みやすくなります。

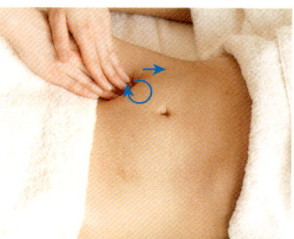

＊最後は、3回×3回の合計9回円を描きます。

④ **次に、わき腹から反対側のわき腹まで、腹部全体の表面を少しずつつまみながら移動する。**

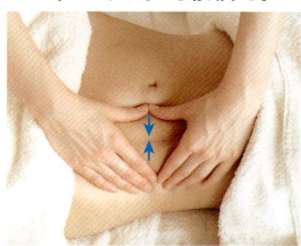

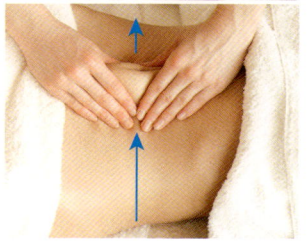

⑤ **②をもう一度繰り返す。最後にホールディング。みぞおちに、手の平を10秒ほど置いて終了。**

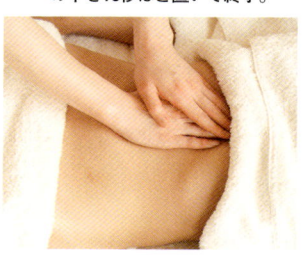

### タオルの使い方

タオルは寒さ対策のほか、丸めて胸当てや枕にします。タオルの取り扱いで、気をつけたいことをまとめました。

- 体用のバスタオル2枚、足枕・枕用のバスタオル2〜3枚、浴用タオル1枚を準備（最低限）。
- 施術部位だけを露出して施術が終わったらすぐにタオルをかける。
- 寒くないよう気を配る。体とタオルの間には隙間がないように注意すること。特に肩先と足元は冷気が入りやすいので要注意。
- 乱れたタオルは肌の当たりが不快なもの。しわはマメに直すこと。
- お尻のあたりは、下着がオイルで汚れてしまわないよう、タオルの端を下着にしっかりと巻き込む。
- タオルは体の端からそっとかける。ばさっと風を起こさないように。
- 髪の毛にオイルが付かないよう浴用タオルで包み、首筋を露出する。

LESSON ③ 基本のトリートメント（アロママッサージ）

## ハンド・腕（右手）

① 全体にオイルを塗布する。

② エフルラージュ。手先から肩先まで手の平を密着させ、軽い圧でなでさする。肩先まできたら（a）、腕の両側を通って手先に戻る（b）。3～5回ほど繰り返す。
＊手先からひじまで（前腕）、ひじから肩先まで（上腕）と分けて行ってもよい。

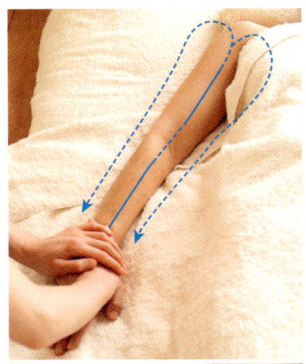

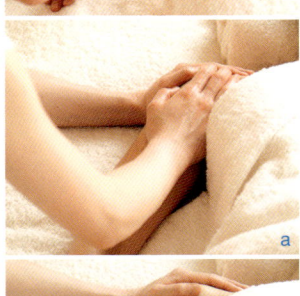

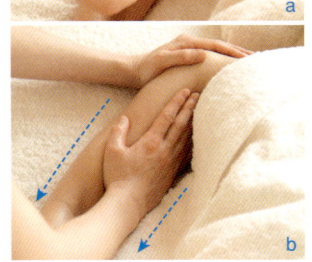

③ 相手の手首を軽く自分の左手で支え、右手の親指と残りの指でVの形にする。手首からひじまで、やや強めの圧で、数回なでさする。※

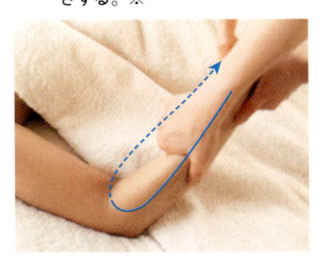

④ 相手の手首を支える手を持ちかえて、左手の親指と残りの指でVの形にする。手首からひじまで、やや強めの圧で数回なでさする。※

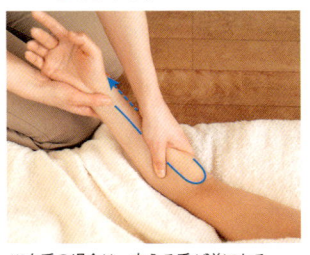

※左手の場合は、支える手が逆になる。

⑤ 自分の小指を相手の親指と小指のつけ根にからめてはさみこむ（a）。左右に開いてストレッチしたり、親指で手の平をもみほぐしたりする（b）。手首は、親指を交互に使い、軽くなでる（b）。

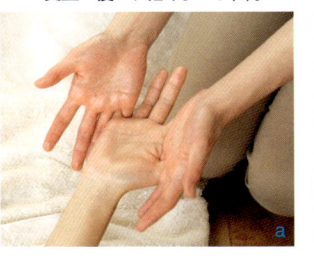

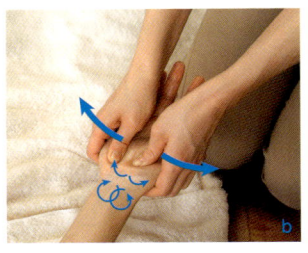

⑥ 相手の手の甲を上に向け、両手で支える。手首を親指で交互に軽くなでた後（a）、左右に開いてストレッチ（b）。

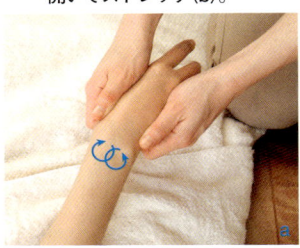

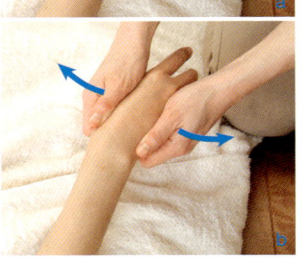

⑦ 相手の手首を片手で支え、もう一方の手の親指を使い、骨と骨の間を軽く手首の方向へ流す。

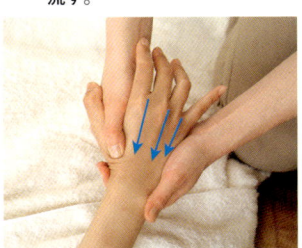

⑧ 相手の指を一本ずつ親指と残りの指ではさんで、小さな円を描くようにしてもみほぐす。

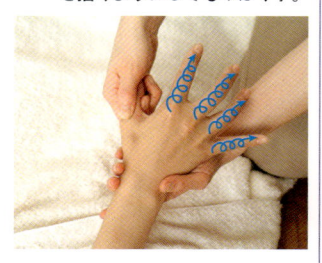

⑨ 相手の手を支え、手の平と甲全体をなでてから、最後に手首から腕全体をエフルラージュ。手先から肩先までをなでさすり、手首に戻る。

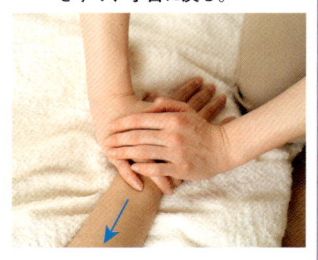

⑩ 最後にホールディング。10秒ほど手を包んで終了。

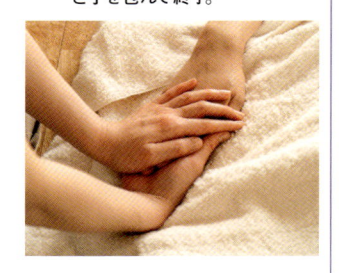

## 頭

① ホールディング。側頭部にしばらく手をあてる。

② 首、肩、腕、背中の一部を、こぶしや手の平で軽くたたく（骨の上は避ける）。

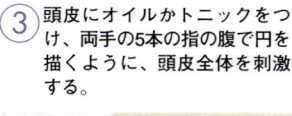

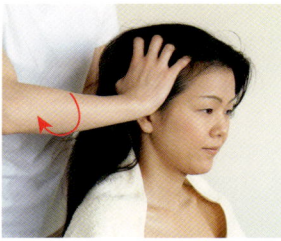

③ 頭皮にオイルかトニックをつけ、両手の5本の指の腹で円を描くように、頭皮全体を刺激する。

＊指の位置を少しずつ変えて、頭皮全体に行います。

＊指の腹で刺激した後、右のイラストを参考に頭皮を動かしてみましょう。髪のなかに指を広げて差し込み、髪の根元をぐっとつかんで、頭皮そのものを大きく動かすのがポイントです。

④ シャンプーの要領で頭皮を指の腹で摩擦する。手首の力を抜き、スナップを効かせて軽く動かす。

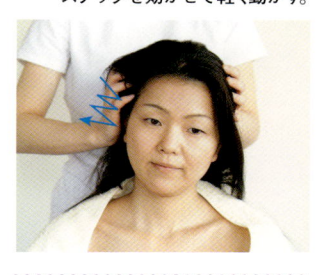

⑤ 髪の毛を整える。最後にホールディングして終了。

＊オイルを使用した場合は、お湯で流してから普通にシャンプーします。リンスは不要です。

### 頭皮の動かし方

握りこぶしが頭皮に触れるようにして髪の毛を根元から束でつかむ。軽く引いたり、円を描くようにしたりして頭皮を動かす。

髪を引っ張ってしまうと、痛いので注意すること。

LESSON ③ 基本のトリートメント（アロママッサージ）

### セルフトリートメント

アロマテラピーのよさのひとつは、自分で体のメンテナンスができることです。PART3を参考に、体調に合った精油や好きな香りの精油、そしてキャリアオイルを選んでブレンドしてみましょう。実際に体に触れてみて、はじめて気づくことや、続けることで体の変化を感じ取れることもあるでしょう。疲れない程度に、楽しいと思える施術を心がけて行ってみてください。

## ハンド・腕

① 全体にオイルを塗布する。

② 腕をはさむようになでさする。手首からひじ、肩先まで進み（a）、肩を包んで手首に戻る（b）。3〜5回ほど行う。

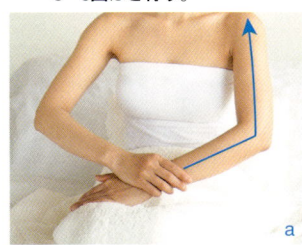

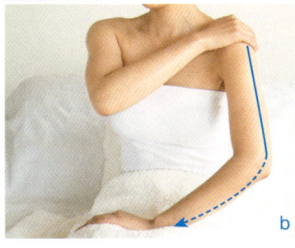

③ 親指で手の平に小さな円を描くようにして全体をもみほぐす。

④ ③に続き、手首の内側を軽く円を描くようになでる（a）。手の向きを変え、甲側も軽くなでる（b）。

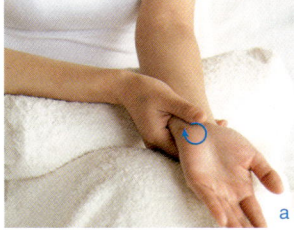

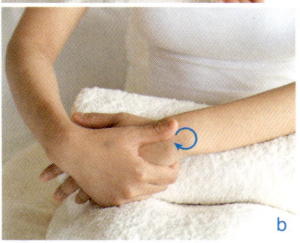

⑤ 前腕の内側と外側に分け、大きく手の平でらせんを描く。ひじまできたら、手首に向かってやさしくなでるようにして戻る（a）。次に親指で3本のラインを手首からひじに向かって描く（b）。写真はともに、腕の外側のトリートメント。内側も同様に行う。

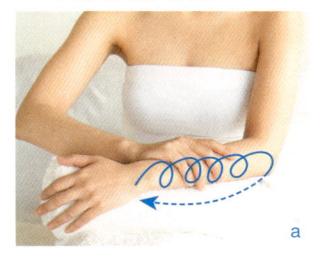

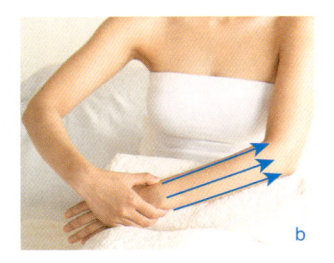

⑥ ひじと肩関節周辺を手の平でなでる（a）。特に疲れやすい腕のつけ根と肩甲骨の間のくぼみは、指先で数回円を描くように刺激する（b）。

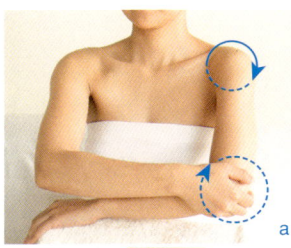

⑦ ②を繰り返して終了。

## ひざ下・足裏

① 全体にオイルを塗布する。

② 足首からひざまで、足の表面と裏面の両方に手の平があたるようにして、エフルラージュ(a)。ひざまできたら、今度は足首に向かってエフルラージュ(b)。

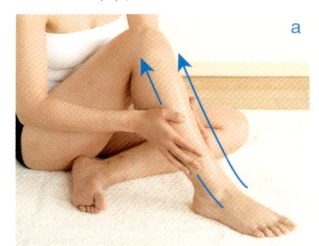

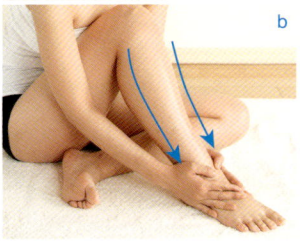

③ 足首周りをエフルラージュ。両方の手の平を交互に動かして、足首を包み込むように半円を描く。

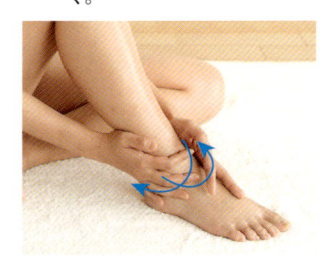

④ 足の甲側を両手の親指以外の4本の指でしっかり支え、親指を使って足の裏の反射区(170ページ参照)を刺激する。

⑤ 両くるぶし周辺を両方の親指でほぐす。

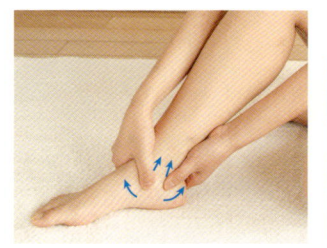

⑥ 足の甲を両手でしっかりつかみ(a)、指を広げるようにストレッチする(b)。

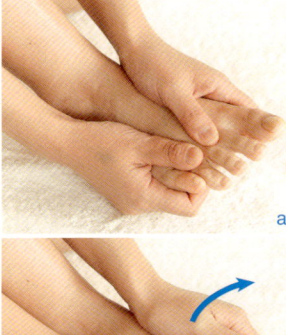

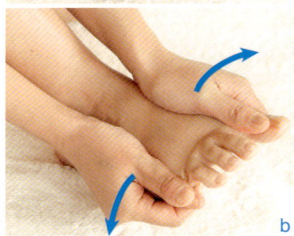

⑦ 足の裏側を親指以外の4本の指でしっかり支え、甲側の骨と骨の間を親指でやや強めの圧でさする。

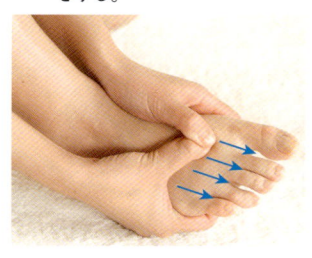

⑧ ふくらはぎに両手の平をあて、中指をメインに使って足首からひざ裏まで、中央のラインを刺激する。

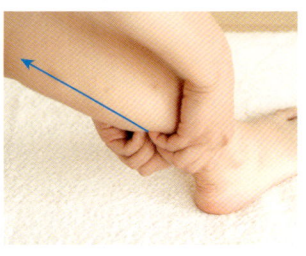

⑨ くるぶしの内側からひざ下まで、骨のきわに沿って、親指の腹でさすりあげる。外側も同様に行う。

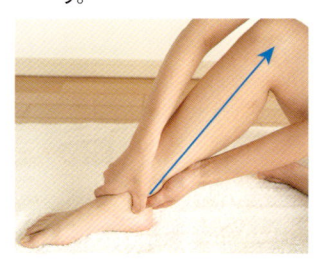

⑩ ②と同様に全体をなでさすり、終了。

LESSON 3 基本のトリートメント(アロママッサージ)

## みぞおち・お腹

① ホールディング。みぞおち、おへその下に体温が感じられるまで手をあてる。

② 全体にオイルを塗布する。

③ ゆっくりとしたスピードで、みぞおちは指で小さな円を描き（a）、腹部は手の平を重ねて全体をなでる（b）。

a
みぞおちは両手の指先を重ね、小さな「の」の字を描くようにする。

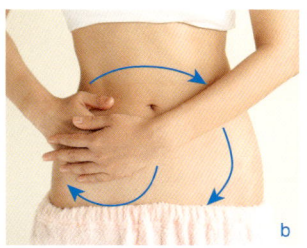

b
腹部は両方の手の平を重ね、「の」の字を描くようにお腹全体をなでる。

④ 指先を重ねて、同じリズムで3回ほど小さな円を描きながら軽く圧をかけ、腸の走行に沿って腹部全体を移動する。

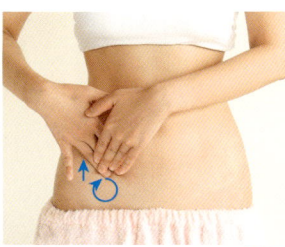

＊この場所は、3回×3の合計9回円を描きます。

⑤ もう一度、みぞおちと腹部全体をなでさする。
最後に数分間みぞおちに手を置いて終了。

## フェイス

① おでこ、目の周り、鼻から両頬、あご下から耳の下、口周り、首の前にオイルを塗布する。
＊顔はプリンをマッサージするような気持ちでやさしい圧で行うこと。

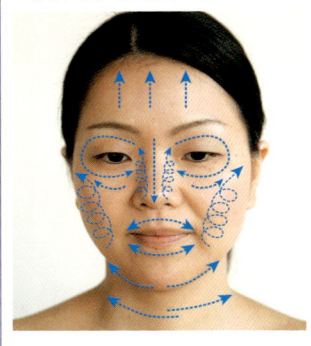

② 両手を交互に使い、おでこをなで上げる。

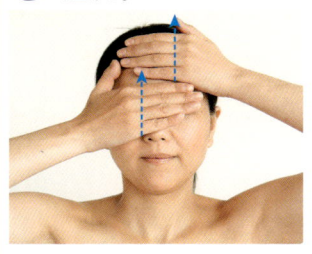

③ 目の周り（眼輪筋）を中指と薬指を使って、ソフトなタッチで数回円を描く。
＊デリケートな部位なので、圧をかけすぎないよう特に気をつける。

④ 丸い印をつけた眉頭・眉山・眉尻を親指と人差し指で軽くつまむ(a)。または軽く押して刺激する(b)。

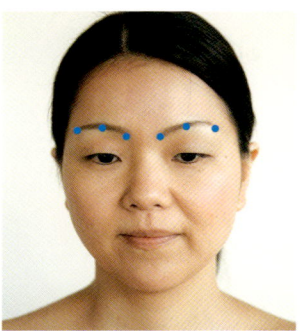

⑤ 左右の小鼻から鼻の付け根までのラインを、中指と薬指を使って小さな円を描き、なで上げる。

⑥ 鼻の付け根に中指の腹をあて、眉の方向へ押し上げるように数回指圧する。

⑦ 頬全体を口角から耳の方向に小さならせんを描くようになで上げる(a)。数回くり返し、最後にこめかみを軽く押す(b)。

### ワンポイント
顔のお手入れは、週1回、15分くらいを目安に行うとよいでしょう。毎日行う場合は、ポイントを決めて5分以内で。やりすぎると肌がヒリヒリすることもあります。顔の上に残ったオイルは、ティッシュを軽く押しあてて吸い取りましょう。

⑧ 指の腹で、口の周りを左右交互に数回なで上げる。唇の上は人指し指、下は中指を使って口角を上げるように行う。

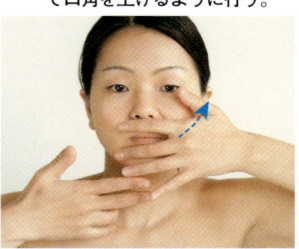

⑨ 右手の平で左耳下から右耳下へ、左手の平で右耳下から左耳下へ、あご下のラインを包むように左右交互に数回なで上げる。

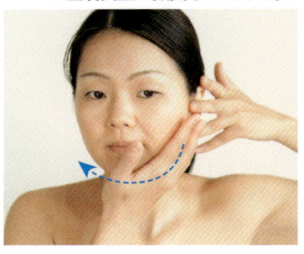

⑩ ホールディング。左右の頬、目の上(写真)、おでこの順に温かさを感じるまで手をあてて終了。

LESSON ③ 基本のトリートメント(アロママッサージ)

## デコルテ・首・肩

① 全体にオイルを塗布する。

② 首の前(a)、首の後ろ(b)、首から肩先(c)、デコルテ(d)を軽くなでさする。鎖骨の下から胸骨の上を軽く上下になでる(e)。
＊首の前側やデコルテは、プリンをマッサージするような気持でやさしい圧で行うこと。

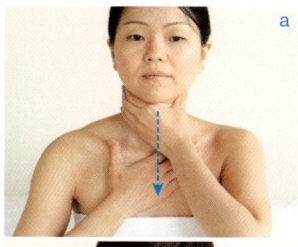

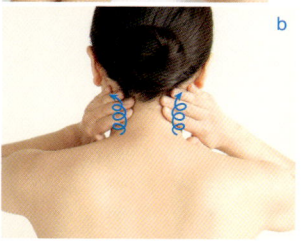

＊首の後ろのくぼみ（頭皮の一部）まで行いましょう。目線をやや上向きにすると効果的。

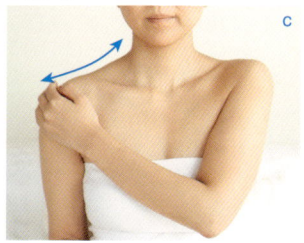

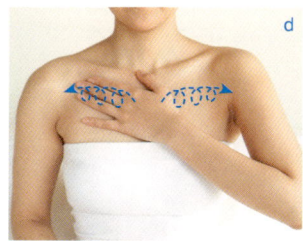

③ 鎖骨のくぼみに指をあて、ほかよりもさらにソフトなタッチでリンパと静脈が合流するポイントをゆっくり1分ほど（合計10回）刺激する。

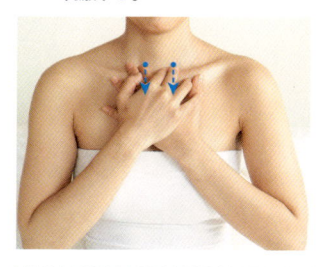

④ 耳下から鎖骨に向かって、指先で円を描くようになでる。

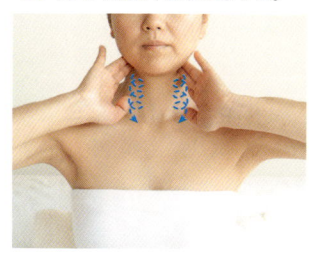

＊両手だとやりにくい場合は、左側を右手で、右側を左手で片方ずつ行うとよいでしょう。

⑤ 軽く斜め横を向き、首の横の筋肉（胸鎖乳突筋）を指ではさんで、耳の後ろの硬いところから鎖骨に向かって円を描いて軽くほぐす。

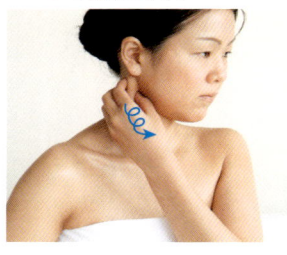

⑥ 鎖骨の下に手を置き、わきの下のリンパ（腋下リンパ。198ページ参照）に向かって流すように動かす。

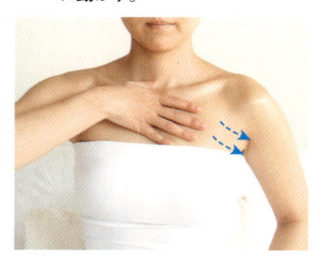

⑦ わきの下を指で軽くなでる。

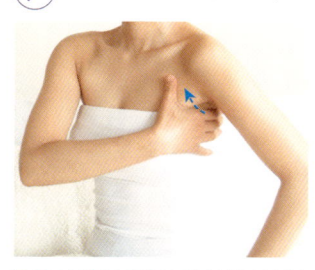

⑧ ②を繰り返して終了。

PART 3

# 精油・キャリアオイルガイド

精油は使用頻度が高いものと、
こんなときにはこの1本！というおすすめの精油を厳選！
キャリアオイルは、特徴と使い方を中心にまとめました。
掲載したすべての精油、キャリアオイルに
原料となる植物の写真を掲載しました。

# LESSON 1
# 「精油ガイド」の読み方

「どの精油を選んだらよいのかわからない」、そんな声をよく聞きます。確かに、アロマショップには、数多くの精油が並んでいますので、これ、という1本を選べないのも無理はありません。

「精油ガイド」では、53種類の精油をご紹介します。それぞれの精油について、原料となる植物の説明や学名、主な芳香成分などの基本情報に加え、「どんなときに選んだらいいの？」のヒントになるように、心や体へどのように働くのかを施術で経験したことも踏まえてまとめました。その他、使用方法やブレンドアドバイスも簡単にまとめました。購入する際の参考にしてください。

## 「精油ガイド」の主な構成

① 精油の名前
② 原料となる植物とその説明
③ 学名（学名の読み方）、主な産地、抽出部位、抽出方法
④ 精油の主な作用と主な芳香成分
⑤ 精油の心や体、肌への働き
⑥ 精油の使い方や購入のポイントなど
⑦ その他の情報

### 学名の読み方について

学名の表記はラテン語です。本書ではラテン語の読み方をカタカナで表記しました。基本はローマ字読みですがCはカ行、jはヤ行、rとrhはラ行、tとthはタ行、mbやmpのmとmmはン、nnは撥音、ff、rr以外の子音が2つ重なった場合は促音としました。

---

PART 3 精油・キャリアオイルガイド

# アンジェリカルート

セリ科 Angelica属

🌿 根は甘いハーバル調で重厚。種子はやや甘く青くさい香り。

学名●Angelica archangelica（アンゲリカ アルカンゲリカ）
主な産地●フランス、ハンガリー、ドイツ、ベルギー
抽出部位●根＊
抽出方法●水蒸気蒸留法

教会の庭で栽培されていた。大天使ミカエルの日に花が咲いたため、邪悪なものから身を守り、天に向かって理想を追求する一方で、大地に根を張り現実と向き合う力も与える「天使のハーブ」といわれていた。

根 ― 理想と現実のバランス ―

### 主な作用
鎮静、精神安定、健胃、駆風、浄血、抗菌、抗ウイルス、去痰、鎮咳、免疫強化、抗アレルギー、コーチゾン様

### 主な芳香成分
モノテルペン炭化水素類：α-ピネン20〜30％、δ-3-カレン10〜20％、β-フェランドレン5〜15％、α-フェランドレン〜15％、リモネン10〜20％、サビネン5〜10％、β-ミルセン〜10％
オキサイド類：1,8-シネオール10〜15％
微量成分：ベルガプテン、アンゲリシン、酢酸ボルニル、パラシメン

＊アンジェリカの種子（シード）から抽出する精油もある（下のカコミ参照）。ルートとシードでは、成分が多少異なる。ともに光毒性を示すフロクマリン類が含まれる。

## どんなときに選ぶ？
形やあり方にこだわる人に。ヒーリング効果が強い精油で、上位のチャクラとベースのチャクラを活性化して心と体にエネルギー的に作用する。理想や義務感が強く、それらを守れないことによりストレスを感じている人に役立つ。

### 心
うつ状態、情緒不安定、欲求不満、ストレス、不眠、無気力、不安、挫折感、罪悪感、神経過敏、優柔不断、恐怖心

逆境や意のままにならない状況にあるとき、心を慰め安らかにする力がある。不屈の精神を養い、内なる強さ、決断力、地に足が着いた考えを助ける。精神的に豊かであろうと理想に向かって自身を律しているが、挫折しそうになっている人、まじめすぎる人、良妻賢母でありたいと思う人、戒律を守り世俗的で物質的な欲求を抑圧して悩んでいる人を整えるといわれており、古代の修道院などで聖職者に使われた香り。「こうあるべき」という考えや自分への戒め、責める気持ちが強すぎてしまう人を自由に開放する。自律神経を調整する作用があり、副交感神経の働きを活性化する。シードには、視床下部の働きを調整する作用があるとされる。

### 体
消化不良、腸内ガス（鼓腸）、免疫低下、痰、カタル症状、リウマチ、冷え性、腰痛

どちらかというと精神面での利用が多いが、第1チャクラを活性化して生殖器系や消化器系の働きを高める。腸内にガスがたまっているときや消化不良のときに、少量加えて使われることがある。ルートには、リンパのうっ滞除去、鎮痛、コーチゾン様作用、抗炎症作用、去痰作用などがあり、鼻炎、風邪などの症状や関節炎、リウマチなどにも用いられる。

### 主な使用法
アロマバス、トリートメント、スキンケア、ヘアケア、芳香浴

### ブレンドアドバイス
作用が強いので、必ずブレンドするか、分量を抑えて使うこと。

### 購入のポイント
価格：ルート：10mlで12,000〜15,000円／シード：10mlで8,000〜10,000円
香りや作用が強く、一回の使用量は1〜2滴程度ですむので1〜5ml単位での購入がおすすめ。

### その他
ノート：ベース
＊分子量が小さく軽い芳香成分が多いことから、香粧業界ではトップ〜ミドルに分類されることがある。
ブレンドファクター：1

### 注意事項
香りが強いので少量（30mlの基材に対して1〜2滴）で十分。
妊娠中は使用を避ける。
光毒性があるので、塗布直後に日光に当たらないよう注意する。
敏感肌の人は注意。

---

### ＊アンジェリカシードの主な芳香成分

強壮刺激、消化促進などのほか、かなり薄めて使うと精神面をサポートする。ルートに比べると軽い印象。やや青臭く、セロリ様で甘い香り。

モノテルペン炭化水素：α-ピネン5〜20％、β-ピネン〜10％、リモネン40〜55％、α-フェランドレン3〜5％、β-ミルセン〜2％
微量成分：ベルガプテン、キサントトキシン、インペラトリン、ゲルマクレンD、β-カリオフィレン、パラシメン、α-クコムレン
産地により、β-フェランドレンが大量に含まれることもある。

LESSON 1 精油ガイド

# イランイラン

バンレイシ科 *Cananga* 属

花 — 自己の尊重・至福感

❁ ジャスミンを思わせるフローラルな香り。甘く陶酔させる。

学名● *Cananga odorata*（カナンガ オドラタ）
主な産地● マダガスカル、インドネシア、レユニオン島、コモロ諸島
抽出部位● 花
抽出方法● 水蒸気蒸留法

樹高6～10mほどの常緑高木。イランイランは、マレー語で「花の中の花」を意味する。花から精油が抽出され、シャネルなど有名な香水に使われる。昔からの慣わしとして結婚式など幸せな場面で花を身や髪に飾ったという。

### 主な作用
精神高揚、抗うつ、抗不安、抗痙攣、催淫、血圧降下、血流促進、加温、抗炎症、抗菌、抗ウイルス

### 主な芳香成分
エステル類：酢酸ゲラニル5～15％、酢酸ベンジル5～10％、安息香酸ベンジル5～10％
セスキテルペン炭化水素類：ゲルマクレンD15～30％、β-カリオフィレン5～15％、α-ファルネセン5～15％
モノテルペンアルコール類：リナロール10～15％
フェノールエーテル類：パラクレゾールメチルエーテル10～20％

精油全体として神経を強壮し、鎮静する作用があり、はやすぎる心拍を落ち着かせ気持ちを安定させる作用が期待できる。リナロールには、血圧降下、鎮静、抗不安作用がある。酢酸ベンジルは、興奮させる作用がある。

### どんなときに選ぶ？
リラックスできるはずの場面でさえ心から楽しめず10％の緊張を手放せないとき、過剰なほど誰かを批判してしまうとき、心穏やかに自分を受け入れる気持ちを持ちたいときに。セルフイメージを高めて笑顔になることを助けてくれる。

**心** 落ちこみ、怒り、緊張、不安、神経過敏、イライラ、失敗や人間関係への恐怖、うつ状態、怒り、パニック、頑固さ、過度な批判、欲求不満

心の内側からほぐして気分を高揚させ、多幸感ややさしい気持ちをもたらし安定させる。精神的に大人にする。ストレス性の不整脈や動悸を鎮め、血圧を下げる作用がある。この精油を使い日常から離れることが出来、ストレスを忘れられたという方も多い。

**心** 内気、自信のなさ、緊張、性的な問題、セックスレス、インポテンツ、不感症、悪夢、不眠、情緒不安定

セクシャリティの問題を抱えるクライアントに使われる例も多い。背景に自信や信頼感、愛情の欠如、精神疲労やストレス、パートナーへの不満、不安などがある場合やおしゃれに無頓着になってしまったときにもよい。もともとあった美意識を取り戻し、本来の魅力に気づかせてくれる。

**体** 疝痛、月経痛、月経不順、子宮強壮、筋肉痛、こむら返り

生理痛のとき腹部に塗布すると温かくなり痛みが緩和され、不思議と元気が出てくる。クラリセージやラベンダーなどとブレンドするとより効果的。生殖器系に作用してホルモンバランスを整える。更年期の女性の心と体のケア、筋肉の痛み、痙攣や炎症にも使われる。

**肌** 育毛、スキンケア、ハンドケア、老化肌、ニキビ、脂性肌、乾燥肌

皮脂分泌調整作用があるので、乾燥肌と脂性肌の両方に役立ちベストな皮脂分泌の状態に回復させる。肌の老化防止にも頭皮や髪のケアにも利用され、特に脂っぽい頭皮やパーマなどで傷んだ髪のキューティクルの保護に用いられる。また体臭や加齢臭が気になるときに、ごく少量を使用するとよい。

### 主な使用法
アロマバス、トリートメント、スキンケア、ヘアケア、香水、芳香浴

### ブレンドアドバイス
香りが甘すぎて強いと感じるときは、オレンジやベルガモットなどさわやかでビターな柑橘系とブレンドするとよい。ジャスミン、ローズ、カモミール、ラベンダー、ローズウッド、サンダルウッド、ベチバーなど花、ハーブ、樹木の精油と相性がよい。

### 購入のポイント
価格：10mlで2,500～3,000円
蒸留の段階により、精油のグレードが異なる。はじめに抽出されたものは最高品質でエクストラ・スーペリアと呼ばれる。ついでエクストラ、ファースト、セカンド、サードと続く。価格、香りは異なるので注意する。エクストラになるほどエステル類の量が多くなり、香りの甘さと鎮静作用が増す。

### その他
ノート：ミドル
ブレンドファクター：3

### 注意事項
高濃度で使用すると、頭痛や吐き気をもよおすことがある。
敏感肌の方は注意する。
車の運転や集中したいときは、使用を避ける。

# オウシュウアカマツ（パイン）

マツ科 *Pinus*属

> すがすがしく新鮮な針葉樹の香り。力強さがあり、リフレッシュできる。

学名●*Pinus sylvestris*（ピヌス シルウェストリス）
主な産地●フランス、オーストリア、スロベニア
抽出部位●針葉
抽出方法●水蒸気蒸留法

パインニードル、スコッツパインとも呼ばれる。北半球に多く分布する樹高40mほどの常緑高木。針葉と若い小枝から精油が抽出され、防臭、消毒、防虫効果を期待し、石鹸などの香料に使用される。

## 主な作用
鎮静、神経強壮、鎮痛、コーチゾン様、強壮刺激、加温、うっ滞除去、去痰、抗菌、抗ウイルス、抗真菌、免疫強化

## 主な芳香成分
モノテルペン炭化水素類：α-ピネン25〜60％、δ-3-カレン5〜15％、β-ピネン10〜20％、リモネン10〜25％、テルピノレン5〜10％、β-ミルセン5〜10％
エステル類：酢酸ボルニル2〜5％
微量成分：ボルネオール、カンフェン、β-カリオフィレン、β-フェランドレン

血液やリンパのうっ滞除去、鎮痛、コーチゾン様、心身を強壮する作用が特徴。森の空気に多いピネン類を多く含み、神経を活性化し森林浴効果が期待できる。

*葉 ― リフレッシュ、強壮・刺激、加温 ―*

### どんなときに選ぶ？
心も体も温めたいときに。血液とエネルギーの流れをよくし、心と体を強壮する力があるとされ中医学やヨーロッパの植物療法では昔から利用されてきた。自然療法が盛んなドイツでは、今でも森林浴やマツ葉浴が推奨されている。

### 心　うつ状態、神経衰弱、無気力、ストレス性の心身症状、記憶・集中力の低下
オウシュウアカマツの香りは心を強くし、安定させる。肉体的な疲労や精神疲労を感じるときエネルギーを補給し、再び活動的なモードに切り替える半面、興奮や激しい動悸を抑えてリラックスさせる効果もある。憂うつな気持ちを取り去り、他人に振り回されることなく、いい意味での自己の確立を助ける。無気力なときはバジル、ペパーミント、ネロリ、ゼラニウム、ローズマリー（シネオール、カンファー、ベルベノン）とブレンドしてみるとよい。

### 体　冷え性、低血圧、むくみ、筋肉と関節の痛み、咳、気管支炎、副鼻腔炎、喘息・花粉症・糖尿病の予防、便秘、免疫低下
寒くて体が冷え切ったときに。毛細血管を拡げて血流を促進しうっ血を除き、手先を温め、肩こりや疲れを楽にする。副交感神経、すい臓、下垂体、副腎などを刺激するといわれており、ストレスを和らげて心身を安定させる。糖尿病の予防や、呼吸器系が弱く鼻炎や喘息、花粉症などの持病がある人のセルフケア、風邪で咳が出るときや痰の排出に用いる。成分のα-ピネンは、大脳の働きを活性化することが知られている。この精油にはコーチゾン様作用があり、リウマチや神経痛、腰痛、関節炎など痛みと炎症のある症状に役立つ。

### 肌　過度の発汗、湿疹、かゆみ、アトピー性皮膚炎の予防
湿疹、アトピー性皮膚炎の緩和、乾癬などなかなか治癒しにくい皮膚疾患がある人に使われる臨床例がある。ローズウッド、ラベンダー、カモミール（ジャーマン、ローマン）、ゼラニウム、ペパーミント、ティーツリーなどと一緒に、クライアントの様子を見ながら、基材や精油の配合比率、希釈濃度を調整して用いられる。

### 主な使用法
アロマバス、トリートメント、スキンケア、ヘアケア、芳香浴

### ブレンドアドバイス
花の精油やオレンジ、レモン、ラベンダー、ペパーミント、ローズマリー、ティーツリーなどと相性がよい。

### 購入のポイント
価格：10mlで1,600〜3,000円
パインと呼ばれる精油には、オウシュウアカマツ*Pinus sylvestris*とフランス海岸マツ*Pinus pinaster*がある。
フランス海岸マツは、α-ピネン、β-ピネンの量が多く香りや作用も違うので学名を確認してから購入する。

### その他
ノート：ミドル
ブレンドファクター：4〜5

### 注意事項
高濃度で使用すると皮膚刺激がある。敏感肌の方は注意。
妊娠初期は使用を避ける。
妊娠中期・後期の使用は可能だが、使用の際は体調に十分注意する。

LESSON 1　精油ガイド

# オレンジ

ミカン科 *Citrus*属

🍊 **スイートは果実そのままの甘い香り。ビターにはやや苦味がある。**

学名●*Citrus sinensis*（キトゥルス シネンシス）スイートオレンジ
　　　*Citrus aurantium*（キトゥルス アウランティウム）ビターオレンジ
主な産地●イタリア、スペイン、ブラジル、アメリカ
抽出部位●果皮
抽出方法●圧搾法

樹高10mほどになる常緑高木。果実からオレンジ、花からネロリ、葉からプチグレンの3種類の精油が抽出される。オレンジと呼ばれる柑橘にはスイート種とビター種（ダイダイ）がある。写真はビターオレンジ。

果皮｜鎮静、精神高揚、楽観

### 主な作用
精神高揚、抗不安、鎮静、神経強壮、健胃、食欲増進、駆風、鎮痛、消化促進、加温、抗菌、抗ウイルス、解熱、抗痙攣

### 主な芳香成分　（　）内は、ビターオレンジ
モノテルペン炭化水素類：リモネン95〜98％（80〜95％）、α-ピネン2〜5％（〜2％）、β-ピネン2〜5％（〜2％）
フロクマリン類：ベルガプテン／ベルガモッチン 微量
ビター種の微量成分：リナロール、ゲラニオール、シトロネロール、ネロール、酢酸ゲラニル、酢酸ネリル、β-ミルセン、酢酸リナリル、シトラール、シトロネラールなど

主成分リモネンには、胃腸の蠕動運動促進、抗結石、抗菌、抗ウイルス、抗がん作用などが知られている。ビターオレンジにはエステル類、アルコール類、アルデヒド類などの成分も存在する。スイート、ビターともに光毒性を示すフロクマリン類が存在する。

### どんなときに選ぶ？
ほっとくつろいで安眠したい夜に。スイートかビターか香りが心地よいと感じるほうを選択してみましょう。緊張や不安が強いときは、芳香成分の種類が多く、神経を強化し安定する作用が強いビターオレンジを試しましょう。

### 心　精神疲労、落ち込み、うつ状態、不安、心配、イライラ、パニック、出社・登校拒否、過換気、めまい、不眠
心を開き、前向きで元気な気持ちにしてくれる。完璧主義で仕事熱心な人に。食欲不振や不眠、うつ状態などストレス性の症状が続き、自己を否定する気持ちまで湧いてきたときは、明るく輝く太陽の下、力強く成長する木のエネルギーを丸ごと取り込むようにオレンジと一緒にネロリ（花）やプチグレン（葉）も用いるとよい。パニック障害には、スイートオレンジが使われた臨床例が多い。

### 体　下痢、便秘、消化不良、腸内ガス（鼓腸）、胃痛、食欲不振
胃腸の問題全般に。平滑筋の痙攣を抑えて蠕動運動を促し、消化液の分泌を活発にする。胃痛や腹部膨満感（腸内ガス、鼓腸）、便秘、過敏性腸症候群、疝痛を伴う下痢などによい。乾燥させたビターオレンジの果皮は、消化を促し、胃腸の痙攣を鎮める自然薬として昔から利用されている。

### 体　冷え性、肩こり、腰痛、下肢の疲れ、むくみ、マタニティケア
血流促進作用があり冷え症、リハビリ、妊娠中のマイナートラブルなどの緩和に。最近増えている体の中心（体幹）の冷えや部分的にのぼせるタイプの冷え性に特におすすめ。ジンジャーやカルダモンとブレンドするとより温まる。肩こり、筋肉痛、足が重くてだるいときラベンダー、ローズマリー（カンファー、シネオール）、レモングラスなどと用いると楽になるのでお試しを。

### 肌　育毛、脂性肌、普通肌、ハンドケア、皮脂分泌の調整、セリュライト
柑橘系の精油は全般的に毛根を刺激し育毛する効果が高い。ふけが気になる髪にもよい。また老廃物が滞り、皮膚表面がオレンジの皮のようになるセリュライトの予防とケアによい。脂性肌で、ニキビや毛穴の広がりが気になるとき、収れん作用のある精油とブレンドして用いられる。

### 主な使用法
アロマバス、トリートメント、スキンケア、ヘアケア、香水　湿布、芳香浴、吸入、掃除（ハウスキーピング）

### ブレンドアドバイス
同じ柑橘系やローズウッド、ラベンダー、クラリセージ、ゼラニウムなどの精油と相性がよい。代表的なトップノート。揮発はかなり速い。ある程度香りを持続させたいときはベースノートとブレンドする。

### 購入のポイント
価格：10mlで1,600〜2,000円
果皮を圧搾したものがほとんどだが、蒸留したものもある。購入の際、抽出法や抽出部位も確認する。果皮が原料のものがオレンジの精油である。花、葉の精油は香りや作用が異なり、価格もやや高くなる。

### その他
ノート：トップ
ブレンドファクター：4

### 注意事項
高濃度で使用すると皮膚刺激がある。敏感肌の方は注意する。
光毒性があるといわれている。塗布直後に日光にあたらない。
＊スイートは、ビターよりも光毒性が低いとされる。

# カモミール・ジャーマン

キク科 *Matricaria*属

❀ 濃厚でわずかに樟脳、アニマル様のバルサミック感があるハーバル系。

学名●*Matricaria recutita*（マトリカリア レクティタ）
主な産地●ハンガリー、モロッコ、ユーゴスラビア、エジプト
抽出部位●花（半乾燥させた花）
抽出方法●水蒸気蒸留法

羽状の葉をつけ、春に開花する草丈20〜60cmほどの一年生草本。繁殖力が強くこぼれ種で増える。成熟すると黄色の花芯が盛り上がり、白い舌状花が反り返る様子から*recutita*（反り返るの意味）という種名がついた。

### 主な作用
鎮静、抗炎症、抗アレルギー、抗ヒスタミン、鎮掻痒、うっ血除去、健胃、駆風、癒傷、消化促進、瘢痕形成、皮膚再生、抗菌、抗ウイルス

### 主な芳香成分
オキサイド類：ビサボロールオキサイドA 25〜40％、ビサボロールオキサイドB 〜5％、ビサボレンオキサイド2〜5％
セスキテルペン炭化水素類：β-ファルネセン20〜30％、カマズレン10〜20％、ゲルマクレンD 微量
セスキテルペンアルコール類：α-ビサボロール5〜10％、ファネソール〜5％

カマズレンは、抗炎症、抗ヒスタミン作用に優れており、傷つき荒れた皮膚を再生する。ビサボロールにも抗炎症、抗潰瘍作用がある。精油の色は「アズレンブルー」と呼ばれる深い青から青緑色。

花｜鎮静、抗炎症、抗アレルギー

### どんなときに選ぶ？
皮膚のかゆみや炎症などの症状によってストレスを感じているときに。直接的な精神作用は、あまり表には出てきませんが、気持ちの受け皿を広げて安心感をもたらし、ごく少量用いるとストレスにもよい精油です。

### 体
**胃・十二指腸潰瘍など、腸内ガス（鼓腸）、腹痛、消化不良、月経痛、膀胱炎、月経不順**

生や乾燥させた花のお茶が「お腹の治療薬」として役立ち、ピーターラビットの童話にも登場する。ヨーロッパでは昔から常備薬として庭に植えられていた。精油には、粘膜を保護して胃壁を修復する作用や抗痙攣、消化促進などの作用があり、胃痛のときペパーミントとブレンドされる例もある。ひどい潰瘍は、医療の範囲になるので注意されたい。通経作用や月経周期を調整する作用もあり、古代ギリシャ人は、カモミールの花の燻蒸をよく行ったという。属名の*Matricaria*は母を意味するMaterあるいは子宮を意味するMatrixから由来しており、婦人病の治療に使われた歴史がうかがえる。ストレスケアといえばカモミール・ローマンが有名だが、ジャーマンのほうを好むクライアントもときどきいる。私自身もふだんは薬くさいと感じるジャーマンの香りがとても心地よく、甘く感じられ、ブレンドに加えた経験がある。アロマセラピストの資格取得試験の勉強に追われていたときのことである。

### 肌
**傷、湿疹、皮膚炎、アレルギー、硬くなった皮膚、乾燥肌、痔のかゆみ、肌の痛がゆさ**

カマズレンは植物体には存在せず、花にあるマトリシンが加熱などにより分解されて、蒸留中に生じる。抗ヒスタミン作用があり、掻痒感、炎症を緩和し、皮膚を再生する。かゆみや炎症がひどいじくじくした皮膚に使われる例が多い。皮膚の症状は、精神状態が関係することも多いので個人の好みに合った香りの選択や過敏な皮膚に合わせて基材も工夫する。ジェル基材、ホホバ油、マカダミアナッツ油、アーモンド油、ローズヒップ油、カレンデュラ油、チンキ剤、芳香蒸留水を組み合わせるとよい。乾燥した花の中にあるアピゲインやマトリシンに穏やかな抗炎症、抗菌などの作用があり、ハーブ浸出液やチンキ剤は、子どもの肌のケアに用いることが出来る。

### 主な使用法
アロマバス、トリートメント、スキンケア、ヘアケア、芳香浴

### ブレンドアドバイス
独特な薬草のような香りが強く、他の精油の香りを消してしまうこともあるので、加える分量を加減する。濃い青色の精油なので、服につけないように注意する。

### 購入のポイント
価格：10mlで5,400〜13,000円と価格も高い。香りや作用が強く、一回の使用量は少量でよいので1〜5ml単位での購入がおすすめ。*Matricaria chamomilla*という学名が使われていたが、最近は、*Matricaria recutita*のほうがよく使われている。

### その他
ノート：ミドル
ブレンドファクター：1

### 注意事項
香りが強いので、少量（30mlの基材に1〜2滴）で十分。
妊娠初期は使用を避ける。
妊娠中期・後期の使用は可能だが、使用の際は体調に十分注意する。
キク科、ブタクサアレルギーの人は注意。
炎症のある部位には薄めにして塗布する。

LESSON ① 精油ガイド

# カモミール・ローマン

キク科 Anthemis属

🌸 甘さと酸味が感じられ、「りんごのような」と表現されることも多い。

学名●Anthemis nobilis（アンテミス ノビリス）
主な産地●フランス、イタリア、ハンガリー
抽出部位●花（半乾燥させた花）
抽出方法●水蒸気蒸留法

花 ― 鎮静、休息、抗アレルギー

草丈30cmほどの多年草。よい香りの芝生としても使われる。ジャーマン種よりも花が大きく、ティーには苦味がある。花言葉は、「逆境に負けない強さ」。古代ギリシャ人は、Chamai - Melon「大地のりんご」と呼んだ。

### 主な作用
鎮静、鎮痛、抗痙攣、血圧降下、胆汁分泌、駆風、消化促進、抗アレルギー、抗炎症、鎮掻痒、抗菌、抗ウイルス

### 主な芳香成分
エステル類：アンゲリカ酸イソブチル30～40％、アンゲリカ酸イソアミル15～20％、アンゲリカ酸メチル5～10％
ケトン類：ピノカルボン2～15％、ピノカンフォン～5％
モノテルペン炭化水素類：リモネン～5％、α-ピネン～5％

子どもから大人まで年齢を問わず、皮膚、心臓、関節、筋肉、消化器、神経、生殖器など幅広く使える便利な精油。エステル類が多く抗痙攣、鎮静、抗炎症、抗アレルギー作用に優れている。香りはかなり強い。

### どんなときに選ぶ？
かなり動揺しているときに。いったん心を鎮めて休ませ安心させる力をもつ精油。周りの環境や人間関係、出来事に過剰反応してしまうときや精神的ショック、心理的トラウマ、ストレスを感じているときに。

### 心
**不眠、不安、緊張、ショック、恐怖、心配、かんしゃく、興奮、躁状態、喘息の予防、パニック、自律神経のアンバランス、出産、動悸、高血圧、PMS（月経前緊張症）、更年期**

中枢神経を鎮静する作用が強い。外からの刺激をいったん遮断する、感覚を麻痺させる、強制終了するなどのイメージ。突然のショック、悲しみなど精神的なダメージが大きいときに。過度な興奮、極度の不安、爆発しそうな感情をおさめる。パニックや過剰なストレス状態のときの対処法として、サイプレスやラベンダーなどと一緒に使ってまず気持ちを落ち着かせ、ベースを整えてから次の香りを選択するなど段階をおいてケアするとよい。頭痛、摂食障害、夜驚症や多動症のお子さんに使われる臨床例もある。発作時ではなく普段の生活の中で用いることで神経性喘息を予防する。

### 体
**アレルギー性鼻炎、花粉症、肩こり、筋肉痛、神経痛、頭痛、リウマチ、月経痛、嘔吐、胸焼け、胃酸過多、腸内ガス（鼓腸）、軽い消化不良、歯生期の子、歯肉炎、外陰部のかゆみ**

温める作用のある精油とブレンドして、痛み、痙攣、炎症がある部位に塗布する。消化不良や嘔吐など胃腸の不調にはレモンやマンダリン、マージョラム、プチグレン、フェンネルなどとブレンドする。やや弱いが月経を促す作用があり、月経不順や更年期の女性に用いられることもある。

### 肌
**じん麻疹、アトピー性皮膚炎、湿疹、赤ら顔、かゆみ、しみ、そばかす、クマ、ニキビ**

アレルギー性の皮膚炎とかゆみの緩和に。皮膚トラブルは、体内を解毒・浄化しながら、皮膚を整える方針で日常での精油の使用法を選択すること。個人差はあるが一般にラベンダー、ローズウッド、ローズマリー（シネオール、ベルベノン）、キャロットシード、ゼラニウム、オウシュウアカマツ、ペパーミント、ティーツリーなどとブレンドされる。リラクゼーションをかねて日常のスキンケアに。子どもや高齢者にも安心して使える精油。

### 主な使用法
アロマバス、トリートメント、スキンケア、ヘアケア、芳香浴

### ブレンドアドバイス
香りが強く、他の精油よりもめだってしまうので分量を加減して使用すること。ネロリ、ローズ、ジャスミン、クラリセージ、サイプレス、ラベンダー、マンダリンなどの精油と相性がよい。

### 購入のポイント
価格：10mlで6,200～13,000円と価格も高い。香りや作用が強く一回の使用量は、少量でよいので、1～5ml単位での購入がおすすめ。

### その他
ノート：ミドル
ブレンドファクター：1

### 注意事項
香りが強いので、少量（30mlの基材に1～3滴）で十分。
妊娠初期は使用を避ける。
妊娠中期・後期の使用は可能だが、使用の際は体調に十分注意する。
作用が強い向精神薬、鎮静剤、睡眠剤と併用すると中枢神経を鎮静させる作用が増大しすぎることもあるので注意する。

PART 3　精油・キャリアオイルガイド

# カルダモン

ショウガ科 *Elettaria*属

● 樟脳や柑橘を思わせるつんとしたカンファー様のスパイシーノート。

学名 ● *Elettaria cardamomum*（エレッタリア カルダモムム）
主な産地 ● コスタリカ、インド、スリランカ、グァテマラ
抽出部位 ● 種子（乾燥した種子）
抽出方法 ● 水蒸気蒸留法

和名ショウズク。インド原産でショウガに似た草丈2mほどの多年性草本。葉は細長く葉鞘を持つ。花柄は80cmくらいに伸びて、数個の花をつける。最も古いスパイスのひとつで紀元前2世紀頃には使われていた。

### 主な作用
鎮静、鎮痛、抗痙攣、神経強壮、強壮刺激、頭脳明晰、血流促進、加温、催淫、緩下、健胃、消化促進、去痰、鎮咳、抗菌、抗真菌、抗ウイルス

### 主な芳香成分
オキサイド類：1,8-シネオール30〜40%
エステル類：酢酸テルピニル25〜35%、酢酸リナリル〜5%
モノテルペン炭化水素類：リモネン10〜15%、α-ピネン1〜2%
モノテルペンアルコール類：リナロール3〜5%、α-テルピネオール1〜3%、ゲラニオール 微量
微量成分：チモール、カルバクロール、β-ミルセン、パラシメン、シトロネラール

カルダモンの果実のさやにも種子にも精油は含まれているが、完熟する前の種子だけを取り出して乾燥させた後、水蒸気蒸留法で精油が抽出される。

種子｜消化促進、加温、鼓舞

## どんなときに選ぶ？
内面の強さを必要としているときや、心と体を温めたいときに。種子からとる精油には、根本的な生きる力を強める力がある。肉体的にも精神的にも強くなりたいときにおすすめの精油。健胃、駆風にも役立つ。

### 心
**ストレス、冷淡、無関心、無気力、頑固さ、記憶・集中力の低下、うつ状態、性的な問題、インポテンツ**

ストレスを癒し、心身に活力を与えたいときに。思考能力が鈍いときに嗅ぐと目の前が明るく開かれた感じがする。血液循環もよくなり、同時に香りが脳を刺激し活動を高めるので心を鼓舞する。ブラックペッパーやジンジャーと似た作用がある。性的な不調があるときは、高揚感をもたらし気持ちをリラックスさせる花の精油、イランイラン、ジャスミン、ネロリ、ローズなどとブレンドする例がある。記憶力や集中力、意欲を増して、物事に積極的に取り組む元気が出てくる。ローズとのブレンドは、大変心地よく幸せな気持ちにしてくれる。

### 体
**腸内ガス（鼓腸）、消化不良、腹痛、下痢、腰痛、肩こり、筋肉痛、慢性的な膀胱炎、冷え性、口臭予防、風邪、気管支炎、咳**

お腹にハリがあるときやしくしくと痛むとき、消化不良によい。腸内ガスには、ブラックペッパー、バジル、フェンネル、マージョラム、ペパーミントなどとブレンドする。第2チャクラを活性化し、生殖器、膀胱、消化器系を強壮するといわれている。カルダモン種子を噛むと口臭予防になる。精油も少量をマウスウォッシュにブレンドする。作用が強いので坐骨神経痛や肩こり、腰痛などのときは部分的に塗布する。痰や咳を鎮める効果も期待できる。むくみやトイレの回数が少ないときにも用いるとよい。

### 肌
**デオドラント、消臭、皮膚真菌症**

カルダモン、ローズ、スペアミントなどのブレンドが、中高年の体臭を悪化させる加齢臭の正体、ノネナールの匂いをカバーし、香調を変化させて目立たなくする効果があるとされる。ボディシャンプーやシャンプー、リンスに好みの精油と合わせ、カルダモンをごく少量配合してみるのもよいのでは。抗真菌作用があり、水虫などにも使われる。

### 主な使用法
アロマバス、トリートメント、スキンケア、ヘアケア、芳香浴

### ブレンドアドバイス
ベルガモット、イランイラン、シダーウッド、ローズなどとブレンドすると香りの印象を少し変化させる。
男性向けのブレンドにもよく使われる香り。

### 購入のポイント
価格：10mlで3,255〜5,600円
よく知られている学名の他に*Amomum cardamomum*があるが、これは異名で同じ植物をさす。産地により香りの印象は若干異なり、一般にインド・マイソール産は種子中の精油含有量も多く、甘い香りがする。8月末から12月にかけて収穫されたものがもっとも香りがよいといわれている。

### その他
ノート：ミドル
ブレンドファクター：1〜2

### 注意事項
高濃度で使用すると皮膚刺激がある。敏感肌の方は注意。
少量（30mlの基材に1〜3滴）で十分。
妊娠初期は使用を避ける。

LESSON 1 精油ガイド

# キャロットシード（ワイルドキャロット）

セリ科 *Daucus*属

*種子｜強壮刺激、アンチエイジング、解毒*

> ややドライでかすかにニンジンを思わせる。土臭い個性的な香り。

学名●*Daucus carota*（ダウクス カロタ）
主な産地●フランス、オランダ、ハンガリー、ドイツ
抽出部位●種子（乾燥した種子）
抽出方法●水蒸気蒸留法

和名ノラニンジン。一年生草本だが条件によって越冬し、二年草となる。葉は羽状の複葉で、傘のような形に広がった茎の先端（散形花序）に小さな白い花を咲かせる。野生のノラニンジンの種子から精油が抽出される。

### 主な作用
神経強壮、強壮刺激、血圧上昇、抗貧血、肝臓強壮、膵臓強壮、腎臓強壮、肝細胞再生、皮膚細胞活性、抗菌、抗ウイルス

### 主な芳香成分
セスキテルペンアルコール類：カロトール30〜45％
セスキテルペン炭化水素類：β-カリオフィレン5〜15％
モノテルペン炭化水素類：α-ピネン5〜15％、サビネン5〜18％
微量成分：酢酸リナリル、リモネン、リナロール、テルピネン-4-オール

カロトールには、肝細胞再生作用がある。精油全体としては、リンパや静脈の流れを促し、腎臓、肝臓、胆のう、膵臓の働きを強化する。

### どんなときに選ぶ？
食事や生活習慣が不規則で外食などが続き、そろそろデトックス（解毒）が必要ではなかろうかと感じはじめたときに。精神面では凝り固まった考えを解きほぐし、新しい見方の発見を助けてくれるので視野を広げたいときに役立つだろう。

### 心　神経の衰弱、無気力、性的な問題、うつ状態、情緒不安定、失望、きまぐれ
種子の精油は、新しいものを生み出す力を持っている。キャロットシードは、もう一度物事を見直してみる必要があるときに少量ブレンドするとよい。精神と肉体を刺激して強壮、心労を取り去る。例えば、閉経前後から老年期の女性にローズ、フランキンセンス、キャロットシード、ロックローズ（システ）などをブレンドして用いると、凝り固まった固定的な物の見方が変わり、明るくなり外見や行動も変わることがある。心、肌、体も若返るアンチエイジング的な効果がある。

### 体　高コレステロール、静脈瘤、肝炎、嘔吐、静脈・リンパのうっ滞、膀胱炎、胆のう・膵臓・肝臓の機能低下
古代からニンジンは体の中をきれいにする植物といわれており、代表的なデトックス（解毒）の精油のひとつ。体内を掃除する役目を果たしている肝臓、腎臓の機能を調整し、リンパと静脈の滞りを除去して解毒と排泄（ドレナージュ）を促すといわれており、糖尿病の予防や血中コレステロールが高く、肥満傾向にある人にローズマリー・ベルベノン、ラベンサラ、ペパーミント、レモンなどとブレンドする臨床例がある。毛細血管を強壮し、静脈瘤を予防する。肝細胞を再生する作用もよく知られている。

### 肌　老化によるしわとしみ、赤ら顔、ニキビ、やけどのあと
キャロットシードとローズ、ローズウッド、ロックローズ（システ）、イランイラン、マンダリン、ゼラニウムなどのブレンドは、肌の衰えの予防に役立つ。皮膚を再生し、細胞を活性化する効果がある。しわは悩みとともに深くなるので、心が晴れやかになるよい香りも同時に取り入れることも大切。野生ニンジンの根を刻んでオリーブ油に浸し、有用成分を抽出したキャロット油にも皮膚の老化や日焼けを予防する効果がある。

### 主な使用法
アロマバス、トリートメント、スキンケア、ヘアケア、芳香浴

### ブレンドアドバイス
独特の香りが強いので、加える分量を加減する必要がある。香水に加えると、はじめは甘くフレッシュな感じから次第に土のようなスパイシーさとシプレー調の香りが演出できる。レモン、シダーウッド、ベルガモット、ゼラニウム、サンダルウッド、オークモスなどの精油と相性がよい。

### 購入のポイント
価格：10mlで3,000〜4,000円
産地によって、カロトールの含有量が異なり、フランス産（30〜45％）よりもインド産（約50％）のほうが多い。

### その他
ノート：ミドル〜ベース
ブレンドファクター：2

### 注意事項
香りが強いので、少量（30mlの基材に1〜3滴）で十分。
妊娠中は使用を避ける。

PART 3 精油・キャリアオイルガイド

# クラリセージ

シソ科 *Salvia*属

🌸 スパイシーで甘さがある、ややパウダリーで落ち着いた香り。

学名●*Salvia sclarea*（サルヴィア スクラレア）
主な産地●フランス、イタリア、ロシア、モロッコ
抽出部位●花と葉
抽出方法●水蒸気蒸留法

標高1000mほどの石灰質、砂質の土壌でよく生育し、うす紫からピンクの花を初夏につける。高さ1mほど。ガーデンではひときわ目立つ。マスカットワインの風味付けに使われ、マスカットセージとも呼ばれる。

花と葉 ― 鎮静、バランス調整、精神高揚

### 主な作用
鎮静、抗うつ、抗不安、神経強壮、多幸、自律神経調整、ホルモン調整、血圧降下、抗痙攣、鎮痛、抗炎症、抗菌、抗ウイルス、抗真菌

### 主な芳香成分
モノテルペンアルコール類：リナロール10〜25％、α-テルピネオール2〜5％
ジテルペンアルコール類：スクラレオール〜5％
エステル類：酢酸リナリル60〜80％、酢酸ゲラニル〜2％、酢酸ネリル〜2％
セスキテルペン炭化水素類：ゲルマクレンD〜10％
微量成分：β-カリオフィレン、ゲラニオール

酢酸リナリルとリナロールで80％以上を占め、交感神経の緊張を緩めて鎮静する効果が期待できる。スクラレオールは女性ホルモンのエストロゲンと似たような作用を示すといわれている。クラリセージ・アブソリュートには60％程含まれる。

### どんなときに選ぶ？
幸福感を感じたい日に。神経を強化し安定させるのでイライラや感情的な緊張を抱えがちなときに。月経前やホルモンバランスが乱れがちだと感じたとき、調整する作用がある女性向きの精油のひとつ。

**心** 緊張、不安、不眠、恐怖、うつ状態、精神疲労、混乱、落ち込み、情緒不安定

精神的混乱と不安で本質が見えなくなっているとき、それを明確にする。頭ではなく直感で行動することを自然に思い出させてくれる香り。刺激と鎮静の両面を持ち、緊張を和らげると同時に高揚して多幸感をもたらす。クラリセージを好みの柑橘系、ローズ、ラベンダー、ゼラニウムなどとブレンドしてのどやみぞおちなどに塗布したり、ルームスプレーなどで香りを拡散し、芳香浴をするとよい。手軽にセルフケアが行いたい日はアロマバスがおすすめ。

**体** 更年期、月経痛、少量月経、月経不順、おりもの、膀胱炎、PMS（月経前緊張症）、冷え症、出産

女性の心と体は、日々変わるホルモンバランスの影響を受ける。成分のスクラレオールは女性ホルモン（エストロゲン）と似た作用があり月経周期の乱れや閉経前後（更年期）の様々な不快な症状の緩和に役立つ。月経初日から2、3日目にひどく痛む場合、経血量を若干増やしてしまうがラベンダー、ローズ、イランイランとブレンドし下腹部に塗布する。通経作用があるので妊娠中は使用を避けるが、出産準備や分娩時に使われることがある。

**体** 高血圧、動悸、肩こり、筋肉痛、足の疲れ、頭痛、腸内ガス（鼓腸）、過敏性腸症候群、高コレステロール

動悸や高血圧、不眠、腹部の膨満感、消化不良など胃腸の不調にもよい。月経や月経前の時期に風邪を引いたときにユーカリ（グロブルス、ラジアータ）、マートル、ラベンサラなどと一緒に用いることも可能。また、血液循環をよくして体を温める作用や、やや弱いがコレステロール値を低下させる作用もある。

**肌** ヘアケア、ふけ、皮膚真菌症、脂性肌、ニキビ

皮脂が過剰で皮膚や頭皮が脂っぽくなるときに。皮脂バランスを調整する作用があり、無香料シャンプーやローションにブレンドするとよい。

### 主な使用法
アロマバス、トリートメント、スキンケア、ヘアケア、芳香浴

### ブレンドアドバイス
排卵前後、月経前や出産間近になると心地よく感じるがそれ以外は好まないという人も多い。カルダモン、ラベンダー、ゼラニウムなどハーブ、樹木、スパイス系の精油と相性がよい。

### 購入のポイント
価格：10mlで3,000〜4,200円
購入するとき、同じ*Salvia*属の植物のセージ*Salvia officinalis*と間違えないこと。クラリセージには、毒性の強いケトン類のツヨンは含まれないが、セージには50％以上含まれる。

### その他
ノート：ミドル
ブレンドファクター：4

### 注意事項
妊娠中は使用を避ける。妊娠37週以降に使われることがある。
使用後にアルコールを飲むと、悪酔いすることがある。
車の運転や集中したいときは、使用を避ける。
乳腺症、乳ガン、ホルモン治療中の人への使用を避ける。

LESSON 1 精油ガイド

# グレープフルーツ

ミカン科 *Citrus*属

🍋 果実そのままのリフレッシュ感がある香り。満ち足りた感覚をもたらす。

学名●*Citrus paradisi*（キトゥルス パラディシ）
主な産地●アメリカ、イスラエル、アルゼンチン、ブラジル
抽出部位●果皮
抽出方法●圧搾法

果皮｜リフレッシュ、幸福感、晴れやかさ

樹高6～8m程に成長する。果実がぶどうの房のようにつく様子からグレープフルーツの名がついた。種名の*paradisi*は「天国・楽園」という意味。18世紀、西インド諸島のバルバドス島で発見され、世界中に広まった。

### 主な作用
抗うつ、神経強壮、精神高揚、健胃、駆風、食欲調整、血圧降下、うっ滞除去、加温、利尿、脂肪溶解、抗菌、抗ウイルス

### 主な芳香成分
モノテルペン炭化水素類：リモネン95～99％、β-ピネン～2％、β-ミルセン 微量
ケトン類：ヌートカトン 微量
アルデヒド類：シトラール／シトロネラール 微量
フロクマリン類：ベルガモッチン／ベルガプテン 微量
微量成分：オクタナール、デカナール

リモネンが主成分。グレープフルーツらしい香りを醸し出しているのは、ヌートカトンとシトラール、シトロネラール、デカナールなど。フロクマリン類も存在しているので光毒性に注意する。

### どんなときに選ぶ？
意気消沈し気分が重くてくよくよしている日に。気分転換に役立ち、自信や元気を取り戻してくれる。また、ストレスから甘いものなどをつい食べ過ぎてしまうようなときに、食欲を調整してくれる精油。

### 心
落ち込み、自信喪失、食欲不振と過食、過度な批判、欲求不満、イライラ、不機嫌、不安、動揺

香りが広がると重い空気を一掃し、心配や緊張した気持ちをほぐして楽しく幸福感をもたらす。交感神経が緊張しすぎているようなときに用いると鎮静させてバランスをとる。がんばり屋だが、がんばりすぎて理想と現実とのギャップに失望や不満を感じやすく、落ち込みや怒り、イライラを感じるとアルコール、甘いお菓子、食物などを過剰に摂ることで自分を慰めてしまう傾向がある人に。現状に満足して、次の目標に進むことを助ける。

### 体
むくみ、セルライト、ダイエット、冷え症、肩こり、二日酔い、消化不良、動脈硬化の予防、肝臓の不調、マタニティケア

血液やリンパの流れを促進して余分な水分や老廃物を排出する。妊娠中のマイナートラブルにも役立つ。芳香の吸入が脂肪燃焼を促す効果があることが確かめられた。二日酔いの朝は、ローズマリー・ベルベノン、レモン、ペパーミントなどとブレンドして入浴すると、すっきりした香りが吐き気を和らげて発汗を促し、頭痛など不快な症状からの回復をはやめる。主成分のリモネンには、肝臓を強壮する作用がある。消化管の蠕動運動を高めるので、食べ過ぎにもよい。最近、向精神薬、鎮静剤、睡眠剤、抗てんかん薬、血圧降下薬とグレープフルーツを併用すると精油中のフロクマリン類により薬の副作用が増大する可能性があることが示唆されている。高濃度で長期間にわたる連続使用は避けたほうが望ましいと思われる。ベルガモット、オレンジなど他の柑橘精油にも同様の可能性は十分予測され、今後の研究が期待されている。

### 肌
いぼ、デオドラント、ニキビ、吹き出物、しみ、ヘアケア

デオドラント作用に優れ、体臭予防に役立つ。オイリーな肌を清浄し、ニキビや吹き出物を防ぐ。汗ばむ時期やスポーツのあとに芳香蒸留水にサイプレス、ラベンダーなどと一緒に少量ブレンドし、トナーやローションとして用いるとよい。

### 主な使用法
アロマバス、トリートメント、スキンケア、ヘアケア、香水 湿布、芳香浴、吸入、掃除（ハウスキーピング）

### ブレンドアドバイス
リンパや静脈の流れを促進するには、樹木の精油とブレンドすると効果的。リラックスして幸福感を感じたいとき、ローズオットーやジャスミン、イランイランとのブレンドがおすすめ。男性には、スパイシーな香りと調合するとよい。

### 購入のポイント
価格：10mlで1,600～2,800円／食品添加物認可の精油は10ml 2,200円

セラピー用には、有機栽培、無農薬の原料から抽出された精油を購入するのが望ましい。最近は、厚生労働省より「食品添加物」の認可を受けたグレープフルーツ精油も購入出来るので、飲用や料理など幅広く活用することも可能となった。

### その他
ノート：トップ
ブレンドファクター：4

### 注意事項
高濃度で使用すると皮膚刺激がある。敏感肌の方は注意する。
高濃度での長期連続使用は避ける。
光毒性があるので、塗布直後に日光に当たらないよう注意する。

# クローブ

フトモモ科 *Eugenia*属

🌸 シャープでスパイシー。クローブ特有の消毒薬を思わせる香り。

学名●*Eugenia caryophyllata*（エウゲニア カリオフィラタ）
主な産地●マダガスカル、インドネシア
抽出部位●乾燥した花蕾
抽出方法●水蒸気蒸留法

花｜抗菌、麻酔、刺激強壮

和名は丁子（チョウジ）。高さ10〜15mほどの常緑樹。開花後は香りの質が落ちるので、蕾から精油を抽出する。虫除けや抗菌作用にすぐれ、中世のヨーロッパではペスト予防のためのポマンダーによく使われた。

### 主な作用
神経強壮、強壮刺激、麻酔、免疫強化、抗痙攣、鎮痛、血圧上昇、加温、健胃、消化促進、駆虫、抗菌、抗ウイルス、抗真菌

### 主な芳香成分
フェノール類：オイゲノール70〜85％
エステル類：酢酸オイゲニル10〜15％
セスキテルペン炭化水素類：β-カリオフィレン5〜10％
オキサイド類：カリオフィレンオキサイド2〜15％

フェノール類が多く、特に抗菌、免疫強化、鎮痛の各作用が強い。胃腸の働きも高める。精神的・肉体的強壮作用がある精油。血圧を上げる作用もある。オイゲノールは、フェノール類の中では皮膚刺激の程度が弱いほうだが、十分に注意すること。

### どんなときに選ぶ？
精神的にも肉体的にも弱っているように感じたときに強壮する作用がある香りで「よし、やるぞ！」という気持ちにさせる。長く「薬」として使われてきた歴史がある植物で、痛みがあるときに応急手当に使われることもある。

**心** 興奮、性欲の減退、インポテンツ、気力の低下、ストレス、ショック、トラウマ、精神疲労

心と体を全体的に強化、ベースを整え安定させ活動的にする。一方、過度の興奮は鎮め、冷静にする。気力や体力が低下し、衰弱した感じがするときには、単品ではなくローズ、柑橘系、ヒノキなどとブレンドして用いる。自信のなさ、恐れ、不安にはジャスミン、ローズウッドとブレンドしてみるとよい。性的に強壮する作用もある。お風呂で使用するには刺激が強いのでバスミルクなどで希釈するか、その他の方法で用いたほうがよい精油。

**体** 免疫低下、腸内ガス（鼓腸）、消化不良、便秘、下痢、口内炎、咽頭炎、歯痛、歯周病、抜歯後、低血圧、出産、慢性疲労

食中毒、下痢、消化不良、腸内ガスの排出に役立つ。防腐作用があり、クローブを生のオレンジに刺しておくと防虫、部屋の芳香、感染症の予防に役立つクラフトになる。16〜17世紀ペストが大流行したときは、クローブ、タイム、ローズマリー、セージのハーブが予防薬として使われた。末梢の冷感が強いときやしもやけにもよいといわれている。咽頭炎にも用いることがある。免疫系、胸腺、甲状腺機能を刺激するといわれている。陣痛促進作用があり、妊娠中は避けるが出産直前（7〜10日前頃）と分娩時に用いることがある。麻酔作用があり、歯痛などの応急手当に使われる。

**肌** ニキビ、皮膚真菌症、皮膚の炎症、湿疹

精油の中では、抗真菌作用や抗菌作用が特に強い。水虫や爪の白癬など真菌による症状に用いる。ただし、十分希釈しないとかえって皮膚を荒らすので量を加減すること。フェノール類は肝臓に対する毒性もあるので、短期間の使用にとどめ、ローズマリー（シネオール、ベルベノン）のような肝臓を保護する精油と一緒に使うとよい。また体臭や加齢臭が気になるときに、ごく少量使用するとよい。

### 主な使用法
アロマバス、トリートメント、スキンケア、ヘアケア、芳香浴

### ブレンドアドバイス
柑橘系やフランキンセンス、ローズ、ラベンダー、イランイランなど花、樹脂の精油と相性がよい。香りと作用が強いので使用量に注意する。十分希釈しないと肌を荒らすことがある。

### 購入のポイント
価格：花蕾は10mlで1,500〜1,800円／葉は10mlで1,200円
葉の精油と花蕾では、香りや作用が異なるので、抽出部位を確認してから購入すること。一般的によく利用されるのは、花蕾の精油。

### その他
ノート：ミドル
ブレンドファクター：1

### 注意事項
妊娠中は使用を避ける。妊娠37週以降に使われることがある。
香りが強いので、少量（30mlの基材に1〜2滴）で十分。
高濃度で使用すると皮膚刺激がある。敏感肌の方は注意。局所的な塗布、短期間の使用にとどめる。
クローブ精油とアスピリンとの併用は避けたほうが望ましい。

LESSON 1　精油ガイド

# サイプレス

ヒノキ科 *Cupressus* 属

🫐 マツに似たクリアで染みとおるような香り。感情を落ち着かせる。

学名●*Cupressus sempervirens*
　　　（クプレッスス センペルウィレンス）
主な産地●フランス、イタリア、スペイン
抽出部位●果実（球果）と葉
抽出方法●水蒸気蒸留法

和名はイトスギ。死の悲しみや恐れを乗り越える強さを与える神聖な木として寺院や墓地によく植えられた針葉樹。常緑樹なのでsemper（いつも）virens（緑の）という意味の種名がついた。

果実と葉 ─ うっ滞除去、冷静さ、鎮静 ─

### 主な作用
鎮静、自律神経調整、神経強壮、ホルモン調整、収れん、抗痙攣、うっ滞除去、鎮咳、血管収縮、抗菌、抗ウイルス、制汗

### 主な芳香成分
モノテルペン炭化水素：α-ピネン40〜65％、δ-3-カレン15〜30％、リモネン〜5％
セスキテルペン炭化水素：α-セドレン〜5％
セスキテルペンアルコール類：セドロール2〜10％
エステル類：酢酸テルピニル〜5％
ジテルペンアルコール類：マノオール 微量

この精油には静脈とリンパの流れを促す抜群の作用がある。α-ピネン、δ-3-カレンは、うっ滞除去の他、殺菌、呼吸器症状の改善、セドロールとセドレンには、静脈強壮とリンパのうっ滞除去が特徴。セドロールには、鎮咳作用もある。

### どんなときに選ぶ？
ある一線を越えて感情の起伏が激しいときに。香りを嗅いだ後、いつの間にか平静な気持ちを取り戻していることに気づくだろう。変化、決断の時期に。起きた事実を冷静に受け止め、自然な流れにそうことを助けてくれる香り。

**心** 興奮、忍耐力の低下、記憶・集中力の低下、衝撃、ショック、喪失感、うつ状態、感情の問題、ペットロス

セドロールは心拍と呼吸頻度を低下させ、呼吸を深くする。気持ちが散漫で考えがまとまらないとき、喜びでも悲しみでも、常軌を逸したレベルの高ぶった感情を鎮めて冷静な判断を助ける。副交感神経の働きを高め、血液循環を促すので体のすみずみまで血液がめぐり、やがて気力も向上してくる。レモンとのブレンドは、心にも体におすすめ。極度の緊張、興奮には、カモミール・ローマン、ラベンダー、フランキンセンス、プチグレンなどとブレンドするとよい。

**体** 更年期、月経痛、月経不順、月経過多、PMS（月経前緊張症）

顔のほてり、のぼせなど更年期の不調に役立つ。また、むくみや食欲増加、情緒不安定さが現れやすい排卵後から月経までの時期は、ラベンダー、クラリセージ、ローズ、ゼラニウム、柑橘系などとブレンドすると心身ともに楽になることが多い。

**体** 風邪、咳、喘息、気管支炎、膀胱炎、解毒（デトックス）、むくみ、足の疲れ、ダイエット、静脈瘤、冷え症、リウマチ、関節炎、腰痛、肩こり

ユーカリ、ティーツリーなどと拡散して部屋の空気を浄化し、ひどい咳には塗布や吸入を行う。喘息の発作には、フランキンセンス、ローズマリー・シネオール、耳鳴りにはプチグレンとバジルとブレンドされる臨床例がある。体内に滞った余分な水分と老廃物の排出に役立つので下肢のむくみ、肥満・セルライトには、まず選択したい精油。静脈瘤や痔の予防とケアにはレモン、ゼラニウムとブレンドされる。

**肌** ヘアケア、デオドラント、過度の発汗、赤ら顔、ニキビ、毛穴の広がり

汗ばむ季節やスポーツ後のボディローション、足浴に使うと体臭や発汗をおさえて肌を引きしめる。食べ過ぎた後に出来るニキビや吹き出物、血管が赤く浮き出た顔や鼻に。皮脂が多く、べたつく髪のケアにもよい。

### 主な使用法
アロマバス、トリートメント、スキンケア、ヘアケア、芳香浴

### ブレンドアドバイス
オウシュウアカマツ、ジュニパーなどの香りを強調し引き立てる。花、ハーブ、柑橘系とも相性がよい。例えば香りが強く全体の印象を決定づけるカモミール・ローマンとブレンドするとお互いが心地よくなじみ、甘くアンバー調になる。

### 購入のポイント
10mlで2,000〜3,780円
針葉樹に含まれる芳香成分は、もともと揮発しやすく成分が光や熱によって変わりやすい。古くなり劣化すると、皮膚刺激やアレルギーを起こしやすくなるので、新鮮なものを入手すること。

### その他
ノート：トップ〜ミドル
ブレンドファクター：4〜5

### 注意事項
高濃度で使用すると皮膚刺激がある。敏感肌の方は注意する。妊娠初期は使用を避ける。妊娠中期・後期の使用は可能だが、使用の際は体調に十分注意する。

# サンダルウッド

ビャクダン科 *Santalum* 属

🌿 ソフトな甘さがあるウッディ系でバルサム調の香り。

学名 ● *Santalum album*（サンタルム アルブム）
主な産地 ● インド、オーストラリア、インドネシア
抽出部位 ● 木部（心材）
抽出方法 ● 水蒸気蒸留法

和名はビャクダン。成長がおそい常緑高木。半寄生植物で、発芽後1年だけ自生して、あとは寄生根を出して他の木に寄生。木部だけでなく樹皮や、根、葉にも精油が含まれる。インドでは宗教儀式などで使われた。

### 主な作用
鎮静、収れん、うっ滞除去、利尿、鎮咳、抗炎症、皮膚軟化、駆風、心臓強壮、抗菌、抗ウイルス

### 主な芳香成分
セスキテルペンアルコール類：
α-サンタロール45～60％、
β-サンタロール15～30％、
α-エピサンタロール2～10％、
β-エピサンタロール2～10％
セスキテルペン炭化水素類：サンタレン 微量

主成分はセスキテルペンアルコール類。α-サンタロール、β-サンタロールは、心臓の働きを高め、血流を促す作用がある。精油全体としては、特にリンパや静脈の滞りを改善し、心を鎮静させる作用にすぐれている。東洋人にはなじみがある香り。

木部｜うっ滞除去、安定、本質の追求

### どんなときに選ぶ？
自分の内面を静かに見つめたいときに。深く掘り下げて考えられるようになる。心の働きを抑えてある意味、瞑想状態のように「今、この瞬間」をしっかり自覚し一歩離れたところから、落ち着いて物事を見ることがしやすくなる香り。

### 心
**緊張、不眠、興奮、精神疲労、性的な問題、ストレス性の心身症状、うつ状態**

穏やかな鎮静作用と催淫作用がある。頭の活動ばかりが過剰になり、上に行き過ぎるエネルギーを下げてバランスをとる。体の気をまんべんなく通す作用があるといわれており、グラウンディングに役立つ。静かに自己と対面し、気づきを高める。気持ちを引き締め、気合を入れる。肉体、精神、心を統合するともいわれている。うつ状態の人に単品でこの香りを使うと、かえって気持ちが乱れてより落ち込むこともある。使用量を少なめにして花や柑橘系などのやさしい香りとブレンドするとよい。

### 体
**膀胱炎、心臓の機能低下、冷え性、足の疲れ、腰痛、坐骨神経痛、むくみ、ダイエット、痰、気管支炎**

血液やリンパ液などの体液の循環を促進する効果と優れた殺菌消毒作用がある。昔は、淋病の薬として使われたという。泌尿器系や呼吸器系の感染症に。排出しにくい粘性の痰を伴うのどの痛み、気管支炎のときにユーカリ（グロブルス、ラジアータ）、ティーツリー、ラベンダー、ラベンサラなどとブレンドして用いる。サンダルウッドは、熱を持った症状を冷やし緩和する。皮膚に塗ると暑さの中でも涼しさを感じられる。下半身に多い症状にも役立ち、他の精油とブレンドして月経前の便秘、月経痛、膀胱炎、腹部の膨満感、下肢のむくみ、静脈瘤、痔、セリュライトなどに使われる。

### 肌
**ニキビ、傷、硬くなった肌、乾燥肌、脂性肌、肌荒れ、かゆみ、炎症**

皮脂分泌のバランスを調整する。皮脂が過剰でオイリーな肌と乾燥肌の両方に役立つ。肌をやわらかくして潤す作用があるので、乾燥し過ぎて硬くなりひび割れた肌に用いられる。男性にも好まれる香り。香水やアフターシェイブローションなどにブレンドするとよい。

### 主な使用法
アロマバス、トリートメント、スキンケア、ヘアケア、芳香浴

### ブレンドアドバイス
2、3日残る重い香り。時間と共に香りが熟成し、柔らかく変化する。他の精油の揮発を抑えて保留剤になる。他の香りと協調しやすく、なじみやすいのでベースノートの中では、多少多めのブレンドが可能。パチュリー、ベチバー、シダーウッドと並びウッディノートの代表。

### 購入のポイント
価格：10mlで4,200～7,000円
最近、インド・マイソール産の*album*種の精油は、生産量が減り入手困難。オーストラリアやニューカレドニア産で主成分が同じくサンタロールの*Santalum lanceolatum*や*Santalum austrocaledonicum*が代用されることがある。

### その他
ノート：ベース
ブレンドファクター：5～6

### 注意事項
香りが数日残るので衣類につけないように注意する。
妊娠初期は使用を避ける。
妊娠中期・後期の使用は可能だが、使用の際は体調に十分注意する。
重度のうつ状態の方には、単品での使用を避ける。

LESSON ① 精油ガイド

# シダーウッド・アトラス

マツ科 *Cedrus*属

やさしいウッディフローラルな香り。わずかに樟脳のような香りもする。

学名●*Cedrus atlantica*（ケドルス アトランティカ）
主な産地●モロッコ、北アフリカ（アトラス山脈中心の地域）、ヒマラヤ
抽出部位●木部（心材）
抽出方法●水蒸気蒸留法

聖書に出てくるレバノンシダー*Cedrus libani*の近縁種（亜種）で、樹高40mほどの針葉樹。神聖な木とされ神殿や船の材料になった。死からの復活を信じた古代エジプトでは、ミイラを覆う布や棺にシダーウッドを使った。

## 主な作用
鎮静、神経強壮、精神鼓舞、コーチゾン様強壮刺激、うっ滞除去、利尿、静脈強壮、去痰、抗菌、抗ウイルス、抗真菌、防虫

## 主な芳香成分
セスキテルペン炭化水素類：α-ヒマカレン10〜20％、β-ヒマカレン40〜50％、γ-ヒマカレン10〜20％ α-セドレン〜5％、δ-カジネン 微量
セスキテルペンアルコール類：セドロール〜5％
ケトン類：アトラントン5〜10％

メインとなる成分は、β-ヒマカレンをはじめとしたセスキテルペン炭化水素類。静脈とリンパを強壮し、うっ滞除去にすぐれた精油。セドロールは、静脈とリンパを強壮する作用と咳を鎮める作用がある。ケトン類のアトラントンは痰を出し脂肪を溶解する。

## どんなときに選ぶ？

閉塞感を感じた日やどんな困難にも負けない強さを持ちたいときに。心の内や外にどんな嵐が吹き荒れていても、大切なことをやりぬく心の強さを与えてくれる非常にスピリチュアルな力をもつ香り。瞑想にも向く。

### 心　うつ状態、神経衰弱、無気力、長期の不安、極度の疲労、記憶・集中力の低下、突然の出来事によるショック

心労があり無気力。気が乱れ、一貫性がなく散漫な考え方しか出来ないようなときに。疲れたときにミントのガムを噛んだときのように脳を活性化し、頭の中心を意識させ、本来なすべきことに集中出来る。本当につらくてやるべきことを投げ出しそうになったとき、ローズ、ネロリ、ラベンダー、レモンなどとブレンドしたアロマバスはおすすめ。シダーウッドを足裏につけると心を落ち着かせて安定した状態にする。学名はアラビア語で「力」を意味するkedrosに由来したといわれる。持続力や忍耐力を高めて粘り強い自分を保てるよう助けてくれる。

### 体　痔、むくみ、静脈瘤、ダイエット、セリュライト、肥満、冷え症、肩こり、足の疲れ、膀胱炎、気管支炎、咳、痰

静脈やリンパの流れをよくし、余分な体液を排出する。脂肪溶解に役立ち、皮下脂肪、セリュライト対策にジュニパー、サイプレス、柑橘系などと使う。静脈瘤や痔にもよい。殺菌消毒、抗炎症作用があり、呼吸器、泌尿器の感染症にも効果的。動脈硬化の予防としてキャロットシード、ローズマリー・ベルベノン、マンダリン、レモンなどとブレンドされる例もある。

### 肌　ヘアケア、デオドラント、発汗、赤ら顔、毛穴の広がり、血腫、ニキビ、脱毛

体に毒素が滞留してくると出来やすい背中の吹き出物に。顔には少し強いので、血管が赤く浮き出た顔や鼻にごく少量をラベンダー、ローズ、ロックローズ、サイプレス、ゼラニウムなどとブレンドして用いる。皮脂が多い髪や抜け毛が多いとき、シャンプーに加えると脱毛を予防する。血腫にはヘリクリサム、キャロットシード、サイプレス、ローズなどとブレンドする。

## 主な使用法
アロマバス、トリートメント、スキンケア、ヘアケア、芳香浴

## ブレンドアドバイス
バージニアシダー、ユーカリ、ジュニパー、サイプレスなど樹木の精油、ローズマリー、パチュリーなどハーブの精油、ジャスミン、ネロリなど花の精油と相性がよい。シプレー調のオークモスともよく合う。男性に好まれる香り。

## 購入のポイント
価格：10mlで1,600〜2,500円
シダーウッドと呼ばれる精油には、バージニアシダー*Juniperus virginiana*もあるが、これは、ヒノキ科でジュニパーと同じ仲間の樹木。香りが異なり、作用もやや強いタイプ。学名をよく確認してから購入すること。

## その他
ノート：ミドル〜ベース
ブレンドファクター：2〜3

## 注意事項
ブレンドするときは、少量（30mlの基材に1〜3滴）で十分。
妊娠中、授乳中、てんかんのある方、乳幼児は使用を避ける。

木部｜鼓舞、不屈の精神、うっ滞除去

# ジャスミン

モクセイ科 *Jasminum*属

🌸 濃厚な甘さのフローラルな香り。「香りの王様」と呼ばれる。

学名●*Jasminum grandiflorum*（ヤスミヌム グランディフロルム）
　　　*Jasminum officinale*（ヤスミヌム オフィキナレ）
主な産地●フランス、エジプト、モロッコ
抽出部位●花
抽出方法●有機溶剤法、冷浸法

インド原産の常緑低木。花は8〜9月。日没後から開花し、時刻により香りが変わる。グラース（仏）では早朝、エジプトやモロッコでは主に夜摘む。夜は繊細でくちなしに似たフレッシュなグリーンノートが際立つ。

花｜安定、精神強化、多幸感

### 主な作用
鎮静、精神安定、多幸、精神高揚、神経強壮、血圧降下、抗痙攣、催淫、抗菌、抗ウイルス

### 主な芳香成分
エステル類：酢酸ベンジル15〜30％、安息香酸ベンジル15〜30％
ジテルペンアルコール類：フィトール2〜15％
モノテルペンアルコール類：リナロール2〜10％
微量成分：ジャスミンラクトン、インドール、cis-ジャスモン、オイゲノール、ネロリドール

精神的な面での作用が強い精油。鎮静と高揚と両面をもち、使用量によって覚醒と催眠と作用が変化する。酢酸ベンジルは、精神を高揚させる。ジャスミンラクトン、インドールなどがジャスミンらしい香りをかもし出している。

### どんなときに選ぶ？
何か満たされない感じがして、不満を感じており、自分の能力にも自信を持てなくなっているときに。物質的ではなく精神的な満足感を与えてくれる精油。気持ちが沈んでどうしようもないときや元気が出ないとき、1滴程使ってみるとよい。

### 心
不眠、ストレス、うつ状態、不安、落ち着きのなさ、心配、催淫、欲求不満、インポテンツ、性的な問題

高揚感、多幸感をもたらす。脳内の神経伝達物質エンケファリンやドーパミンの分泌を活性化するといわれている。清楚な白い花の外見とは違い、香りには男性的な強さがあり心のもやもやを吹き飛ばす。本当の欲求が満たされないと精神的に不安定になりやすいが、ジャスミンは欠け落ちた感覚を満たし、十分だというところから自信をもって行動することを助ける。精神を高揚させる作用があり、リラックスさせて、緊張、不安、うつ状態や無気力から引き上げる。ごく少量の香りは、媚薬のように気持ちをほぐし、女性化を目覚めさせる催淫剤として古代から使われた。肉体というよりは精神、感情レベルに大きく作用するからだと考えられる。男性の性的な不調にも用いる。

### 体
出産、月経痛、子宮強壮、ホルモンのアンバランス、咳、カタル症状、筋肉の痙攣

陣痛が強くなったら、腰部と下腹部に塗布する。痛みを軽減するとともに子宮収縮を促し、分娩や胎盤の排出がスムーズになるといわれており、産婦さんの好きななじみがある香りを中心としたうえで、ジャスミンやクラリセージ、ローズ、クローブなどが出産準備やお産で使われる例は多い。産後の抑うつにも使われる。赤ちゃんを家に迎えるときにふさわしい香りは、マンダリン、ネロリ、ジャスミン、ローズ、ヒノキといわれている。分娩のときとは違い、ごく少量（1、2滴ほど）をお部屋に漂わせておく。月経痛の緩和や痙攣性の咳にもよいのだが、実際はもっと安価なクラリセージ、イランイラン、ラベンダー、プチグレンなどで代用される。

### 肌
老化肌、乾燥肌、しわ、しみの予防

ジャスミンの香りは、精神的な面での強化やストレスを緩和する作用にすぐれているので、嗅覚からのアロマテラピー効果を期待してフェイシャル用オイル、化粧水、美容液などに少量ブレンドされることもある。

### 主な使用法
アロマバス、トリートメント、スキンケア、ヘアケア、芳香浴

### ブレンドアドバイス
ローズとジャスミンを一緒にブレンドすると女性のための最高の香りになる。ジャン・パトゥ社の「JOY」に配合されている。樹脂、花、柑橘系の精油と相性がよい。ブレンドにコク、温かさ、女性らしさ、広がりをあたえる。少量で鎮静、多量で精神を活性化する。

### 購入のポイント
価格：ジャスミン・アブソリュートは10mlで12,000〜20,000円／ジャスミン・イン・ホホバは10mlで3,000〜4,000円
700〜1000kgの花から1リットルしかとれず高価。香りや作用が強く、一回の使用量は少なくてすむので、1〜5ml単位の購入がおすすめ。産地により香りの印象が若干異なる。ホホバ油で5〜10％濃度に希釈したジャスミン・イン・ホホバもあるので、用途に応じて利用してみるとよい。

### その他
ノート：ミドル〜ベース
ブレンドファクター：1

### 注意事項
香りが強いので、少量（30mlの基材に1〜2滴）で十分。高濃度での使用は避ける。
妊娠中は使用を避ける。妊娠37週以降に使われることがある。集中したいときは使用を避ける。

LESSON 1　精油ガイド

# ジュニパー

ヒノキ科 *Juniperus* 属

🫐 ウッディ調の香りの中に温かい甘さと煙のようなスモーキーさも。

学名●*Juniperus communis*（ユニペルス コンムニス）
主な産地●イタリア、フランス、ハンガリー
抽出部位●果実（球果）と葉
抽出方法●水蒸気蒸留法

和名はセイヨウネズ。樹高3～10mの常緑樹。果実は小さく丸いので、球果（きゅうか）と呼ばれる。未熟な果実は緑色だが、2～3年たつと青黒色に熟す。熟した果実は、洋酒のジンの風味づけや精油の原料になる。

### 主な作用
精神安定、自律神経調整、うっ滞除去、利尿、抗炎症、収れん、鎮痛、抗痙攣、強壮刺激、抗菌、抗ウイルス

### 主な芳香成分
モノテルペン炭化水素類：α-ピネン30～80%、β-ピネン2～5%、サビネン5～35%、リモネン5～10%
セスキテルペン炭化水素類：β-カリオフィレン2～10%
モノテルペンアルコール類：テルピネン-4-オール 微量
エステル類：酢酸テルピニル、酢酸ボルニル 微量

炭化水素類が主な成分で、体液の循環を促す作用と炎症を緩和する作用が特徴。空気の殺菌にも優れ、森の空気のような香りがあるので、拡散すると森林浴効果も期待できる。

## どんなときに選ぶ？

浄化（クレンジング）したい日に。肉体的にも精神的にも、不必要なものを出して心を切り替えるのに役立つ。また、気持ちを鼓舞し、物事に意欲的に取り組む活力を与えてくれる。体と心を温め、刺激する精油。

### 心
神経過敏、精神疲労、興奮、感情の問題、自律神経のアンバランス、ストレス

ネガティブな感情やわだかまりを取り除き、ほっとさせる。嫌な感じで一日を終えた日は、天然塩と一緒にまぜて入浴に使うとかなり発汗して気分がすっきりする。ラベンダーとのブレンドはおすすめ。ストレスに負けずチャレンジしようとする意志の強さが出てくる。セージの葉を燻したり、ジュニパーの香りを拡散するなどネイティブ・アメリカンが行っていた方法は、ちょっとした気のよどみをすっきりと浄化させる効果がある。

### 体
解毒（デトックス）、膀胱炎、むくみ、ダイエット、冷え症、痛風、神経痛、坐骨神経痛、筋肉痛、腰痛、リウマチ、肩こり、関節炎、筋肉の拘縮、月経不順

静脈やリンパを刺激し、腎臓の働きを高めて余分な水分や老廃物を排出する。体の中を掃除したくなったときに使ってみよう。不要なものを流しておくと関節炎、疲労、肩こり、腰痛、筋肉痛、むくみなどの予防になるので、ときどき意識して行うとよい。ジュニパーには、抗炎症、鎮痛、コーチゾン（ホルモン）様作用もあり、スポーツ後のアフターケア、体の痛みの緩和や麻痺や筋肉の拘縮がある方へのリハビリなどにラベンダー、ローズマリー（カンファー、シネオール）、レモングラス、マージョラム、オウシュウアカマツと一緒に使われる臨床例がある。

### 肌
いぼ、デオドラント、ニキビ、吹き出物、しみ、ヘアケア、スキンケア、毛穴の広がり

デオドラント作用に優れており、体臭を抑える。オイリー肌を清浄し、ニキビや吹き出物を防ぐ。汗ばむ季節やスポーツの後に好みの芳香蒸留水にサイプレス、柑橘系、ごく少量のジュニパーを加えてローションとして用いるとよい。

### 主な使用法
アロマバス、トリートメント、スキンケア、ヘアケア、芳香浴

### ブレンドアドバイス
ラベンダー、フランキンセンス、ユーカリ、サイプレス、グレープフルーツなどの精油との相性がよい。

### 購入のポイント
価格：10mlで3,500～4,000円
原料が果実のみの精油は、「ジュニパーベリー」と呼ばれ、葉や小枝も一緒に蒸留された精油「ジュニパーブランチ」と区別される。ベリーの価格はやや高め。α-ピネンは腎臓を刺激する。過度な刺激を避けるため割合が40%以下の熟した果実の精油を購入するとよい。未熟な果実の精油は、α-ピネンの割合が高くなる。

### その他
ノート：トップ
ブレンドファクター：4

### 注意事項
高濃度で使用すると皮膚刺激がある。敏感肌の方は注意する。重い腎臓の疾患がある人には使用を避ける。
妊娠中は使用を避ける。妊娠37週以降に使われることがある。

# ジンジャー

ショウガ科 Zingiber属

🌿 新鮮な香り立ちで、温かく甘みのあるスパイシーな香り。

学名●Zingiber officinale（ジンギベル オフィキナレ）
主な産地●マダガスカル、中国、インド、アフリカ
抽出部位●根茎
抽出方法●水蒸気蒸留法

直立する茎の両側にヤリ型の葉が互生する多年生草本。根茎が薬味、リキュール、スパイス、感染症や消化不良の薬となる。古くから中国人やヒンズー教徒が栽培しており、アジアからヨーロッパに伝わった。

根 ― 加温、弛緩、心身の強壮

### 主な作用
鎮静、催淫、強壮刺激、血流促進、発汗、加温、消化促進、駆風、健胃、抗カタル、鎮咳、抗炎症、抗菌、抗ウイルス、抗真菌

### 主な芳香成分
セスキテルペン炭化水素類：ジンジベレン25〜35％、β-セスキフェランドレン5〜15％、α-ビサボレン5〜10％、β-ビサボレン〜5％、α-クルクメン〜10％
モノテルペン炭化水素類：カンフェン5〜10％、β-フェランドレン5〜10％、α-ピネン〜5％、リモネン 微量

抗炎症作用、鎮静作用があるセスキテルペン炭化水素類が多く、主成分のジンジベレンは消化促進作用と催淫作用が特徴。上記の他、ゲラニオール、リナロール、ゲラニアールなど多数の成分が少しずつ含まれ、他の精油との相乗効果が期待できる。

## どんなときに選ぶ？

肉体的にも精神的にも疲れきっていて停滞しているときに。心と体を温めて正常な反応が出来るように力づける。第3チャクラと関係が深いといわれており、消化器系の働きを活発にしてくれる精油。

### 心
無感情、無気力、無関心、精神的混乱、性的な問題、インポテンツ、うつ状態、感受性の欠如、燃え尽き

病気が原因の場合をのぞき、過労、ショック、深い悲しみ、うつ状態、失恋などいろいろな要因から、精神的に停滞し、喜びや情熱、感動がなく、悲しみ、心の痛みなどの感情が強く、意欲もわかない状態の人に。ベルガモット、グレープフルーツ、オレンジなど柑橘系、ローズ、ジャスミンなどとブレンドして芳香浴やトリートメントで使用してみるとよい。集中力や記憶力を増したいときは、ローズマリー（カンファー、シネオール、ベルベノン）、カルダモン、ジュニパー、レモンなどとブレンドすると香りが脳を活性化する。性的に強壮する作用も知られている。

### 体
消化不良、腸内ガス（鼓腸）、便秘、食欲不振、吐き気、二日酔い、体の痛み、肩こり、リウマチ、関節炎、腰痛、冷え性、風邪、咽頭炎、咳、高コレステロール

胃腸の不調と体の痛みと冷えによい。消化液の分泌を促進、食欲を増す作用がある。お腹がはり、消化不良や便秘がちなときに、ジンジャーと柑橘系、バジル、ラベンダー、ペパーミント、マージョラムなどシソ科の精油をブレンドするとより効果的。他のスパイスの精油、神経を鎮静するネロリや気の滞りを解消するオウシュウアカマツやローズウッドとブレンドすると精神と肉体のバランスをとる。痛みやこりの緩和にかなり効果があり、ジンジャーを数滴加えたオイルを塗布すると筋肉が緩んで痛みが和らぐ。ユーカリ・シトリオドラ、ラベンダー、マージョラム、オレンジなどとのブレンドはおすすめ。冷え性の人は、手足にジンジャー入りのブレンドオイルを塗布しておくと温まる。抜け毛のときにシャンプーに加えて使用する例もある。風邪、のどの痛み、痰、発熱のときにも用いられる。

### 主な使用法
アロマバス、トリートメント、スキンケア、ヘアケア、芳香浴

### ブレンドアドバイス
ローズウッド、ネロリ、ジャスミン、オレンジ、カルダモンなど柑橘系、スパイス、樹木、花の精油との相性がよい。

### 購入のポイント
価格：10mlで1,600〜3,200円
産地によって香りが多少異なる。インドやオーストラリア産は、強烈なレモン様の香りと鼻に抜ける強い辛味がある。日本産や中国産は穏やかなレモン様の香り。アフリカ産は、土臭さと脂っぽい甘さがありフレッシュさはないが、香りが強い。

### その他
ノート：ミドル
ブレンドファクター：2〜3

### 注意事項
高濃度で使用すると皮膚刺激がある。敏感肌の方は注意。
広い範囲で使用するときは少量にする。
妊娠初期は使用を避ける。

LESSON 1　精油ガイド

# ゼラニウム

フウロソウ科 *Pelargonium* 属

バラに似た香りの中にミントを思わせるグリーンでハーバルな香り。

学名 ● *Pelargonium graveolens*（ペラルゴニウム グラウェオレンス）
*Pelargonium asperum*（ペラルゴニウム アスペルム）
主な産地 ● マダガスカル、レユニオン島、エジプト、中国
抽出部位 ● 花と葉
抽出方法 ● 水蒸気蒸留法

ローズゼラニウムとも呼ばれる多年生の草本。果実の形が、コウノトリ（ギリシャ語でpelargos）のくちばしに似ていることから *Pelargonium* という属名がついた。開花前の花と葉を収穫、1日放置後に蒸留される。

**花と葉** ― バランス調整、抗うつ、解毒

### 主な作用
鎮静、鎮痛、自律神経調整、抗うつ、抗痙攣、抗炎症、皮脂分泌調整、収れん、止血、抗菌、抗ウイルス、抗真菌

### 主な芳香成分
モノテルペンアルコール類：シトロネロール25～40％（35～45％）、ゲラニオール20～30％（10～25％）、リナロール5～15％（5～10％）
エステル類：蟻酸シトロネリル5～15％（2～10％）
アルデヒド類：シトラール 微量
オキシド類：ローズオキシド 微量

ローズと共通の成分を含んでいる精油。シトロネロールは蚊が嫌う香りで、昆虫忌避作用がある。ゲラニオールは皮膚軟化、皮膚弾力回復、抗菌、抗真菌、抗うつ作用が特徴。主な芳香成分はフランス産と（　）内でエジプト産を記した。

### どんなときに選ぶ？
過度に内向的だったり、または興奮し過ぎていたりと気持ちが大きく揺れてしまい、心と体がアンバランスだと感じる日に。安定した中心軸を見つけて、情緒豊かに人生を喜び、楽しめるよう助けてくれる香り。

#### 心
興奮、不安、精神疲労、無気力、うつ状態、情緒不安定、ストレス、更年期

副腎や視床下部に働きかけ、ホルモン分泌や自律神経のバランスを調整して心と体の両面に作用するといわれている。更年期の情緒不安定、ストレス性の不調があるときブレンドに加える。

#### 体
むくみ、セリュライト、ダイエット、静脈瘤、解毒（デトックス）、昆虫忌避、痔、月経不順、月経痛、PMS（月経前緊張症）

リンパや静脈を強壮し、体内の余分な水分や老廃物の排出を助ける。むくみや肥満傾向があるときにジュニパー、サイプレス、グレープフルーツ、レモン、ローズマリー・ベルベノンとブレンドして、入浴、オイル塗布、トリートメントなどで用いる。蚊よけ対策に、シトロネラ、ゼラニウム、クローブ、ラベンダーの香りを拡散する。スプレー、クリームなどを作っておくとキャンプ場などへも持ち運びが可能で使いやすい。肝臓とすい臓を強壮する。排卵後から月経までの間に、むくみやイライラを感じやすい人に向く香り。慢性的に疲労感を感じている人にもよい。

#### 肌
しわ・しみの予防、乾燥肌、脂性肌、ニキビ、デオドラント、過度の発汗、手荒れ、ヘアケア、傷、マメ・水ぶくれ、虫刺され、皮膚真菌症

しわやしみ、皮膚の若返り、皮脂バランスの調整作用があり、スキンケアによく使われる。乾燥肌とオイリーな肌の両方によい。ニキビ肌や毒素がうっ滞した肌にはクレイパックを行う。収れんして止血する作用があり、傷や鼻血、痔の応急手当に役立つ。ふけや脱毛にマンダリン、ローズマリー（シネオール、ベルベノン）、パルマローザとブレンドされる。真菌による水虫や爪の白癬、あかぎれ、手荒れにはティーツリー、ローズウッド、ラベンダー、ベンゾイン、ユズとのブレンドがおすすめ。

### 主な使用法
アロマバス、トリートメント、スキンケア、ヘアケア、芳香浴

### ブレンドアドバイス
ブレンド全体に甘さとパウダリーなイメージを与える。やや重い香りなので、強すぎると感じたときはブレンド滴数を少なくしたり、ペパーミントやベルガモット、ラベンダーとブレンドしたりするとよい。

### 購入のポイント
価格：10mlで2,600～3,500円
産地によって香りが異なるので、購入前に確認すること。一般的には、フランス産やエジプト産のものがよく使われる。

### その他
ノート：ミドル
ブレンドファクター：3

### 注意事項
妊娠初期は使用を避ける。妊娠中期・後期の使用は可能だが、使用の際は体調に十分注意する。

PART 3　精油・キャリアオイルガイド

# タイム・リナロール

シソ科 *Thymus*属

スパイシーで甘さがあり、タイムの中では香りがやさしい。

学名● *Thymus vulgaris ct.linalool*
　　　（ティムス ウルガリス リナロール）
主な産地●フランス
抽出部位●花と葉（全草）
抽出方法●水蒸気蒸留法

防腐効果があり魚の生臭さを消してくれるので、料理の風味付けや防虫に衣類のポケットに葉を入れるなど、生活のあらゆる場面で利用されるハーブ。濃く抽出したタイムのティーを植物にかけると害虫避けになる。

花と葉 ─ 抗感染、精神強化、免疫強化

### 主な作用
鎮静、神経強壮、抗不安、抗痙攣、血圧降下、消化促進、子宮強壮、催淫、鎮咳、抗菌、抗ウイルス、抗真菌、昆虫忌避

### 主な芳香成分
モノテルペンアルコール類：リナロール60〜80％
モノテルペン炭化水素類：パラシメン2〜5％
セスキテルペン炭化水素類：β-カリオフィレン2〜10％
エステル類：酢酸リナリル2〜10％
フェノール類：チモール 微量、カルバクロール 微量

アルコール類が主成分で少量のフェノール類を含み、免疫強化、抗菌、抗ウイルス、抗真菌作用にすぐれているのが特徴。リナロールには中枢神経を鎮静し、不安を和らげる効果もある。パラシメンには抗リウマチ、鎮痛作用がある。

### どんなときに選ぶ？
引きこもりたい気分のときや力強さが欲しいときに。精神的にも肉体的にも活力を与えエネルギーが満ちてくる感覚をもたらす。精神を安定させ元気づける力が強い精油。不安な気持ちや憂うつな気持ちをも和らげてくれる。

### 心
精神疲労、無気力、多動、落ち着きのなさ、不安、不眠、食欲不振、うつ状態、恐怖、イライラ、自信の欠如

憂うつな気持ちを吹き飛ばし、精神を強くする。適切に希釈すれば思春期の子どもたちのストレスケアにも使用可能。タイム・チモール、タイム・ツヤノールにも同様の作用があるが、刺激の強いフェノール類が少なく、肌にやさしいのはツヤノールのタイプ。ユーカリ（プログルス、ラジアータ）、ペパーミント、レモンと組み合わせると気分が爽快になる。勉強など知的な活動をするときに役立つ。タイム・ゲラニオールはローズに似たやさしい香りで神経を強壮し、うつ的な気持ちを和らげる効果がある。

### 体
気管支炎、咳、風邪、耳炎、咽頭炎、防虫、疲労、便秘、膀胱炎、筋肉痛、消化不良、免疫低下、カンジダ性腟炎、ペットケア、口内炎、出産

タイムのハーブティーやタイム芳香蒸留水でうがいを行うと風邪の感染症の予防に役立つほか、飲用は消化を助け、便通を促す。利尿作用もあるので膀胱炎のときにも。免疫系を強化して、感染症を繰り返す人や子どもの気管支炎、咳にも役立つ。リウマチや筋肉の痛みには、タイム・リナロールより鎮痛作用が強いタイム・パラシメンが有効だが、皮膚への刺激が強いので使用量に注意が必要。タイム・リナロールは分娩時、陣痛が弱い場合に用いられることもある。梅雨時はタイムやラベンダーの精油と精製水、エタノールで作るスプレーを肌着やシーツ類に使うと、嫌なニオイが抑えられる。ペットのダニよけにもタイム、ティーツリー、ラベンダーなどが役立つ。

### 肌
しわの予防、皮膚真菌症、ニキビ

スキンケアには、主に作用が穏やかなタイム・リナロールの芳香蒸留水を利用、精油はごく少量をラベンダーやティーツリーなど他の似た作用がある精油とブレンドして用いるとよい。抗真菌作用が強いので爪や皮膚の水虫のケアにも役立つ。

### 主な使用法
アロマバス、トリートメント、スキンケア、ヘアケア、芳香浴

### ブレンドアドバイス
ローズ、ネロリ、イランイラン、ゼラニウム、ラベンダー、オレンジ、マンダリン、フランキンセンスなど、花、ハーブ、柑橘系の精油との相性がよい。

### 購入のポイント
価格：10mlで4,200〜6,500円
タイムは、生育環境によって香りが変わりチモールタイプ、パラシメンタイプ、ツヤノールタイプ、ゲラニオールタイプなど作用が異なる精油（ケモタイプ）があるので、用途に合わせて購入する。リナロールタイプは作用が穏やかなのでおすすめ。

### その他
ノート：ミドル
ブレンドファクター：2

### 注意事項
香りが強いので、少量（30mlの基材に対して）1〜3滴）で十分。
妊娠初期は使用を避ける。
妊娠中期・後期の使用は可能だが、使用の際は体調に十分注意する。
タイム・チモールは肌を荒らすフェノール類が多い。

LESSON 1　精油ガイド

# ティーツリー

フトモモ科 *Melaleuca*属

🌿 ユーカリに似た染み渡るようなフレッシュでシャープな香り。

学名●*Melaleuca alternifolia*（メラレウカ アルテルニフォリア）
主な産地●オーストラリア、中国
抽出部位●葉
抽出方法●水蒸気蒸留法

フトモモ科は約140種からなり、抗生物質の代わりに使われたものも多い。属名は、ギリシャ語のMelas「黒い」とLeukos「白い」に由来し、この木の幹が黒と白の部分があることからつけられた。

**葉／疲労回復、免疫強化、抗感染**

### 主な作用
副交感神経強壮、頭脳明晰、うっ滞除去、去痰、抗炎症、鎮痛、癒傷、抗菌、抗ウイルス、抗真菌、免疫強化

### 主な芳香成分
モノテルペン炭化水素類：γ-テルピネン15～30％、α-テルピネン5～10％、パラシメン～15％
モノテルペンアルコール類：テルピネン-4-オール35～45％
オキシド類：1,8-シネオール～5％
微量成分：α-ヒュムレン、ビリジフロロール、α-テルピネオール、α-ピネン

主成分のテルピネン-4-オールには、抗炎症、抗菌、抗ウイルス、抗真菌作用があり感染症を予防するほか、副交感神経を強壮する作用もある。α-テルピネン、γ-テルピネンには静脈を強壮し、うっ滞を除去する作用がある。

## どんなときに選ぶ？

慢性的な疲れを感じている人に。蓄積したストレスやこもってしまったマイナスの感情を浄化して安定させる。免疫力の低下や否定的な思考になりやすい傾向があるときに、冷静さや前向きな気持ちをもちやすくしてくれる香り。

### 心
精神疲労、不安、うつ状態、無気力、神経過敏、落ち込み、記憶・集中力の低下

心と体を強壮して沈んだ気持ちを引き上げ、意欲や活力を取り戻すきっかけになる。煮詰まってしまったときは、ティーツリー、ユーカリ（グロブルス、ラジアータ）、ラベンサラをブレンドしてみるとよい。頭に上がった気を落ち着かせて冷静に物事に取り組みやすくなる。いつも頭の中が気ぜわしく、やることがたくさんあるのに、なかなか取り組めない人に。

### 体
風邪、インフルエンザ、気管支炎、花粉症、咽頭炎、免疫低下、口内炎、歯痛、歯肉炎、膣炎、膀胱炎

優れた抗感染作用があり、呼吸器系の上気道と下気道の感染症に役立つ。たとえば風邪、インフルエンザ、花粉症などに。免疫系を刺激して白血球を活性化し、病気の予防や病後、抗生物質の飲用後に心身のバランスを整えてくれる。寝て起きてもなかなか疲れが取れないと感じるときにレモン、ティーツリー、ローズマリーなどのブレンドを用いると体のベースがすっきりすると同時に、シャープな香りは頭をすっきりとさせて行動的になる。分量に注意すればティーツリーは小さいお子さんにも使用可能。静脈やリンパのうっ滞を改善する効果も期待できる。静脈瘤や足の疲れ、むくみ対策にも使用される。

### 肌
皮膚の炎症、湿疹、手荒れ、皮膚真菌症、ニキビ、ヘルペス、帯状疱疹、やけど、傷、虫刺され、日焼けした肌、脱毛、ふけ、頭皮のかゆみ、おでき、痔

抗菌、抗真菌作用に優れているので、水虫、傷やニキビ、化膿した傷に役立つ。抗菌作用のある別の精油と組み合わせるとさらに効果大。蜂、蚊、クモ、ノミなどの虫に刺された後につけると治りがはやい。クリームを作っておくと、とても便利。ラベンダーとのブレンドは、放射線からの皮膚を保護する効果もあるといわれる。

### 主な使用法
アロマバス、トリートメント、スキンケア、ヘアケア、芳香浴

### ブレンドアドバイス
同じフトモモ科のユーカリやマートルのほか、レモン、ペパーミント、クラリセージ、ゼラニウム、ローズマリー、マージョラム、ラベンダー、ネロリなど柑橘系、ハーブ、花などの精油との相性がよい。ブレンドに少量加えるとフレッシュな印象を与える。

### 購入のポイント
価格：10mlで1,800～4,000円
幅広く使用できるので家庭に常備しておくと便利な精油。新鮮な精油を購入すること。古くなるとある程度までは、抗菌作用が増すが、同時に皮膚刺激が強くなる傾向にあることが確かめられた。良質とされるティーツリーの基準は、テルピネン-4-オールが35％以上、1,8-シネオールが5％以下であるとされる。

### その他
ノート：トップ
ブレンドファクター：3～4

### 注意事項
皮膚刺激を感じる場合もあるので敏感肌の方は注意。
妊娠初期は使用を避ける。

# ニアウリ・シネオール

フトモモ科 *Melaleuca*属

🌿 ユーカリに似た香りをベースにもち、やや甘く爽やかな香り。

学名●*Melaleuca quinquenervia ct.cineole*
（メラレウカ クウィンクエネルウィア シネオール）
主な産地●オーストラリア、マダガスカル、ニューカレドニア
抽出部位●葉
抽出方法●水蒸気蒸留法

カユプテの近縁種。葉と小枝から精油が抽出される。剥がれた紙のように見える樹皮を持ち、黄色い花を咲かせる常緑低木。この木が多い地域の空気は、清浄で感染症が発生しにくいことが知られていた。

葉 ─ 免疫強化、抗感染、去痰

### 主な作用
神経強壮、強壮刺激、抗痙攣、去痰、抗カタル、うっ血除去、うっ滞除去、癒傷、瘢痕形成、抗菌、抗ウイルス、抗真菌

### 主な芳香成分
オキサイド類：1,8-シネオール50〜60％
モノテルペン炭化水素類：α-ピネン5〜15％、リモネン2〜10％
モノテルペンアルコール類：α-テルピネオール3〜10％
セスキテルペンアルコール類：ビリジフロロール5〜10％、ネロリドール2〜10％
微量成分：β-カリオフィレン、酢酸テルピニル

1,8-シネオールが主成分の精油で去痰作用、抗菌、抗ウイルス作用、やや弱い抗炎症作用と抗痙攣作用がある。ビリジフロロールには女性ホルモンのエストロゲン様作用、ネロリドールには男性ホルモン的な作用があるとされている。

### どんなときに選ぶ？
失意や落ち込みを感じており、気持ちが不安定な状態のときに。情緒を安定させる力がある。精神的なストレスがホルモン分泌や肉体の症状に影響を与えているときに。落ち着いたところに調整してくれる香り。

### 心　PMS（月経前緊張症）、イライラ、落ち込み、精神疲労
フランキンセンス、ベルガモットなどとブレンドすると効果的。やさしくすっきりとした香りがリフレッシュさせて気持ちを切り替えやすくしてくれる。頭を明晰にして集中力を増す効果も期待できる。夜寝る前に多く使うと覚醒してしまい、眠れないこともあるので使用量を加減すること。

### 体　咽頭炎、気管支炎、花粉症、中耳炎、咳、インフルエンザ、歯肉炎、月経不順、更年期、膣炎、膀胱炎、卵巣のうっ血、静脈のうっ血、リンパのうっ滞、痔、下痢（食中毒）、セリュライト、免疫低下
抗ウイルス、抗菌、去痰作用が強く、風邪、副鼻腔炎、鼻づまり、咽頭炎、気管支炎、湿った感じの咳によい。体を強壮するので風邪などを繰り返さないよう予防したいときや病後の体力の回復に。エストロゲン様作用がある成分が少量含まれるので、月経の問題や更年期のケアに用いられる。静脈を強壮し、うっ血を除去するので足の疲れや痔のときにもよい。ニアウリはタイプを区別して使用すること。一般にはシネオールタイプが使われることが多い。ネロリドールが多いタイプは、男性ホルモン的な作用があるといわれており、下垂体や副腎を刺激して女性に用いると過剰に反応を起こしたという臨床例がある。

### 肌　老化肌、しわの予防、皮膚真菌症、ニキビ、傷、湿疹、化膿した傷、おでき、ヘアケア、口唇ヘルペス
抗菌作用が強いので、ニキビや傷によい。湿疹やおでき、とびひにも用いる。皮膚の老化を予防する効果も期待できるほか、頭皮ケアによい。脂っぽい髪やふけに。ティーツリー同様、放射線からの皮膚を保護する効果もあるといわれる。放射線治療後に塗布しておく。組織の壊死を防ぐとされ、以前はじょくそうに使われた。

### 主な使用法
アロマバス、トリートメント、スキンケア、ヘアケア、芳香浴

### ブレンドアドバイス
タイム、ティーツリー、ラベンダー、ローズマリー、ゼラニウム、マートル、ユーカリ、レモンなどハーブ、柑橘系、フトモモ科の精油との相性がよい。

### 購入のポイント
価格：10mlで1,800円
ケモタイプ（化学種）が存在し、主成分が1,8-シネオールのタイプとネロリドールのタイプがある。それぞれ作用が違うので用途に合わせて購入する。ネロリドールタイプ（マダガスカル産）はやや甘い香り。
*Melaleuca viridiflora*という学名も使われている。

### その他
ノート：トップ
ブレンドファクター：3

### 注意事項
皮膚刺激を感じる場合もあるので、敏感肌の方は注意。
妊娠初期は使用を避ける。
妊娠中期・後期の使用は可能だが、使用の際は体調に十分注意する。
ネロリドールタイプは、妊娠中の使用を避ける。

LESSON 1　精油ガイド

# ネロリ

ミカン科 *Citrus*属

花 ― 鎮静、安らぎ、希望

❀ 苦さと甘さをあわせもつ、繊細でフローラルな香り。

学名●*Citrus aurantium*（キトゥルス アウランティウム）
主な産地●モロッコ、チュニジア、エジプト
抽出部位●花（蕾）
抽出方法●水蒸気蒸留法

ビターオレンジの花がネロリ。果実が次第に黄金色に色づく様子から、黄金（Aurum）の柑橘（Citrus）という意味のC.aurantiumという学名がついた。日本では、春の終わりから初夏にかけて香りのよい白い花が咲く。

### 主な作用
鎮静、自律神経調整、抗うつ、抗不安、神経強壮、精神安定、抗痙攣、催淫、皮膚細胞活性、抗菌、抗ウイルス

### 主な芳香成分
モノテルペンアルコール類：リナロール40〜70％、ゲラニオール2〜5％、α-テルピネオール 微量
モノテルペン炭化水素類：リモネン5〜20％
エステル類：酢酸リナリル5〜15％、酢酸ゲラニル〜5％、アンスラニル酸メチル 微量
セスキテルペンアルコール類：ネロリドール 微量

柑橘果皮に多いリモネンは花には平均10％程しか含まれない。果皮と花では、香りの印象がかなり異なる。リナロール、α-テルピネオール、酢酸リナリルの相乗効果で抗不安、神経強壮、抗うつ、抗菌作用が特徴。ネロリドールは、男性ホルモン様作用があるといわれている。

### どんなときに選ぶ？
心が乱れ、つらい感情にあふれている日に。ストレスが体の奥まで入り込んでしまった感覚があり、何らかの不調が現れてしまったときに。日々過ごすことに精一杯で、意欲的に何かに取り組むことなど到底出来ないと感じているときに。

**心** うつ状態、喪失感、孤独感、悲嘆、感情の消耗、過度の攻撃性、ショック、失望、ペットロス、不安、心配、イライラ

心理的な理由や仕事、ライフスタイルに起因していつも疲れ、消耗している人、ストレスへの対応が苦手で、感情的に追い詰められ身動きが出来ない人、深く傷つき心の痛みや未解決の問題を抱えている人に。ネロリは、抑圧した感情を表現して気持ちを整理し、安らぎを取り戻して現実を受け入れ、再び回復する力を与えてくれる。魂を癒し、安心感、慰めを与える精油。

**心** 不眠、興奮、動悸、自律神経のアンバランス、マタニティケア

自律神経のバランスが乱れて、心身の不調や緊張性の発汗や吐き気、口の渇きがあるときに役立つ。もともと繊細で感受性が鋭い人に。胸元、みぞおちやのどなどストレスを感じるときゅっと縮んでつまるような感じがする所へ塗布してみるとよい。思春期の人のケア、妊娠中のストレスや出産時の不安の緩和、PMSや更年期の不調にも効果的。脳内のセロトニンの分泌を促すといわれている。

**体** 便秘、下痢、消化不良、腸内ガス（鼓腸）、食欲不振、疝痛、胃痛

ストレスからくる胃痛、疝痛、便秘、下痢や食欲不振に。日に2〜3回、みぞおちや手首につける。無香料のボディソープにブレンドするとやさしいオレンジの花の香りが気持ちを休める。子どもの神経性の下痢にもよい。

**肌** 妊娠線の予防、皮膚の老化防止、しみ、そばかす、色素沈着、スキンケア

皮膚の新陳代謝の促進と穏やかな収れん作用があり、老化肌や敏感肌、オイリー肌のケアやしみ・そばかす・色素沈着の改善、くすみの予防、妊娠線の予防に使用される。花を水蒸気蒸留すると得られるオレンジフラワー芳香蒸留水も、肌を整え胃腸の不調を改善するので、化粧水や着香料、飲料などで利用する。

### 主な使用法
アロマバス、トリートメント、スキンケア、ヘアケア、香水 湿布、芳香浴、吸入

### ブレンドアドバイス
柑橘系、花、ハーブ、樹脂、樹木の精油と相性がよい。ローズオットー、メリッサ、サイプレス、ラベンダー、プチグレン、マンダリン、カモミール・ローマン、ローズウッドなどとブレンドすると精神面のケアに大変役立つ。

### 購入のポイント
価格：10mlで15,000〜20,000円
栽培に時間がかかり、木1本分の花からとれる精油がとても少ないので、とても高価。スイートオレンジの花からも抽出されるが、ビターオレンジのネロリが最高品とされる。
1〜5mlの少量での購入も可能。有機溶剤法で抽出したオレンジフラワー・アブソリュートは、ネロリよりも粘性が高く重厚な香りが持続する。

### その他
ノート：ミドル
ブレンドファクター：2

### 注意事項
香りが強いので、少量（30mlの基材に対して2〜3滴）で十分。
車の運転や集中したいときは、使用を避ける。

PART 3 精油・キャリアオイルガイド

# バジル（スイート）

シソ科 Ocimum属

🌼 マイルドで心地よい甘さを持ち、スパイスを思わせるような香り。

学名●*Ocimum basilicum*（オキムム バシリクム）
主な産地●フランス、ベトナム、マダガスカル、コモロ諸島
抽出部位●花と葉
抽出方法●水蒸気蒸留法

和名はメボウキ。草丈の低い一年生草本。日本には江戸時代に漢方薬として中国から導入された。種子を水に浸したものを目のごみ取りに使ったのでその名がついた。現在は、咳止め、健胃、駆風剤として使われる。

### 主な作用
自律神経調整、頭脳明晰、抗痙攣、鎮痛、緩下、胆汁分泌促進、消化促進、消炎症、うっ滞除去、抗菌、抗ウイルス、抗真菌

### 主な芳香成分
フェノールエーテル類：メチルカビコール75〜95％、メチルオイゲノール0.5〜3％
モノテルペンアルコール類：リナロール10〜20％
微量成分：酢酸リナリル、カンファー、α-ピネン、1,8-シネオール、テルピネン-4-オール

メチルカビコールが主成分。特に抗痙攣作用が強いのが特徴。胃痙攣の痛み、神経性やアレルギー性の痙攣性の咳や喘息を鎮める。軽い通経作用もある。

花と葉 ― 抗痙攣、消化促進、精神安定

### どんなときに選ぶ？
多忙でストレスが多く、疲れきっている人に向く精油。心配事が気になりなかなか眠りにつけない、胃腸の痛み、消化不良、便秘や下痢などの症状が特に気になるときに。男性のビジネスマンにもよく使われる。

### 心
不安、緊張、ストレス、うつ状態、不眠、慢性疲労、無気力、動悸、過度の発汗、記憶・集中力の低下

緊張しやすくストレスを感じやすい人に。自律神経を調整する作用があり、精神的に疲れきった状態から開放する。頭脳を明晰にするので記憶力、集中力の欠如などにもよい。朝、少量のバジル、レモン、ローズマリー（カンファー、シネオール、ベルベノン）などを吸入するとよいスタートを切ることが出来、仕事や勉強がはかどる。結果、夜は落ち着いて休むことが出来るだろう。香りを利用して落ち込みや不安材料を少しずつ減らしてみよう。下垂体や副腎を刺激するといわれている。

### 体
神経性の痙攣、胃痛、疝痛、腎疝痛、胃酸過多、便秘、下痢、消化不良、嘔吐、肝臓の不調、腸内ガス（鼓腸）、喘息の予防

強力な抗痙攣と消化促進作用が特徴。胃、腸、肝臓、胆のう、すい臓など消化器系全体の働きを高める。消化に悪影響が及ぶようなストレスを抱えており、心配や不安などの精神状態からくる胃痙攣のような症状に。ペパーミント、レモン、カモミール・ローマン、ラベンダー、プチグレンなどとブレンドし、腹部に塗布すると痛みが和らぐ。胆汁分泌を促進する効果や肝臓のうっ血を除去したり、腎臓を強壮する作用もある。作用が強い精油なので日常的に使うよりも、症状が出ているときだけ用いる、あるいは少し間をあけて用いるとよい。

### 体
頭痛、月経痛、肩こり、関節炎、腰痛、リウマチ、坐骨神経痛、筋肉の拘縮・痙攣・こわばり・痛み

ラベンダー、ペパーミント、メリッサなどで効果が出ない頭痛の場合、試してみる価値がある。月経痛、少量月経、月経不順にもよい。ラベンダー、マージョラム、ユーカリ（グロブルス、ラジアータ）、レモンなどとブレンドし、筋肉や関節のケア、関節炎、テニスひじ、筋肉の痙攣、肩こり、腰痛、坐骨神経痛などにも使われる。

### 主な使用法
アロマバス、トリートメント、スキンケア、ヘアケア、芳香浴

### ブレンドアドバイス
ブレンドに加えるとかなりバジルの香りが強調される。他の香りも引き立たせたいときは分量を加減すること。レモン、ネロリ、フランキンセンス、ペパーミント、ローズマリーなど柑橘系、花、樹脂、ハーブの精油と相性がよい。

### 購入のポイント
価格：10mlで2,100〜2,600円
香りの主成分がメチルカビコールタイプ、リナロールタイプ、メチルオイゲノールタイプなどが存在。スイートバジルと呼ばれているのは、メチルカビコールタイプのもの。

### その他
ノート：トップ〜ミドル
ブレンドファクター：2

### 注意事項
高濃度で使用すると皮膚刺激がある。敏感肌の方、乳幼児への使用は注意。
作用が強いので、少量（30mlの基材に1〜3滴）で十分。
妊娠中、授乳中は使用を避ける。

LESSON 1 精油ガイド

# パチュリー

シソ科 *Pogostemon*属

🌿 オリエンタル調で、東洋的なイメージが強い重い香り。

学名● *Pogostemon patchouli*（ポゴステモン パチョウリ）
　　　 *Pogostemon cablin*（ポゴステモン カブリン）
主な産地●インド、インドネシア、マレーシア、マダガスカル
抽出部位●葉（乾燥した葉）
抽出方法●水蒸気蒸留法

葉 ― 現実的思考、鎮静、落ち着き ―

多年生草本。70cmほどに生育し下の葉が黄ばむ頃に収穫。摘まれた後に香りが高まるので、数日間放置し発酵させて蒸留する。昔、インドのカシミール地方では衣服などの虫除けにパチュリーの葉を用いたという。

### 主な作用
鎮静、催淫、静脈強壮、うっ滞除去、収れん、血流促進、抗炎症、皮膚細胞活性、抗菌、抗ウイルス、昆虫忌避

### 主な芳香成分
セスキテルペン炭化水素類：
α-ブルネッセン5～25％、α-ガイエン5～15％、α-パチュレン2～10％、β-パチュレン～2％
セスキテルペンアルコール類：
パチュロール30～45％

セスキテルペン炭化水素類の各成分とセスキテルペンアルコール類のパチュロールの相乗効果で静脈の強壮、体液の循環促進、皮膚組織再生と精神面の作用が高まる。虫が嫌う香り。パチュロール（パチュリアルコール）は、香りの決め手になる重要な成分。

## どんなときに選ぶ？

気持ちがふわふわとして夢見がちになり、現実離れした感覚の日に。地に足をつけて生活することを助ける。第1チャクラのエネルギーを整えて、グラウンディングを助ける精油のひとつだといわれている。

### 心
うつ状態、不安、緊張、ストレス、インポテンツ、不感症、性的な問題、倦怠感、慢性疲労、過食

土っぽく温かみのある甘い香りには、緊張や不安を和らげる抗うつ作用と催淫作用が知られている。気持ちを穏やかにしてゆったりと過ごす時間の大切さを思い出させてくれる。過労や慢性的なストレスから免疫力が低下しているようなときに芳香浴で用いるとよい。頭を使いすぎる人、考えすぎるばかりで現実的な行動が伴わない人、精神的活動ばかりに意識が向いてしまい、体の声や欲求を無視しがちな人に。過剰すぎる頭の働きを鎮めて体とのつながりを保ち、精神と肉体を調和させる。ストレスから過食傾向にあるとき、食欲を調整するといわれている。

### 体
むくみ、静脈瘤、痔、足の疲れ、腰痛、坐骨神経痛、冷え性、PMS（月経前緊張症）、更年期

静脈やリンパの流れを刺激し、体液の滞留を改善する。その結果体を温めるので、循環が悪く、むくみがちで冷え性、静脈瘤や痔になりやすい人に使うとよい。ゼラニウム、ペパーミント、サイプレス、レモンとブレンドするとより効果的。更年期や月経前の不快な精神的、肉体的症状に使われる例もある。その他、軽い解熱、消化促進の作用もある。

### 肌
脂漏性湿疹、ニキビ、かゆみ、あかぎれ、手荒れ、アレルギー性の皮膚炎、虫さされ

パチュリーにはラベンダーやネロリのように皮膚を再生させて新陳代謝を促進させる作用がある。たるんだ皮膚の引き締め、老化肌、あかぎれ、硬く荒れた肌、傷や傷あとのケア、ニキビ、脂っぽい頭皮とふけ対策に用いるとよい。解毒を助けるのでラベンダー、ティーツリーとブレンドしてクリームを作り、虫に刺された後に塗布するとよい。

### 主な使用法
アロマバス、トリートメント、スキンケア、ヘアケア、芳香浴

### ブレンドアドバイス
少量で鎮静、多量の使用で気分が高揚する。サンダルウッド、ベンゾイン、ローズウッド、ラベンダー、ローズなど樹木、樹脂、花、ハーブの精油と相性がよい。ベースノートなのでブレンドすると他の精油の香りを持続させる。

### 購入のポイント
価格：10mlで1,700～2,100円
香りや効果に違いがあるので、パチュロール（パチュリアルコール）が30％以上のものを購入する。*cablin*種と*patchouli*種がある。香水の原料には*patchouli*種が、アロマテラピーではどちらも使われる。時間と共に香りが熟成し変化していく精油。

### その他
ノート：ベース
ブレンドファクター：1～2

### 注意事項
香りが強いので、少量（30mlの基材に1～3滴）で十分。
妊娠初期は使用を避ける。
妊娠中期・後期の使用は可能だが、使用の際は体調に十分注意する。
少しくせのある個性的な香りなので使用場所に注意。

# パルマローザ

イネ科 *Cymbopogon*属

🌱 青々とした草の軽い爽やかさとローズを思わせるフローラルな香り。

学名●*Cymbopogon martini*（キンボポゴン マルティニ）
主な産地●ネパール、マダガスカル、インド、コモロ諸島
抽出部位●葉
抽出方法●水蒸気蒸留法

主に熱帯に分布するイネ科の多年性草本。レモングラス、シトロネラは同じ科、属の植物。水はけがよく、日当たりのよい土地を好む。属名の*Cymbopogon*は穂の形にちなみ、ギリシャ語のKymbe（舟）とPogon（ひげ）に由来。

### 主な作用
鎮痛、鎮静、神経強壮、抗不安、抗うつ、子宮収縮、皮膚細胞活性、収れん、皮膚弾力回復、抗炎症、瘢痕形成、抗菌、抗ウイルス、抗真菌、免疫強化、解熱

### 主な芳香成分
モノテルペンアルコール類：ゲラニオール70〜80％、リナロール2〜5％、ネロール〜1％、シトロネロール 微量
エステル類：酢酸ゲラニル5〜10％、
微量成分：リモネン、β-ミルセン、β-カリオフィレン、γ-テルピネン

主成分のゲラニオールは、抗うつ作用、抗菌作用、抗真菌作用、収れん作用、皮膚の弾力を回復する作用が特徴の精油成分。パルマローザはネロール、酢酸ゲラニル、ゲラニオールなどローズと同じ芳香成分を含む。

葉 ― 精神強化、皮膚のアンチエイジング、バランス調整

### どんなときに選ぶ？
肌のお手入れを念入りにしたい日に。スキンケアに大変効果がある精油。不安な気持ちや気分が滅入ってしまったときは、ローズに似た香りが心を安定させて精神面のアンバランスを整えてくれる。

**心** 神経過敏、うつ状態、興奮、不安、心配、動悸、落ち着きのなさ、不眠、イライラ

過度に興奮したときは気持ちを落ち着かせて精神を調整する。高揚感をもたらす香りでもあり、心配事やストレス、落ち込んだ気持ち、不安感、孤独感、心細さを感じているようなときは、ローズのようにそっといたわり慰めながら、草やレモンの香りのようにうつ状態を開放し、元気づけてくれる。起きたことに柔軟に適応して穏やかな気持ちで過ごす助けになる香り。

**体** 中耳炎、副鼻腔炎、気管支炎、咽頭炎、膀胱炎、カンジダ性腟炎、免疫低下、腰痛、リウマチ、神経痛、出産

免疫系を刺激、強壮するので病後の回復期や疲れがたまってきたときに用いる。抗炎症作用と鎮痛作用があるので、ラベンダー、ティーツリー、サンダルウッドなどとブレンドし腟炎、膀胱炎、尿道炎など泌尿器系の症状や気管支炎など呼吸器系の症状にも用いられる。消化不良のときには、腹部に塗布し、軽いトリートメントや入浴で使用する。子宮収縮を促進する作用があり、出産準備や出産時に用いられることもある。

**肌** 皮膚炎、かゆみ、じん麻疹、湿疹、全ての肌タイプのケア、しわの予防、皮膚真菌症、ひびわれ、毛包炎、発汗

スキンケアによく利用される。皮膚細胞を活性化して、肌のハリやつや、潤いや弾力を回復して若返らせる効果がありローズやラベンダー、ネロリなどとブレンドする。新しい細胞の再生を助ける。収れん作用や抗真菌、抗菌作用もあるのでおできや湿疹、真菌症を含むオイリーな肌、乾燥肌、敏感肌までのどのタイプでも使用できるが、特に老化肌、掻痒感のある肌によい。じくじくと体液が浸出する傷や湿疹、水虫、爪白癬、ニキビのほか、脱毛、ふけなど頭皮のケアにも用いる。

### 主な使用法
アロマバス、トリートメント、スキンケア、ヘアケア、芳香浴

### ブレンドアドバイス
ゼラニウム、ローズ、ネロリなど同じゲラニオールという成分を含む精油やジャスミン、イランイラン、ローズウッド、ラベンダーなどのスキンケアに使われることが多い精油と相性がよい。

### 購入のポイント
価格：10mlで1,800〜2,000円
上質のものは、蒸留時期にこだわり、穂が出はじめてから開花のピークまでの精油量が多い時期に葉を収穫して乾燥させたものを蒸留している。

### その他
ノート：トップ〜ミドル
ブレンドファクター：4

### 注意事項
基本的な用法・用量を守る。妊娠中は使用を避ける。妊娠37週以降に使われることがある。

LESSON 1 精油ガイド

# ヒノキ

ヒノキ科 Chamaecyparis属

木部｜殺菌・消毒、浄化、鎮静

🌿 どこか懐かしさを感じるウッディでアンダートーンの落ち着いた香り。

学名●*Chamaecyparis obtusa*（カマエキパリス オブトゥサ）
主な産地●日本
抽出部位●木部（心材）＊
抽出方法●水蒸気蒸留法

### 主な作用
鎮静、疲労回復、血流促進、消臭、抗菌、抗真菌、抗ウイルス、昆虫忌避（防ダニ）

### 主な芳香成分
モノテルペン炭化水素類：α-ピネン5〜20％
セスキテルペン炭化水素類：カジネン15〜25％
セスキテルペンアルコール類：
　α-カジノール5〜10％、T-ムロロール10〜15％
微量成分：α-テルピネオール、酢酸テルピニル、ボルネオール

福島県より以南の日本各地に分布し栽培されている。白い木肌で木目がそろって美しく、材質は緻密、害虫、雨水、湿気にも強く、最高の建材となる。近縁種に台湾ヒノキ（*Cyamaecyparis taiwanensis*）がある。

ヒノキの心材、あるいは枝葉から精油が抽出される。心材には、α-ピネン、カジネン、酢酸テルピニルなどが含まれ、体液のうっ滞除去、神経強壮、鎮静などの作用が期待できる。

### どんなときに選ぶ？
自分のベースを整えたいときに。しゃきっとして冷静沈着に行動したいときに役立つ。木部の精油はより鎮静効果が強くなるが、木部と葉の精油はともに精神を浄化し、リフレッシュする効果がある香り。

### 心　うつ状態、無気力、興奮、精神疲労、免疫低下、欲求不満
神経を強壮させる作用と鎮静させる作用をもつ芳香成分を含み、心を安定させるが落ち着きさせすぎないのも特徴。中心のエネルギーを通し、冷静さを失うことなく、心身の環境を整えてベースをひき上げ安定させる。静かに活動のスイッチが入るので、あとからゆっくりとやる気が出てくる。ヒノキとエステル類の多い精油をブレンドすると、自律神経系の調整作用や抗痙攣作用、鎮静作用がより強化される。α-テルピネオールは、ネロリ、ローズウッド、ニアウリ、プチグレン、ラベンサラ、マージョラムにも存在し、催眠作用や神経を強壮しストレスから保護する作用を持つ。

### 体　肉体疲労、むくみ、足のだるさ、アレルギー性鼻炎
体を外からじっくり温め、肺など呼吸器系を整える。静脈のうっ血やリンパのうっ滞を流す効果があり、冷え性やむくみ、下肢のだるさなどに役立つ。ヒノキの木部、葉の精油にはアレルギー性鼻炎、気管支喘息などの要因となるダニを予防する作用もあるので、掃除などに用いるとよい。

### 肌　脱毛、育毛、老化肌、ニキビ、ペットケア
ヒバやヒノキの精油には、育毛効果や抗菌作用、皮膚細胞活性化作用があるので少量を頭皮や顔のローションに配合されることもある。頭皮のトニックになり、抜け毛やふけを予防し、脂っぽい皮膚を収れんする作用が期待できる。ヒノキの木部、葉の精油はともに、ペットのケージの掃除やトイレのニオイの消臭に使うこともある。

### 主な使用法
アロマバス、トリートメント、スキンケア、ヘアケア、芳香浴

### ブレンドアドバイス
過度にブレンドすると、つんとした香りが目立ちすぎたり、咳き込んだりすることがあるので量を加減して使用する。少量加えると香りの保留剤となる。柑橘系、花、樹木の精油と相性がよい。木部の精油はやや粘度があり、ビンから垂らしにくい。

### 購入のポイント
価格：木部は10mlで1,500円／葉は10mlで1,800円
ヒノキの精油は、木部（心材）、葉と抽出部位が違う精油が存在する。香りの印象が異なるので、確認してから購入する。ヒノキ葉の精油は、樟脳臭が強く、フレッシュな印象の香り。

### その他
木部●ノート：ベース
　　　ブレンドファクター：1
葉●ノート：トップ〜ミドル
　　ブレンドファクター：3

### 注意事項
高濃度で使用すると皮膚を刺激することがある。敏感肌の方は注意する。

---

＊**葉の精油の主な芳香成分**

ヒノキ葉精油には、脱臭効果やカビやダニの繁殖を予防するすぐれた効果がある。エタノールと水に5〜10％に希釈し、常備しておくとよい。

モノテルペン炭化水素類：サビネン10〜20％、α-ピネン、リモネン10％、β-ミルセン6％
セスキテルペンアルコール類：オウデスモール 微量
エステル類：酢酸ボルニル5〜10％
微量成分：テルピネン-4-オール、γ-テルピネン、パラシメン

PART 3　精油・キャリアオイルガイド

# プチグレン

ミカン科 *Citrus*属

🌿 葉を揉んだときの青臭さと少しネロリを思わせる個性的な香り。

学名●*Citrus aurantium*（キトゥルス アウランティウム）
主な産地●スペイン、イタリア、パラグアイ、チュニジア
抽出部位●葉
抽出方法●水蒸気蒸留法

ビターオレンジからとれる3種類の精油のひとつ。昔、原料にした果実が穀物の粒に似ていたことと葉の蒸留後に精油が小さな粒のように水面に浮いてくる様から、小さな(Putit)粒・穀物(grain)という名がついたという。

### 主な作用

鎮静、抗うつ、抗不安、自律神経調整、精神安定、神経強壮、血圧降下、抗痙攣、皮膚組織活性、抗菌、抗ウイルス、癒傷、瘢痕形成

### 主な芳香成分

エステル類：酢酸リナリル40〜55％、酢酸ゲラニル5％、アンスラニル酸ジメチル 微量
モノテルペンアルコール類：リナロール20〜30％、α-テルピネオール2〜10％
モノテルペン炭化水素：β-ミルセン〜5％、リモネン〜5％、β-オシメン〜5％、β-ピネン〜10％
セスキテルペン炭化水素：β-カリオフィレン〜5％

酢酸リナリル、リナロール、α-テルピネオールには鎮静、鎮痛、抗痙攣作用があり精神的、肉体的なリラクゼーションに最適。アンスラニル酸ジメチルは、副交感神経の強壮と抗不安作用が特徴の精油成分。

葉 ― 抗不安、鎮静、安らぎ

### どんなときに選ぶ？

1日中気持ちが休まらず眠りも浅いときに。心と体のスイッチを切って休息モードにしてくれる。「休息」こそがまず必要な人に。この香りは、副交感神経の働きを高めて自律神経のバランスを調整する。

**心** 興奮、不安、心配、緊張、うつ状態、怒り、動揺、精神的疲労、不眠、自律神経のアンバランス

プレッシャーや心配で押しつぶされそうなとき、乗り越える心の強さを与えてくれる。心理的に動揺し、自身の存在が揺らいだとき、「軽さ」と「気楽さ」を思い出させる。責任や重荷を抱えやすく、長く心身ともに疲れてしまった人に。中枢神経を抑制する作用が強い。

**体** 動悸、不整脈、高血圧、血栓症、消化不良、疝痛、胃痛、胃炎、嘔吐、しゃっくり、月経痛、マタニティーケア

ストレスからくる消化器や循環器の問題、例えば消化不良、痙攣性の胃痛、疝痛を伴う下痢、便秘、動悸、不整脈、コレステロール過多などに。夜は鎮静作用のある精油、朝は刺激し、強壮する精油とブレンドして、生活のリズムを整えるとよい。また、月経痛の緩和やしゃっくりにも効果的とされる。会陰部を柔軟にするので出産準備に用いられることもある。

**体** 気管支炎、痙攣性の咳・喘息の予防、耳鳴り、筋肉の痙攣、アレルギー性鼻炎、免疫低下

痙攣を伴う咳を鎮める。風邪のときユーカリ（グロブルス、ラジアータ）やラベンサラ、サイプレスとブレンドするとよい。免疫力を高めるので病後の回復にも役立つ。アレルギー性の咳や喘息の予防には、自律神経系調整、免疫強化、ストレスを緩和する精油を取り入れることがポイントとなる。

**肌** 過度の発汗、傷、デオドラント、ヘアケア、スキンケア、ニキビ、脂性肌、老化肌

皮脂分泌が過剰な肌や頭皮を清浄にする。脂っぽいふけが出るときにトニックまたはリンスとして使用する。キャロットシード、ネロリ、ローズ、ローズヒップ油とブレンドすると、老化によるしみを予防する。皮膚の組織を再生し、ニキビや傷の治りを早め、傷あとも残りにくい。

### 主な使用法

アロマバス、トリートメント、スキンケア、ヘアケア、香水、芳香浴、吸入

### ブレンドアドバイス

柑橘系主体のブレンドに少量加えると香り全体に深みが出て調和がとれる。花や樹木の精油、パチュリー、ベチバー、シダーウッド、クローブなど重厚な香りともよく合い、男性用の香水にも向く。オレンジ1滴、マンダリン2滴、プチグレン2滴のブレンドはネロリの代用になる。

### 購入のポイント

価格：10mlで1,600〜3,000円
ネロリと効能が似ているが、プチグレンのほうが安く購入しやすい。ビターオレンジ以外の柑橘の葉のプチグレンも入手可能。香りと価格に多少の違いがある。プチグレン・マンダリンは、アンスラニル酸ジメチルを50％以上含み、特に抗不安作用が強い。プチグレン・レモンは、シトラールを50％程含み、鎮痛、血圧降下、鎮静作用がある。プチグレン・ベルガモットは、リナロール50％程とアンスラニル酸ジメチルを含み、プチグレン・ビターオレンジと似ている。

### その他

ノート：ミドル
ブレンドファクター：2〜3

### 注意事項

車の運転や集中したいときは、使用を避ける。

LESSON 1 精油ガイド

# ブラックペッパー

コショウ科 *Piper*属

> コショウ特有のシャープでスパイシーな温かみのある香り。

学名●*Piper nigrum*（ピペル ニグルム）
主な産地●インド、マダガスカル、スリランカ
抽出部位●種子（乾燥させた種子）
抽出方法●水蒸気蒸留法

インド原産のつる性の常緑低木。つるの長さは5～6mに達し、葉は卵状の楕円形で先がとがっている。サンスクリット語のPippaliが名前の由来。中世では持参金や税金が高価なコショウで支払われたという。

### 主な作用
神経強壮、強壮刺激、鎮痛、催淫、脂肪溶解、食欲増進、消化促進、去痰、抗貧血、抗カタル、発汗、解熱、抗菌、抗ウイルス、加温

### 主な芳香成分
モノテルペン炭化水素類：リモネン10～20％、δ-3-カレン5～15％、α-ピネン5～15％、β-ピネン5～15％、サビネン5～15％、β-フェランドレン微量
セスキテルペン炭化水素類：β-カリオフィレン20～40％、α-ヒュムレン～5％、α-コパエン微量
微量成分：テルピネン-4-オール、1,8-シネオール

心身を強壮・刺激して消化を促進する作用がある成分が多い。この精油に多く含まれるβ-カリオフィレンには、体液循環の促進と胃酸分泌を抑えて胃の粘膜を保護する作用があることが知られている。

## どんなときに選ぶ？

心と体を温め気力を充実させたいときに。体が温まってくると自然とやる気も出てくるもの。ブラックペッパーは、体を流れる血液やサトルエネルギーの循環を促進し、イキイキと元気づけてくれる精油のひとつ。

### 心
怒り、性的な問題、インポテンツ、無気力、うつ状態、精神疲労、記憶・集中力の低下、冷淡、無感動、鈍感

セクシャリティの問題が肉体的疲労から来ている場合、体の活力を高めるためにブラックペッパーやジンジャーなどとリラックスさせ自己イメージを高める効果があるイランイラン、ジャスミン、ネロリ、ローズ、サンダルウッドなどをブレンドすることがある。鋭敏な感受性を取り戻して、記憶力や集中力を増す力があるので、物事に無関心、無感動になっているときに効果的。特に柑橘系とのブレンドがおすすめ。怒りなどの感情を抑圧せずにうまく発散したいときにも使ってみるとよい。

### 体
消化不良、便秘、腸内ガス（鼓腸）、歯痛、歯周病の予防、筋肉痛、リウマチ、腰痛、坐骨神経痛、肩こり、冷え性、ダイエット、発熱

忙しくゆっくり食事が出来ないときやストレスなどがあり、消化不良や便秘、腸内ガスがたまるなどの症状が気になるときに。消化器系全体をおだやかに刺激し、胃腸の蠕動運動を活性化して消化液の分泌を促す。食欲がないときに、食欲を増す作用もある。末梢の血流を増やし局所的に温めるので、冷え性、腰痛や肩こり、坐骨神経痛などによい。足の指先から甲、足首、仙骨周辺、腹部、肩甲骨周辺、鼻骨の上などポイントを絞って塗布するとよい。咽頭炎や痰、解熱にも用いられる。ブラックペッパー、グレープフルーツ、フェンネルなどのブレンドが交感神経を活性化し、脂肪の燃焼や代謝をアップさせる効果があるといわれている。

### 肌
デオドラント、ヘアケア、指先の手荒れ

ブラックペッパーの精油は、メインでスキンケアに用いられることはあまりない。全体の香調に独特のアクセントを与えるものとして、他の精油にごく少量がブレンドされることがある。手先が荒れて困っているときにラベンダー、ティーツリー、ベンゾイン、フランキンセンス、ユズなどスキンケアに役立つ精油と一緒にごく少量ブレンドするとよい。

### 主な使用法
アロマバス、トリートメント、スキンケア、ヘアケア、芳香浴

### ブレンドアドバイス
ローズ、ユーカリ、フランキンセンス、ジンジャー、クローブ、シナモンなどと相性がよい。

### 購入のポイント
価格：10mlで2,200～3,600円
食品添加物認可を受けた、料理にも利用できるブラックペッパー精油も購入が可能。（10mlで3,800円くらい）

### その他
ノート：トップ～ミドル
ブレンドファクター：1～2

### 注意事項
高濃度で使用すると皮膚刺激がある。敏感肌の方は注意。
妊娠初期は使用を避ける。
過度の使用は、腎臓を刺激する。少量（30mlの基材に1～3滴）で十分。

---

種子｜末梢の血流促進、心身の強壮刺激

# フランキンセンス（オリバナム、乳香）

カンラン科 *Boswellia*属

澄んだ甘さがあるバルサミックな香り。わずかにレモン様の香りも。

学名●*Boswellia carterii*（ボスウェリア カルテリ）　抽出部位●樹脂
主な産地●ソマリア、インド、エチオピア、オマーン、イエメン　抽出方法●水蒸気蒸留法、有機溶剤法

乾燥した半砂漠地域に育つ。梅に似た外観の低木。幹から染み出した乳白色で涙型の樹脂は、「乳香」と呼ばれ、古代エジプトでは燃やして太陽神ラーに捧げられた。名は真の（Frank）香り（incense）という意味。

## 主な作用
鎮静、抗うつ、去痰、抗カタル、瘢痕形成、癒傷、皮膚細胞活性、抗菌、抗ウイルス、抗真菌、免疫強化

## 主な芳香成分
モノテルペン炭化水素類：α-ピネン25～35％、リモネン10～20％、パラシメン5～7％、β-ミルセン2～10％、サビネン～5％
モノテルペンアルコール類：α-テルピネオール微量、リナロール微量
セスキテルペン炭化水素類：β-カリオフィレン～10％
オキシサイド類：1,8-シネオール微量

木の樹脂の精油だが、木の葉や枝に含まれる成分を含み、拡散すると森林浴効果も期待できる。また心を静め、免疫系を刺激し、抗アレルギー作用も期待できる精油。

樹脂｜鎮静、落ち着き、新しい方向性

### どんなときに選ぶ？
精神を高揚させ、恍惚感をもたらすと同時に深く心を鎮める香り。神秘的な力を取り入れたいときに。やりたいことの焦点がはっきりとクリアになる。気持ちの面で軌道修正したいときに。上下にゆれる気持ちをおさめて落ち着かせる香り。

### 心
イライラ、うつ状態、心の傷、過度の緊張、ショック、不安、パニック、強迫観念、固執、心身のアンバランス

瞑想状態に導く香り。英語のPerfume（香水：パフューム）の語源は、ラテン語のPer fumum（煙を通してという意味）。樹脂や香木を火で焚く「薫香」は、人々を清め、癒し、悪霊やわざわいを払う力があり、人と神を結ぶものとされた。そのとき使われたのがフランキンセンス。現在でも分析不明な芳香成分が多く、神聖な儀式に使われた古代の歴史そのままの香りによる精神的作用を期待して用いられる。体の中心を流れる気（サトルエネルギー）を上下に通して開放する。急なパニックになったときに吸入するとよい。プチグレ、ラベンダー、ネロリ、マンダリン、ローズと合わせると抗不安、抗ストレス作用にすぐれたブレンドになる。未経験のものに対する恐怖にも役立つ。

### 体
免疫力低下、喘息の発作、カタル症状、気管支炎、風邪

殺菌消毒、肺や鼻、のどの粘膜を鎮静し、過剰な粘液を排出する。気管支炎や風邪のときに。サイプレスとブレンドし、喘息の発作時に用いる。体が虚弱な人や極度に緊張し、体全体がこわばっているような人にもよい。カモミール・ローマン、ローズ、ミルラ、マージョラム、ジュニパー、ラベンサラなどと合わせて拡散し、呼吸を意識しながらストレッチやヨガなどをゆっくりと行うとよい。呼吸も深くなり、ゆったりとした平和な気持ちがもたらされ、同時に気持ちもゆるみ、免疫力も刺激される。

### 肌
傷、手荒れ、老化肌、皮膚真菌症、乾燥、しわ、たるみ

乾燥肌や老化肌、あかぎれなどによい。肌をうるおし、やわらかくする。瘢痕の形成を早め、傷の回復をはやめる作用があり、傷ついた皮膚を若返らせ再生させる。キャロットシード、ローズ、ネロリ、ラベンダーなどとのブレンドは、皮膚のアンチエイジングに特におすすめ。

### 主な使用法
アロマバス、トリートメント、スキンケア、ヘアケア、芳香浴

### ブレンドアドバイス
香りの保留剤にもなる。ベチバー、パチュリーなどに比べるとどちらかというと軽い印象のベースノート。ネロリ、ローズ、ミルラ、シナモン、マンダリンなど柑橘系、花、スパイス、樹脂の精油と相性がよい。

### 購入のポイント
価格：10mlで3,150～7,000円
*Boswellia sacra*という種からもフランキンセンスが抽出される。産地や種によって香りと価格は異なる。

### その他
ノート：ベース
ブレンドファクター：3～4

### 注意事項
基本的な用量・使用法を守る。妊娠初期は使用を避ける。

LESSON 1　精油ガイド

# ベチバー

イネ科 Vetiveria属

🌿 土臭さとかすかな甘さがある重厚で独特な香り。

学名●*Vetiveria zizanioides*（ウェティウェリア ジザニオイデス）
主な産地●ジャワ島、インド、ブラジル、レユニオン島
抽出部位●根（乾燥した根）
抽出方法●水蒸気蒸留法

**根　鎮静、安定、気力の充実**

熱帯地域に育つ草丈2m程の草本。昔は根や葉から扇、すだれ、マットなどが織られ、水を振って涼風を呼んだという。葉にはほとんど香りがない。ベチバーはタミール語で「掘り起こした根」を意味する。

### 主な作用
鎮静、抗うつ、抗痙攣、抗貧血、うっ滞除去、皮膚細胞活性、抗菌、抗ウイルス、抗真菌、免疫強化、防虫

### 主な芳香成分
セスキテルペンアルコール類：ベチベロール50〜70%
ケトン類：ベチベロン 微量
微量成分：ベチボン、ベチバズレン、β-カリオフィレン、α-グルジュネン

ベチバーの主成分ベチベロールには、神経を鎮静させる作用と全身を刺激強壮する作用が知られている。ベチベロールは単体の成分ではなくクシモール、クシノール、ベチセリノールなどいくつかの成分の混合体の総称である。抗炎症作用があるカマズレンの前駆体、ベチバズレンを含むのも特徴。精油は抽出後、しばらく熟成させて土臭さが落ち着いてから出荷される。

### どんなときに選ぶ？
たとえば2〜3月末など、新しい季節や新学期を迎えるにあたり、あせる気持ちや変化を望む気持ちが高まってきたときに。イライラや緊張をなくして心を鎮めオープンな状態に整えてくれる香り。

**心** 興奮、神経過敏、うつ状態、不眠、PMS（月経前緊張症）、ストレス性の症状、精神的消耗、不安、不眠、依存

気持ちがぴりぴりして、感情の起伏が激しく、過度な攻撃性があるときなど、心の中の熱を冷まし、高ぶった感情を鎮静して精神を安定させる。ストレス性のめまいや不眠、軽いうつ状態、精神疲労などによい。軽い催淫作用もあるといわれている。土臭い香りは、第1、第3チャクラとも関係が深いといわれており、エネルギーの流れを正常に戻し、グラウンディングを助けてくれる。自分を見失いがちで不安定になっているときや、何かに依存しているとき、精神的な活動過多のときに。離婚、死別など人生における大きなショックを感じているときに。夜、好きな精油にベチバーを1滴加えたアロマバスがおすすめ。

**体** 消化不良、神経性胃炎、関節炎、筋肉痛、リウマチ、疲労、防虫、免疫低下

ストレスや過労が多く、本来備わった免疫力が低下してしまったときによい。また、胃腸の働きや吸収する力を高めるので、体重の減少、貧血、消化不良のため、食事がなかなか栄養になりにくいときにもよい。軽いホルモン様作用もあるといわれており、月経周期を整えたいときや更年期に用いる。関節や筋肉、結合組織を強壮する作用と穏やかな血行促進作用があり、リウマチなどにも用いる。

**肌** ニキビ、ハリ・つやを失った肌、頭皮ケア、炎症、かゆみ、スキンケア

心と肌の両方を鎮静する。ベチバー単品で使われることは少ない。少量を他の精油と組み合わせて、ニキビや脂性肌、炎症がある肌、肌荒れ、老化肌に用いられる。ネロリ、柑橘系とブレンドし、ストレス性の脱毛に使用された例もある。

### 主な使用法
アロマバス、トリートメント、スキンケア、ヘアケア、芳香浴

### ブレンドアドバイス
粘度が高く垂らしにくい。香りの保留性が高い。ウッディ、アーシー調にしたいときに役立つが多すぎると全体の印象がベチバーの香りになりやすい。若干、くせもあるので量を加減すること。柑橘系、クラリセージ、ラベンダー、ネロリ、ローズ、サンダルウッド、プチグレン、イランイランなどと相性がよい。

### 購入のポイント
価格：10mlで1,900〜4,000円
ベチベロールの含有量が多いほど良質とされ高価。時間とともに、深みと温かみが増す。2年目の根から最良の精油が抽出される。

### その他
ノート：ベース
ブレンドファクター：1

### 注意事項
香りが強いので、少量(30mlの基材に対して1〜2滴)で十分。
妊娠初期は使用を避ける。
妊娠中期・後期の使用は可能だが、使用の際は体調に十分注意する。
乳幼児への使用は避ける。

# ペパーミント

シソ科 *Mentha* 属

気分爽快な、辛味と甘さがある清涼感あるクリーンな香り。

学名●*Mentha piperita*（メンタ ピペリタ）
主な産地●アメリカ、フランス、スペイン
抽出部位●花と葉（根を除いた全草）
抽出方法●水蒸気蒸留法

草丈30〜70cmの多年性草本。ミント類は、繁殖力旺盛でいろいろな種をまぜて植えるとすぐに交雑種が出来るほど。ピリッとした辛味のある香りからで、*piperita*（コショウのような）という種名がついた。

### 主な作用
神経強壮、頭脳明晰、体温調整、血圧上昇、肝臓強壮、健胃、駆風、鎮痛、局所麻酔、抗炎症、粘液溶解、抗菌、抗ウイルス、抗真菌

### 主な芳香成分
モノテルペンアルコール類：ℓ-メントール35〜50%
エステル類：酢酸メンチル5〜10%
ケトン類：メントン15〜30%、プレゴン 微量
オキサイド類：1,8-シネオール5〜10%
微量成分：リモネン、メントフラン

この精油は使用濃度によって作用が変わる。メントンは血圧を上げる作用がある。ごく少量を使用した場合、逆に血圧は低下する。ℓ-メントールは、中枢神経の刺激と鎮静両方の作用をもつ。免疫機能も刺激する。

花と葉 ｜ 体温調整、活性、頭脳明晰

## どんなときに選ぶ？

心、体、精神に活力を与えたい日に。試験やスピーチなどあがってしまいそうな場面や、興奮を鎮めて冷静さや平常心を取り戻したいときに。逆に悲観的過ぎる日は、活力を与えて精神のバランスを回復させる。

### 心
精神疲労、5月病、意欲の低下、無気力、インスピレーション・直感の低下、記憶・集中力の低下、ショック、怒り、興奮

心を強壮し、頭をクリアにする。環境の変化を経験して間もない頃に用いると、新しい考え方や環境を消化し、受け入れて、そこから新たなアイデアや直感、ひらめきを生むことを助ける。特にローズやゼラニウムとのブレンドはおすすめ。朝、レモン、ティーツリー、ローズマリー（カンファー、シネオール、ベルベノン）、ジュニパーなどとブレンドして使うと活力が増す。ごく少量使うと精神を鎮静させる。ラベンダーやカモミールなど鎮静系の香りで寝つけないとき、1滴のペパーミントで眠りが誘われた臨床例がある。

### 体
肝臓の不調、腸内ガス（鼓腸）、胃痛、下痢、便秘、胸焼け、吐き気、乗り物酔い、低血圧、更年期の不調、頭痛、月経痛、腰痛、肩こり、関節炎、足の疲れ、打撲、ねんざ、歯痛、歯肉炎、風邪、花粉症、副鼻腔炎、発熱、時差ぼけ、疲労

多方面で幅広く使える精油。消化器系の不調、たとえば吐き気、胃痛、消化不良、便秘などに役立つ。静脈やリンパの流れを促進して、滞った血液や老廃物を流す作用があり、むくみ、ダイエット、コレステロール過多のときにも使われる。ラベンダーとのブレンドを頭皮とこめかみに塗布すると頭痛が緩和される例が多い。打撲、ねんざにはヘリクリサム、ユーカリ・シトリオドラなどとブレンドする。抗菌作用に優れ、梅雨時の衛生管理や消臭に役立つ。

### 肌
皮膚真菌症、傷、虫さされ、ニキビ、じん麻疹、かゆみ、掻痒症、日焼け、発汗

抗真菌作用はやや弱いのでタイム（リナロールかゲラニオールタイプ）、ティーツリー、パルマローザ、ゼラニウムなどとまぜて使うと効果的。軽い麻酔作用と冷却作用が知られ、皮膚のかゆみやほてりを和らげる。日焼け、虫刺され、帯状疱疹にラベンダー、ラベンサラ、ティーツリーなどとのブレンドが使われる臨床例がある。

### 主な使用法
アロマバス、トリートメント、スキンケア、ヘアケア、芳香浴

### ブレンドアドバイス
刺激が強いので、30mlの基材に、12滴（濃度2%）ブレンドする場合、1〜3滴くらいにする。サイプレス、ティーツリー、レモン、ユーカリ、同じシソ科の精油と相性がよい。

### 購入のポイント
価格：10mlで1,800〜3,000円
用途が幅広いので、最初に購入したい精油のひとつ。低農薬栽培、化学肥料や農薬を使わない栽培、完全有機栽培のものなど原料植物に違いがあるので用途によって確認し、購入するとよい。

### その他
ノート：トップ
ブレンドファクター：1

### 注意事項
皮膚・粘膜刺激がある。敏感肌の人は注意する。
体温を下げるので高濃度、広範囲に使用しない。
妊娠中、6歳未満の乳幼児、高血圧、てんかんの方への使用は避ける。
ホメオパシー療法とは併用しない。

LESSON 1 精油ガイド

# ベルガモット

ミカン科 *Citrus*属

甘さの少ない爽やかな香り。柑橘系の中でも大人向きで、辛口な印象。

学名●*Citrus bergamia*（キトゥルス ベルガミア）
主な産地●イタリア、チュニジア、アフリカ
抽出部位●果皮
抽出方法●圧搾法

果皮｜抗ストレス、バランス調整、精神高揚

樹高4m程のやや小ぶりの柑橘。果実は苦く生食しないが、果皮はアールグレイティーの香りづけなどに使用。ベルガモットやネロリなどをベースに、18世紀に調合されたオーデコロン4711は、現在も作られている。

### 主な作用
精神高揚、鎮静、精神安定、抗うつ、抗痙攣、駆風、消化促進、抗菌、抗ウイルス、抗真菌、解熱

### 主な芳香成分
モノテルペン炭化水素類：リモネン30〜40%、γ-テルピネン2〜10%
モノテルペンアルコール類：リナロール10〜30%、
エステル類：酢酸リナリル30〜40%
フロクマリン類：ベルガプテン、ベルガモッチン、ベルガプトール

他の柑橘と異なり、リモネンが少なく、酢酸リナリル、リナロール、γ-テルピネンで60%近くを占める。神経を鎮静しストレスを緩和する作用が特徴的。最近では、約80種もの成分が分析された。フロクマリン類のベルガプテンやベルガモッチンは、低濃度でも光毒性を示す。

### どんなときに選ぶ？
心が沈んで情緒不安定気味な日に、おすすめの精油。最悪の状況のとき、救いになる香り。物事を両面から見られるように助けてくれる。厚く立ち込める暗雲に差し込む、一筋の光のような精油。

### 心
不眠、興奮、落ち込み、心配、情緒不安定、うつ状態、後悔の念、マタニティケア、ストレス

抑圧された感情と漠然とした不安から心を開放し、深い部分からゆっくりと整え、穏やかでバランスのとれた精神状態に戻してくれる。ハイテンション、過度の落ち込みなど情緒の不安定さが目立つときに。日頃、我慢を重ねている人にフランキンセンス、ゼラニウム、ラベンダー、ネロリ、ベチバーなどとブレンドすると効果的。重度深刻な体験のあと感情が麻痺してしまい、何も感じられないという人に使うと、脳の視床下部の安定を図るとされる。妊産婦や高齢者、更年期の女性のストレスケアにもよい。

### 体
便秘、下痢、消化不良、腸内ガス（鼓腸）、食欲不振、疝痛、膀胱炎

ベルガモットは精神面への作用も大きい精油だが、消化器系の働きそのものも強化する。蠕動運動促進作用、緩下作用、食欲増進作用、食欲調整作用、抗痙攣作用が知られている。特に神経性の胃腸の問題に。心の状態と胃腸の働きは密接に関連しているので、精神的に負荷がかかったときに起こりやすい便秘や下痢、疝痛、過食傾向や逆に全く食欲を失ったときによい。ネロリやフェンネル、プチグレンにも同様の働きがあり、ブレンドすると相乗効果が期待できる。

### 肌
脂漏性皮膚炎（頭皮）、ニキビ、デオドラント、帯状疱疹、脂性肌

消臭効果があり、デオドラント用のローションにラベンダーやペパーミント、ローズマリー（シネオール、ベルベノン）、サイプレスとブレンドして用いるとよい。抗ウイルス、抗菌作用があり特に黄色ブドウ球菌に有効。オイリーな肌のケアに。帯状疱疹にも効果があるとされ、ティーツリー、ラベンサラ、カモミール・ローマン、ユーカリ（グロブルス、ラジアータ）などとブレンドする。

### 主な使用法
アロマバス、トリートメント、スキンケア、ヘアケア、香水 湿布、芳香浴

### ブレンドアドバイス
レモンやオレンジに比べて香りの揮発速度は、やや遅い。シトラス調のオーデコロンには必ずブレンドされる。オレンジ、レモン、レモングラス、メリッサ、クラリセージ、ラベンダーなどハーブ、花、柑橘系、葉の精油と相性がよい。

### 購入のポイント
価格：10mlで2,000〜3,000円
10月末頃〜12月初旬から収穫が始まり3月には終了する。収穫時期により香りが異なる。冬の精油は、緑がかった色でフレッシュな香り、春先のものは黄色で酢酸リナリルの量が増えるので、香りに甘さが増す。最近は、光毒性を起こす成分「フロクマリン類」を除去した精油の購入も可能。

### その他
ノート：トップ
ブレンドファクター：4〜5

### 注意事項
高濃度で使用すると皮膚刺激がある。敏感肌の方は注意する。向精神薬、鎮静剤、睡眠剤、抗てんかん薬、血圧降下薬と多量のベルガモット精油との併用は避けたほうが望ましい。
特に光毒性が強い。塗布後は日光を5〜6時間は避ける。

# ベンゾイン（安息香）

エゴノキ科 *Styrax* 属

お菓子やバニラに似た柔らかでデリケートな甘い香り。

学名●*Styrax benzoin*（スティラクス ベンゾイン）
　　　*Styrax tonkinensis*（スティラクス トンキネンシス）
主な産地●ラオス、タイ、スマトラ
抽出部位●樹脂
抽出方法●水蒸気蒸留法、有機溶剤法

エゴノキ科の樹木。ベンゾインの仲間が日本にも数種、自生している。樹皮に樹脂道があり、傷つけるとよい香りの樹脂がにじみ出てきて、空気に触れると固まる。古代では貴重な香料とされ、儀式に使われた。

### 主な作用
鎮静、鎮痛、精神安定、催淫、精神高揚、癒傷、瘢痕形成、利尿、去痰、抗カタル、抗菌、抗ウイルス

### 主な芳香成分（benzoin種）
酸類：安息香酸10〜35％、桂皮酸20〜80％
アルデヒド類：バニリン2％
微量成分：ベンズアルデヒド、安息香酸ベンジル、安息香酸コンフィニル、桂皮酸コンフィニル

産地や種によって精油の芳香成分の種類と含有量が異なる。*tonkinensis*種の主成分は安息香酸（約80％）と桂皮酸ベンジル（約5％）、安息香酸ベンジル（約3％）、バニリン（2％前後）である。神経を鎮める、あるいは高揚させる作用や肺、気道の痰や粘液を除去する作用、瘢痕形成作用にすぐれている。

樹脂 ― リラックス、多幸感、癒傷

## どんなときに選ぶ？

気持ちがピリピリして言葉や態度がとげとげしくなっているときに。しばらく、そっとしておいてほしい、一人でせまい所にこもっていたいような気分のときに。マンダリンとのブレンドは、とてもおすすめ。

### 心　緊張、ストレス、頭痛、無自覚のイライラ、疲労
クッキーや焼き菓子のような甘い香りはふんわりした温もりのある感覚をもたらす。暗く温かい湯の中に浮いているようなイメージ。一人で静かに過ごしたいときにシダーウッド・アトラス、マンダリン、ラベンダーなどとブレンドして芳香浴や入浴などで用いるとよい。ベースノートで香りは残りやすい。分量を加減して配合するとやさしいイメージのブレンドに仕上がる。甘い香りが苦手な人には敬遠されがち。バニラ精油と香りがよく似ている。ベンゾインで効果が出なかった人はそちらを用いてみては。

### 体　膀胱炎、風邪、気管支炎、咳、声枯れ
鎮静作用があり、抗菌作用や抗ウイルス作用、リラックスすることで血液循環を促し、血圧を下げる効果がある。去痰作用があり、蒸気を吸入すると、肺や気管支など呼吸器の粘膜を鎮静し、過剰な粘液や痰を排出しやすくする。風邪のときにユーカリ（グロブルス、ラジアータ）やラベンダー、ティートゥリーなどとごく少量のベンゾインをブレンドして用いるとよい。

### 肌　あかぎれ、傷、しもやけ、ひびわれ、乾燥肌、皮膚炎、かゆみ、ニキビ、傷跡、ケロイド
瘢痕形成作用や傷を癒す作用があり、傷ついた肌や乾燥肌、老化肌に最適な精油。たとえばかかとのひびわれや手荒れに。市販の無香料クリームやみつろう、シアバター、キャリアオイル（植物油）などを基材にしたクリームに、1、2滴まぜると使いやすい。カモミール（ジャーマン、ローマン）、ゼラニウム、ラベンダー、ティートゥリー、ネロリ、イランイランなどとブレンドされることが多い。傷あとを目立たないようにしたいときは、ローズ、ローズマリー・ベルベノン、ローズウッド、ラベンダー、ゼラニウムなどとブレンドするとよい。

### 主な使用法
アロマバス、トリートメント、スキンケア、ヘアケア、芳香浴

### ブレンドアドバイス
粘度が高くビンから出しにくいのでスポイトや竹串を使ったり、あらかじめ希釈しておくと使いやすい。香りの保留剤になる。サンダルウッド、ジュニパー、ローズウッド、イランイラン、ミルラ、ネロリ、マンダリンなど樹木、樹脂、花、柑橘系の精油と相性がよい。

### 購入のポイント
価格：10mlで2,100〜4,000円／30％希釈のものは10mlで2,100円
100％原液の精油を購入してもよいが、粘度が高いのでちょっと使いにくい。冬は固まってしまうので暖かい所におくとよい。15〜30％にあらかじめ希釈してあるものも販売されている。

### その他
ノート：ベース
ブレンドファクター：1〜2

### 注意事項
香りが強いので少量（30mlの基材に1〜3滴）で十分。
妊娠初期は使用を避ける。

LESSON 1　精油ガイド

# マージョラム（スイート）

シソ科 *Origanum* 属

少し鋭くて温かみのある落ち着いたスパイシー調のハーバルな香り。

学名●*Origanum majorana*（オリガヌム マヨラナ）
主な産地●エジプト、チュニジア、スペイン、フランス
抽出部位●花と葉（花が咲いた先端）
抽出方法●水蒸気蒸留法

花と葉 ― 鎮静、充足感、バランス調整

もともと多年草だが、寒さに弱いので一年草として栽培されることが多い。草丈は20～50cmほどで卵型のかわいらしい葉と白い貝のような花をつける。主にスパイスとして使われるが、生葉を食したりもする。

### 主な作用
鎮静、自律神経調整、精神安定、神経強壮、血圧降下、健胃、血流促進、抗痙攣、制淫、抗ウイルス、抗菌、抗真菌

### 主な芳香成分
モノテルペン炭化水素類：γ-テルピネン10～20％、α-テルピネン2～10％、サビネン2～10％、リモネン 微量、β-フェランドレン 微量
モノテルペンアルコール類：テルピネン-4-オール10～25％、α-テルピネオール／ツヤノール 微量
セスキテルペン炭化水素類：β-カリオフィレン 微量
エステル類：酢酸テルピニル／酢酸リナリル 微量

γ-テルピネン、α-テルピネン、テルピネン-4-オールで全体の50％近くを占め、ティーツリーと少し似ている。精油全体としては抗感染、神経系の鎮静、筋肉のこりや痛みの鎮静が特徴。テルピネン-4-オールは副交感神経強壮、鎮痛、抗炎症作用が期待できる。

## どんなときに選ぶ？

胃腸の調子も悪く、疲れきって肩などがパンパンに凝っているときに。精神疲労や無気力感にも役立つ香り。孤独な気持ちを感じたときにも、Origanum（山の喜び）の言葉通り、喜びを与え、心を慰める力がある。

### 心
興奮、激情、恐怖、不安、パニック、うつ状態、精神疲労、不眠、自律神経のアンバランス

副交感神経の働きを優位にして、自律神経系のバランスを調整する作用がある。呼吸、消化、睡眠、食欲、性欲の不調など様々な分野の症状の緩和に。たとえばパニック、緊張、うつ状態、不安、胃の不調、食欲不振など。興奮や神経過敏で眠れないときイランイラン、ラベンダー、ネロリ、オレンジなどと一緒にほんのり香らせるとよい。

### 体
月経不順、月経痛、更年期、高血圧、冷え性、むくみ、動悸、頭痛、慢性疲労、胃痛、吐き気、乗り物酔い

自律神経のバランスを整えて、血液循環、体温調整、血圧、心拍などを調整する。たとえばマージョラムをローズマリー・シネオール、クラリセージ、ラベンダーとブレンドすると高血圧や動悸、冷えやむくみに大変役立つ。神経性の胃痛や疝痛、便秘には、ローズ、カモミール・ローマン、バジル、柑橘系などと用いる。呼吸が浅く、息苦しいと感じるときにラベンダー、フランキンセンス、オレンジなどと合わせて香りを吸入するとよい。

### 体
腱鞘炎、関節炎、筋肉の痙攣・痛み、リウマチ、テニスひじ、足の疲れ、神経痛、肩こり、腰痛

炎症や痛みを抑え、筋肉のこりや痙攣を鎮める。痙攣性の咳や月経痛、肩こり、腰痛、神経痛のときに。局所を温め、発痛物質の排出を助けるブラックペッパー、ジンジャーなどスパイス系の精油やジュニパー、オウシュウアカマツ、ローズマリー（カンファー、シネオール）などとブレンドして用いると、より効果的に痛みが緩和される例が多い。

### 肌
皮膚真菌症、ニキビ、脂性肌

抗真菌作用、抗菌作用があるので、同じ成分をもつ他の精油とブレンドしてニキビや水虫のケアに使われる。

### 主な使用法
アロマバス、トリートメント、スキンケア、ヘアケア、芳香浴

### ブレンドアドバイス
ラベンダー、サンダルウッド、ネロリなど鎮静作用のある精油、スパイス、ハーブ、葉、樹木の精油との相性がよい。

### 購入のポイント
価格：10mlで1,800～3,200円
歴史が古い植物で同じマージョラムの名を持つ植物がいくつかあるので間違えないこと。実はスパニッシュマージョラム *Thymus mastichina* は、タイムの仲間。ワイルドマジョラムは、オレガノの別名。

### その他
ノート：ミドル
ブレンドファクター：3～4

### 注意事項
妊娠初期は使用を避ける。
妊娠中期・後期の使用は可能だが、使用の際は体調に十分注意する。
車の運転や集中したいときは、使用を避ける。

# マートル

フトモモ科 *Myrtus* 属

🌿 ユーカリに似ているが、マートルのほうが優しくて甘い繊細な香り。

学名●*Myrtus communis*（ミルトゥス コンムニス）
主な産地●チュニジア、オーストラリア、コルシカ島、フランス
抽出部位●葉
抽出方法●水蒸気蒸留法

葉 — 催眠、鎮静、抗感染

和名ギンバイカ。ミルテともいう。地中海沿岸地方に自生する常緑の低木で、優雅な花が咲く。美の女神のヴィーナスがこの木で裸体を隠したことから純潔、若さ、美の象徴とされた。花嫁の冠に用いる。

### 主な作用
鎮静、催眠、抗カタル、去痰、うっ滞除去、鎮咳、肝臓強壮、収れん、皮膚細胞活性、抗菌、抗ウイルス、免疫強化

### 主な芳香成分
モノテルペン炭化水素類：α-ピネン20〜30％、リモネン10〜15％
オキサイド類：1,8-シネオール20〜30％
モノテルペンアルコール類：リナロール／ネロール／α-テルピネオール／ゲラニオール 微量
エステル類：酢酸ミルテニル10〜15％、酢酸リナリル／酢酸ゲラニル／酢酸テルピニル 微量

α-ピネンと1,8-シネオールが主成分。呼吸器系のケアに役立つが眠りを誘うリラックス効果もあるところがこの精油の特徴。ユーカリのような刺激的な印象はあまり感じない。1,8-シネオールの量は50％近くになるなど産地により内容成分は異なる。

### どんなときに選ぶ？
風邪気味や疲労がたまってきたときに使うのがおすすめ。ラベンサラやユーカリ（グロブルス、ラジアータ）のもつ作用をよりやさしくマイルドにした感じの精油。眠りを誘うので不眠の人にも役立ち、小さいお子さんにも使用できる。

### 心
不眠、心身症、無気力、怒り、不安、嫉妬、物欲がありすぎるとき

まわりに天使がたくさんいるようなイメージで、軽く楽しげな明るく弾んだ気持ちにさせてくれる香り。自分の中の美しさや明朗な弾んだ心に気づかせる。ギリシャ神話に出てくる羽の生えた靴をはいたヘルメスのように軽やかな一歩を踏み出して、好きなことを楽しめるように助けてくれる。穏やかな鎮静作用を持ち、心のバランスを調整する。

### 体
膀胱炎、消化不良、気管支炎、咽頭炎、風邪、インフルエンザ、慢性の咳、アレルギー性の喘息、副鼻腔炎、静脈瘤、中耳炎、免疫低下

鼻や咽頭、気管支、肺など呼吸器の感染症に大変役立ち、痰や過剰な粘液をさらさらにする効果がある。特に慢性の気管支炎のとき、サイプレスとブレンドすると空咳やのどの痛みによい。小さな子どもにも適切に希釈すれば用いることが出来る。ほとんどの子がその香りを嫌がらないので、子ども部屋に拡散させるのもよい。抗菌、抗ウイルス作用があり、免疫を刺激し、体に備わっている治癒力を高める。ティーツリー、ラベンダー、ユーカリ（グロブルス、ラジアータ）、柑橘系などと精油とブレンドするとより効果的。感染症を繰りかえす人に用いるとよい。肝臓や甲状腺の機能を活性化するといわれており、肝臓や甲状腺機能が低下したときに使用される臨床例がある。

### 肌
老化肌、皮膚の炎症、しわ・ニキビの予防、毛穴の広がり、傷、乾癬、ヘアケア

皮膚を収れんして強壮し、しわやニキビの予防や老化し始めた肌を活性化し、炎症を鎮める。ラベンダー、ゼラニウム、ネロリ、ローズなど美肌効果のある精油とブレンドし用いると皮膚を鎮静し若返らせる。脂っぽい髪や頭皮、ふけ症の髪のケアに、マートルをメリッサ、ラベンダー、ローズマリー（シネオール、ベルベノン）、シダーウッドなどとブレンドし、シャンプーにまぜて使用するとよい。

### 主な使用法
アロマバス、トリートメント、スキンケア、ヘアケア、芳香浴

### ブレンドアドバイス
サイプレス、ジュニパー、タイム、メリッサ、ラベンダー、ベルガモット、ローズウッドなど、ハーブ、柑橘系、樹木の精油、ティーツリー、ユーカリなどフトモモ科の精油と相性がよい。

### 購入のポイント
価格：10mlで1,600〜2,200円
モロッコ産のマートル：別名レッドマートルは、1,8-シネオールが30〜40％、α-ピネンは20〜30％、酢酸ミルテニル10〜15％となるのでコルシカ、チュニジア産などとは作用が異なり、抗痙攣、うっ血除去作用がより強力になるが、呼吸器系の作用はやや弱くなる。

### その他
ノート：トップ
ブレンドファクター：3

### 注意事項
基本的な用量・使用法を守る。

LESSON 1　精油ガイド

# マンダリン

ミカン科 *Citrus*属

🍊 甘さが強く、子どもたちにも好まれる香り。

学名●*Citrus reticulata*（キトゥルス レティクラタ）
主な産地●イタリア、スペイン、アメリカ
抽出部位●果皮
抽出方法●圧搾法

果皮／安らぎ、バランス調整、精神安定

樹形が小ぶりの柑橘で小さなつやのある葉をつける。原産地は中国で、いくつか種類があり、日本の温州ミカンもマンダリンの仲間に入る。精油の抽出は、果実が完熟する直前の10月末から11月末位に行われる。

### 主な作用
鎮静、自律神経調整、抗うつ、抗不安、抗痙攣、駆風、消化促進、血流促進、抗菌、抗ウイルス

### 主な芳香成分
モノテルペン炭化水素類：リモネン70～80％、γ-テルピネン10～20％、α-ピネン微量、β-ピネン微量、β-ミルセン微量
エステル類：アンスラニル酸ジメチル 微量、酢酸ベンジル 微量

主成分リモネンと微量成分の酢酸ベンジル、アンスラニル酸ジメチル、リナロールがマンダリンらしい特性をもたらす。アンスラニル酸ジメチルは、抗不安作用があり、うつ状態や不安を和らげ、眠りを誘うといわれている。マンダリンの葉（プチグレン・マンダリン）はこの成分が果実よりも多く50％以上存在している。

### どんなときに選ぶ？
周りの人や自分に優しく、平和な気持ちになりたい日に。気持ちを楽に、微笑や甘えることを思い出させてくれる。情緒不安定さが見られる小さなお子さんにも効果がある。特にお腹のマッサージがおすすめ。

### 心
不眠、興奮、緊張、心配、考えすぎ、不安、恐怖、うつ状態、怒り、攻撃性、自律神経のアンバランス、動揺、ストレス

柑橘系の中では、交感神経を鎮静しリラックス効果が強い。知らず知らずのうちに、肩に力を入れてはりつめているが、自分ではそのつもりがないので疲れに気づかないこともある人や自分への要求も厳しく理想が高い傾向にある人に。些細なことで過敏になり、疲労困憊してしまうときに。大人も子どもも満たされた気持ちにして精神的安定をもたらす。醒めたやさしく穏やかな香りはペットにも好かれる。プチグレン（葉）とブレンドすると相乗効果がある。芳香浴は、神経性の喘息の発作の予防にもよい。脳の下垂体の安定を図るといわれ、内分泌系の不調に使われる臨床例がある。

### 体
便秘、下痢、消化不良、腸内ガス（鼓腸）、食欲不振、疝痛、月経痛、胃痛、しゃっくり、喘息の予防、高血圧

ストレス性の胃炎や胃潰瘍、下痢と便秘をくり返す、消化不良、吐き気、空気を飲み込みすぎてしまい、腹部にガスがたまったときなどに。小さい子どもの腹痛には、マンダリン、カモミール・ローマン、ラベンダーなどとのブレンドが役に立つ。

### 肌
皮膚の老化防止、ニキビ、ヘアケア、脱毛、消臭、デオドラント、妊娠線予防、マタニティケア

皮膚軟化作用があり、肌を滑らかに整える。少量を顔用オイルやローションに使うとよい。また妊娠や急激な体重増加の際、皮膚に白っぽい筋が入るストレッチマーク（伸展線）の予防に役立ち、皮膚組織を強める目的でラベンダー、ネロリなどとブレンドする。脱毛の予防、ふけや脂っぽい頭皮のケアにも使われる。香りがよく消臭・デオドラント作用にすぐれている。高齢者の体臭予防や中高生向けのコロンに加えると人気が高い。

### 主な使用法
アロマバス、トリートメント、スキンケア、ヘアケア、香水　湿布、芳香浴、吸入

### ブレンドアドバイス
柑橘の中では、香りに持続性がある。ブレンドがとがったように感じるとき、マンダリンを少量加えると香りに丸みが出て調整される。イランイラン、ネロリ、オレンジ、ベンゾイン、プチグレン、ローズウッド、ゼラニウムなど花、柑橘系、樹脂、ハーブの精油との相性がよい。

### 購入のポイント
価格：マンダリンは10mlで2,000～3,000円／タンジェリンは10mlで1,600～2,000円
マンダリンの変種にあたるタンジェリンの精油もある。*Citrus reticulata var.tangerine*。種名の後に変種名を表記する。リモネンが若干多く、オレンジに似た甘い香りだが、作用はマンダリンとほぼ同じと考えてよい。

### その他
ノート：トップ
ブレンドファクター：4

### 注意事項
高濃度で使用すると皮膚刺激がある。敏感肌の方は注意する。
光毒性は低いといわれるが、塗布直後に日光に当たらないよう注意する。

# ミルラ

カンラン科 *Commiphora* 属

💧 スパイシーなバルサム調で苦味と辛味がある薬のような香り。

学名●*Commiphora molmol*（コンミフォラ モルモル）
主な産地●インド、ソマリア、エチオピア
抽出部位●樹脂
抽出方法●水蒸気蒸留法

とげを持つ低木で樹皮から赤褐色の樹脂が染み出る。属名はギリシャ語kommi（ゴム）phoreo（産する）から、myrrhという英語名は苦いという意味のアラビア語murから由来。キリスト誕生の際の贈り物でもある。

### 主な作用
鎮静、催淫、免疫強化、抗炎症、癒傷、瘢痕形成、収れん、皮膚細胞活性、抗菌、抗ウイルス

### 主な芳香成分
セスキテルペン炭化水素類：リンデステレン20〜40％、クルゼレン15〜25％、フラノオイデスマディエン20〜40％、α-コパイエン微量、β-エレメン微量、δ-エレメン微量
ケトン類：メチルイソブチルケトン 微量
セスキテルペンアルコール類：カジノール 微量

ピリッとした薬のような香りは樹脂の持つ独特の深みが感じられ、心身にゆっくりと染み渡る。セスキテルペン炭化水素類が主成分で抗炎症、鎮痛、鎮掻痒、抗感染作用があるほか、ミルラ独特の精神的作用や口腔内、傷への作用がある。主に精神面のケアと外傷や口腔ケアに使われる。

樹脂｜内面の静けさ、安定、癒傷

### どんなときに選ぶ？
夢見がちになっている日に。ミルラは、高揚した気持ちをこわすことなく地に足をつけて安定させる力を持っている。古代エジプトでは、人々を寝つかせ不安を鎮めるための香料「キフィー」に配合され、日没後に焚かれた。

### 心
うつ状態、固執、強迫観念、パニック、恐怖、極度の不安、孤独感、悲しみ、不眠、拒食症、性的な問題

フランキンセンスと同じカンラン科で、古代では貴重な香料。病いから人々を救う、医者の象徴だった樹木。ピリッとした香りを嗅ぐと顔の中心からのど、胸にかけてすっと力が抜けて楽になる。心に静けさと平和をもたらし夢や希望を現実にしていく助けになる。マージョラム、カモミール・ローマン、ネロリ、ローズ、ローズウッド、ジンジャー、シナモン、イランイランなどとブレンドし、性欲減退やインポテンツ、摂食障害、恐怖、パニックに用いた臨床例がある。いずれも心理的な要因が関わるものなので、精神状態や感情に合わせて慎重に精油を選択する必要がある。

### 体
甲状腺機能の不調、下痢、消化器の不調、歯肉炎、口内炎、咽頭炎、気管支炎、風邪

口内炎や歯肉炎の予防にクローブ、ペパーミント、カモミール・ローマン、ティーツリー、レモンなどとブレンドし、歯磨き粉やマウスウォッシュで使用される。消化器系を刺激したいとき、時計回りにソフトな圧で腹部をマッサージする。白血球を活性化し、気道や肺の消毒剤にもなるので気管支炎や風邪のときにユーカリ（グロブルス、ラジアータ）やティーツリーとブレンドして用いるとよい。甲状腺を刺激し、働きを調整するのではないかと考えられている。

### 肌
皮膚の潰瘍、あかぎれ、水虫、手荒れ、ひび割れ、湿疹、乾癬、かゆみ、ニキビ、傷、裂肛（痔）

ミイラ作りに使用されたほど殺菌消毒作用にすぐれている。じくじくした浸出液が出ているような傷や治りがおそい傷に。かゆみや炎症を緩和するセスキテルペン系の芳香成分が多いので、炎症がある皮膚にも用いられる。かかとの乾燥やあかぎれ、授乳時の乳頭のひび割れにラベンダー、ゼラニウム、ロックローズなどとブレンドする。

### 主な使用法
アロマバス、トリートメント、スキンケア、ヘアケア、芳香浴

### ブレンドアドバイス
アーシー、オリエンタル系の香りを作りたいときに。クローブ、フランキンセンス、ラベンダー、ベルガモット、プチグレン、ローズなど、ハーブ、柑橘系、花、スパイス、樹脂系の精油とブレンドすると土のような印象が加わる。香りの保留剤にもなる。

### 購入のポイント
価格：10mlで5,200〜6,000円
一般にミルラ精油のラベルには、*Commiphora myrrha*、*Commiphora molmol*、*Commiphora myrrha var. molmol* のいずれかの学名が記されているが、いずれも同じ種を示すのでどれでもよい。

### その他
ノート：ベース
ブレンドファクター：1〜2

### 注意事項
香りが強いので少量（30mlの基材に1〜3滴）で十分。
妊娠初期は使用を避ける。
妊娠中期・後期の使用は可能だが、使用の際は体調に十分注意する。

LESSON 1 精油ガイド

# メリッサ

シソ科 *Melissa*属

🌼 **メランコリックな気持ちを癒す、レモンに似た清涼感ある香り。**

学名●*Melissa officinalis*（メリッサ オフィキナリス）
主な産地●フランス
抽出部位●花と葉
抽出方法●水蒸気蒸留法

別名レモンバーム。蜂が好むので「ミツバチ」を意味する*melissa*という属名がついた。高さ40cm程度に成長。昔から強心剤、生命力を強化する万能薬として知られ、ベネディクト派の修道院ではメリッサ水が作られた。

花と葉 ― 活性、心身の強化、抗うつ

### 主な作用
鎮静、抗うつ、鎮痛、抗炎症、抗痙攣、消化促進、血圧降下、胆汁分泌、結石溶解、抗菌、抗ウイルス、抗真菌

### 主な芳香成分
アルデヒド類：シトラール25〜45％、シトロネラール〜5％
セスキテルペン炭化水素類：
β-カリオフィレン10〜30％、ゲルマクレンD5〜15％
モノテルペンアルコール類：ゲラニオール

鎮痛作用に優れており、強心作用や抗アレルギー作用が特徴。シトラールには、抗ヒスタミン作用や抗菌作用、抗真菌作用があるが、皮膚刺激もあるので使用濃度に注意する。シトラールはゲラニアールとネラールの混合体で、この2つの割合は産地や蒸留年によって変化する。

### どんなときに選ぶ？
憂うつなふさぎこんだ気持ちから抜け出して心と体の不調を回復する助けとなり、生きる力を回復させる精油。第3、第4チャクラを活性化して苦痛やショックから癒し、体、心、魂を一体化する力を持っている。

**心** 動揺、精神疲労、うつ・躁状態、感情の抑圧、悲嘆、興奮、怒り、欲求不満、緊張、ヒステリー、無気力、更年期、不眠

内面を元気づけ活性化してくれる香り。精神を落ち着かせて感情のバランスをとり、気持ちをおさめる。うつや躁の状態、胸がしめつけられるように苦しくてたまらない感じ、打ちひしがれた気持ち、ストレス、神経過敏、神経衰弱に。このような精神状態が引き起こす様々な心身症状、たとえば狭心症の予防、高血圧、動悸、パニック、過呼吸、めまい、頭痛、不眠によい。肉体的にも精神的にも疲れて些細なことでイライラしてしまうとき、優しい気持ちを取り戻させてくれる。

**体** 消化不良、吐き気、肝臓の不調、胆のうの結石、胃痙攣、疝痛、月経痛、肩こり、腰痛、花粉症、頭痛

胆汁分泌や消化を高める。ストレス性の消化不良、吐き気などの症状によい。ローズマリー・ベルベノン、マージョラム、ラベンダーとのブレンドはおすすめ。メリッサティーを飲用しても同様の効果が期待できる。胃痛、月経痛など体の痛みの軽減に役立つ。

**肌** 皮膚真菌症、帯状疱疹、虫さされ、じん麻疹、かゆみ、アレルギー性皮膚炎、日焼け後の皮膚、発汗、ヘアケア

脂っぽい髪のケアにラベンダー・シダーウッド・アトラスとブレンドしシャンプーにまぜて使用する。皮膚のかゆみの軽減にメリッサ芳香蒸留水にローズ、ティーツリー、カモミール・ローマン、ラベンダーなどをブレンドして用いる臨床例がある。間接的だが入浴や芳香浴に用いて精神的なリラックスを図るのもアレルギー対策には効果的な方法である。帯状疱疹に、抗ウイルス、鎮痛作用や気分を落ち着かせる目的でローズ、ティーツリーとブレンドすることがある。

### 主な使用法
アロマバス、トリートメント、スキンケア、ヘアケア、芳香浴

### ブレンドアドバイス
レモン、レモングラス、シトロネラなどシトラール系の精油、カモミール、ゼラニウム、ローズウッド、ラベンダー、マートルなど柑橘系、花、ハーブ、樹木の葉の精油と相性がよい。

### 購入のポイント
価格：10mlで24,000〜34,000円
100％純粋なメリッサ精油は、非常に高価。とても安い場合は希釈されているかシトロネラ、レモングラスなど似た香りの精油と混合されている場合もあるので確認すること。少量（1〜5ml）での購入も可能。

### その他
ノート：ミドル
ブレンドファクター：1

### 注意事項
高濃度で使用すると皮膚刺激がある。敏感肌の方は注意。
作用が強いので、少量（30mlの基材に対して1〜3滴）で十分。
妊娠中は使用を避ける。
緑内障の方への過度の使用は避ける。

# ヤロウ

キク科 *Acillea*属

❀ ややスパイシーさも感じられる甘いハーバル調の香り。

学名●*Acillea millefolium*（アキレア ミレフォリウム）
主な産地●フランス、ハンガリー
抽出部位●花
抽出方法●水蒸気蒸留法

草丈60〜80cmになる多年生草本。属名は、ギリシャ神話の英雄アキレウス（Achilleus）の名前にちなむ。*millefolium*は千枚の葉という意味。小さい葉が羽のように細かく裂けている様子からつけられた。

### 主な作用
鎮静、抗炎症、鎮掻痒、抗痙攣、去痰、ホルモン調整、通経、胆汁分泌促進、脂肪溶解、抗炎症、癒傷、瘢痕形成、抗菌、抗ウイルス

### 主な芳香成分
モノテルペン炭化水素類：β-ピネン〜5％、パラシメン〜5％
ケトン類：カンファー5〜20％、ツヨン10〜15％、
オキサイド類：1,8-シネオール〜10％
セスキテルペン炭化水素類：カマズレン5〜30％、ゲルマクレンD10〜13％
微量成分：デヒドロアズレン、ボルネオール、酢酸ボルニル

カンファー、ツヨン、1,8-シネオール、カマズレンが含まれホルモン調整、抗カタル、去痰、抗炎症、抗アレルギー作用が特徴となる。精油は「アズレンブルー」と呼ばれる濃い紺色をしているので衣類につけないよう注意する。

花 — 抗炎症、保護、強心

### どんなときに選ぶ？
甘く落ちついた香りが、減入った気持ちを明るくしてくれる。血液循環を促して心と体を強壮し、前向きな気持ちにしてくれるが、使う量はほんの少しでも十分香る精油。

### 心
**抑圧された怒り、欲求不満、イライラ、深い悲しみ、不満、神経過敏、精神的消耗**

心に隠した過去の傷の痛みや怒りの感情を癒し、感情のブロックをとり除く精油。精神面で用いるときは、かなり希釈して用いること。古代では、血液は命の本質を運ぶとされ、穏やかに心臓や血液循環を刺激するヤロウは大切にされ、愛を守り、悪霊から身を守ると信じられていた。教会によく植えられていたハーブ。精神を保護し、人との境界線を明確にして、周囲からの影響を受けにくくする。環境や他者からの影響を受けやすく消耗しやすい人に。

### 体
**神経痛、関節炎、リウマチ、腰痛、坐骨神経痛、冷え性、月経不順、月経痛、肝臓の不調、低血圧、腹痛**

ツヨンは、女性ホルモンのエストロゲンに似た作用がある成分で、女性の生殖器系の働きを整え、月経周期を正常化し更年期の不調を和らげるが、脳など中枢神経系に対する毒性が強い成分でもあるので、使用期間や量には十分注意が必要。ヤロウは血行を促し、筋肉を緩め、解毒も促すことから、関節炎、捻挫、リウマチなどの症状を緩和させる目的でブレンドされるケースもある。胆汁の生成を促し、分泌を活発にする作用も知られている。

### 肌
**ニキビ、かゆみ、手荒れ、アレルギー性の皮膚炎、傷**

ヤロウは古くから傷の手当て、止血に使われていた薬草である。カマズレンやデヒドロアズレンなど抗アレルギー、抗炎症、抗ヒスタミン作用がある成分を含むのでかゆみや炎症を緩和、傷や手荒れの皮膚組織を再生する効果がある。しかし、神経毒性があるケトン類を含む精油でもあるので、連続使用せずに定期的にブレンド内容を変えていくとよい。同じカマズレンを含む精油にはカモミール・ジャーマンがある。カモミール・ローマン、ローズ、ラベンダー、ローズウッドなどとも組み合わせて皮膚や体に優しいブレンドも考えてみよう。

### 主な使用法
アロマバス、トリートメント、スキンケア、ヘアケア、芳香浴

### ブレンドアドバイス
全体がヤロウの香りになってしまうので量を加減してブレンドする。カモミール・ジャーマン、シダーウッド、オウシュウアカマツ、ユーカリ、柑橘系との相性がよい。

### 購入のポイント
価格：10mlで13,000〜18,000円
価格はやや高めの精油。香りや作用が強く、一回の使用量は1〜3滴程度でよいので1〜5ml単位での購入がおすすめ。

### その他
ノート：ミドル〜ベース
ブレンドファクター：1

### 注意事項
香りが強いので、少量（30mlの基材に1〜2滴）で十分。
高濃度での使用を避ける。
乳幼児、授乳中、妊娠中、てんかんの方への使用は避ける。
キク科、ブタクサアレルギーの人は注意。

LESSON 1　精油ガイド

# ユーカリ・グロブルス

フトモモ科 *Eucalyptus*属

🌿 鼻が通るようなシネオール特有のシャープな香り。

学名●*Eucalyptus globulus*（エウカリプトゥス グロブルス）
主な産地●オーストラリア、ポルトガル、中国、スペイン
抽出部位●葉（乾燥した葉）
抽出方法●水蒸気蒸留法

樹高50mほどの常緑高木。感染症が発生しやすい湿地帯を乾燥させ浄化する力を持つ。1792年にタスマニア島で発見された。*Eucaluputus*という名は、ギリシャ語で「よく覆った」を意味し、旺盛に繁殖する様子を表す。

葉｜去痰、刺激強壮、開放感

### 主な作用
神経強壮、強壮刺激、頭脳明晰、利尿、去痰、抗カタル、粘液溶解、うっ血除去、鎮咳、抗菌、抗ウイルス、抗真菌、免疫強化

### 主な芳香成分
オキサイド類：1,8-シネオール80～90％
モノテルペン炭化水素類：α-ピネン10～15％、フェランドレン微量、リモネン微量、パラシメン微量
セスキテルペンアルコール類：グロブロール微量
セスキテルペン炭化水素類：アロマデンドレン微量

「ユーカリプトール」とも呼ばれる1,8-シネオールが主成分。免疫の活性化、抗菌、去痰、過剰な粘液の排出、気管支粘膜の抗炎症作用や、消化器の痙攣を抑制し、弛緩させる作用、咳を鎮める作用などが特徴。

### どんなときに選ぶ？
肺や気管支が弱い人に向く香り。心理的にも、息がつまるような苦しい感じを取り払ってくれる。染み渡るような香りは、空気を殺菌・消毒して清浄化するとともに、心身をリフレッシュしつつも興奮は鎮めて心を平静にしてくれる。

**心** 閉塞感、否定的な気持ち、無力感、古い考え方への固執、うつ状態、記憶・集中力の低下

広い意味で「呼吸」とは、細胞にとってのエネルギーを取り入れる手段。新たなエネルギーを取り込み、古いエネルギーを排出する働きがあると考えられており、ヨガや瞑想では腹部、胸、のどと順に意識して深呼吸や肺に残った空気を出し切ることが大切とされる。ユーカリは、周囲との関係性や環境の中で閉塞感や圧迫感を感じ、否定的な気持ちでがんじがらめになっているとき、精神的に煮詰まってしまったとき、それを開放、一掃して筋の通った考え方、積極的で意欲的な気持ちを取り戻す助けとなる。勉強や仕事中に用いると、頭の働きを明晰にする。

**体** 風邪、インフルエンザ、気管支炎、カタル症状、耳炎、発熱、筋肉痛、肩こり、神経痛、リウマチ、打撲、胃腸の痙攣、膀胱炎、免疫の低下、ヘアケア、防虫

去痰、うっ血除去、粘液のうっ滞を除去する作用があり、呼吸機能を高める。咳や痰、過剰な粘液で苦しいときに。呼吸器系でもどちらかというと気管支や肺など下気道の症状によい。香りが強く、鼻の近くに塗布するとむせてしまうこともあるので背中側からすりこむとよい。1,8-シネオールは免疫細胞の働きを強め、免疫機能を刺激するといわれており、風邪やインフルエンザの初期に使うと回復がはやまる。鎮痛、抗痙攣作用がありクリームなどにまぜてリウマチ、神経痛、肩こり、打撲にも用いられる。その他、腎臓の機能を調整する作用や血糖値を下げる作用があるともいわれている。ハエ、ダニやノミなどの駆虫にも役立つ。

**肌** ニキビ、脂性肌、ヘアケア、育毛、ふけの予防

ペパーミント、ローズマリー（シネオール、ベルベノン）、ティーツリーとブレンドしてシャンプーに加えると、頭皮を刺激し、ふけの予防、育毛効果が期待できる。

### 主な使用法
アロマバス、トリートメント、スキンケア、ヘアケア、香水　湿布、芳香浴、吸入

### ブレンドアドバイス
非常に香りが強く、咳こんでしまうこともあるので、吸入やアロマポットで用いるときは、ごく少量にする。
大目にブレンドしたいときはラジアータ種のほうがおすすめ。

### 購入のポイント
価格：10mlで1,400～1,800円
グロブルス種は、特に気管支や肺といった呼吸器系の下気道のトラブルに用いられる。1,8-シネオールが豊富（約80％）で非常に強い香り。用途と使用する相手に合わせてラジアータ種と使い分けるとよい。

### その他
ノート：トップ
ブレンドファクター：1

### 注意事項
高濃度で使用すると皮膚刺激がある。敏感肌の方は注意。
妊娠中は使用を避ける。
刺激が強いので乳幼児への使用を避ける。

PART 3　精油・キャリアオイルガイド

# ユーカリ・シトリオドラ

フトモモ科 *Eucalyptus*属

レモンを思わせる爽やかで刺激的なグリーン系の香り。

学名● *Eucalyptus citriodora*（エウカリプトゥス キトリオドラ）
主な産地●オーストラリア、南アメリカ、中国、マダガスカル
抽出部位●葉（乾燥した葉）
抽出方法●水蒸気蒸留法

樹高20mほどに成長。シトリオドラ種は、シトロネラールという成分が多く含まれており、葉をもむとレモンのような香りがするユーカリ。レモンユーカリとも呼ばれる。香料業界では、重要な原料となっている。

葉 ｜ 昆虫忌避、抗炎症、鎮痛

## 主な作用
鎮静、抗炎症、鎮痛、抗痙攣、抗リウマチ、結石溶解、血圧降下、うっ血除去、抗菌、抗ウイルス、抗真菌、昆虫忌避（蚊）、免疫強化

## 主な芳香成分
アルデヒド類：シトロネラール70〜80%
モノテルペンアルコール類：イソプレゴール〜10%、シトロネロール10〜20%、ゲラニオール〜5%
微量成分：α-ピネン、酢酸シトロネリル、β-カリオフィレン、1,8-シネオール

主成分のシトロネラールには、昆虫忌避作用、局所鎮痛作用、抗炎症作用、抗ウイルス作用がある。精油全体としてはうっ血を除去し、痛みや炎症を和らげる効果にすぐれている。抗ウイルス作用はやや弱い。他のユーカリとは作用が異なる。

## どんなときに選ぶ？

気分を明るくリフレッシュしたいときに。レモンに似た香りには、空気を清浄にしてくれる効果もあるので、爽やかな空気の中で、元気を回復することが出来るだろう。やることが多すぎて対応しきれていないときに。

### 心
情緒不安定、集中力、やる気の低下、精神疲労、孤独な気持ち

感情のアンバランスや落ち込み、やる気のなさ、緩慢な感じのときに活力を与えてくれる。もともと明るく活力あふれる自由人で元気なタイプの人が、ふとさびしさを感じてしまったときにもよい。物事に熱中して、創造性豊かに取り組むことを助けてくれる。

### 体
筋肉の裂傷、テニス肘、筋肉の炎症、腰痛、肩こり、筋肉痛、関節炎、捻挫、静脈・リンパのうっ滞、むくみ、歯肉炎、大腸炎、痔、膀胱炎、腟炎、ダイエット、糖尿病の予防、卵巣のうっ血、副鼻腔炎、中耳炎、高血圧、ペットケア

シトリオドラ種には1,8-シネオールが少ないので、グロブルスやラジアータのような効果はあまりない。抗炎症作用のあるシトロネラールを豊富に含むので皮膚や筋肉、関節、内臓や尿路、生殖器の炎症や副鼻腔炎に用いる。腰痛、肩こり、坐骨神経痛にプチグレンや、ローズマリー・シネオール、ラベンダー、マージョラムなどと組み合わせる。ヘリクリサム、フランキンセンス、シラカバなどとブレンドして筋肉の裂傷や炎症、打撲の応急手当に使われる（連続使用は2週間以内）。尿路感染症にも使われるほか、膵臓機能を調整するとして糖尿病の予防にも用いられている。血圧を下げる、セリュライトや肥満対策への効果も期待できる。

### 肌
虫刺され、水虫、皮膚真菌症、水ぼうそう、皮膚のかゆみ

シトロネラールには昆虫忌避作用があり、特に蚊やダニが嫌うので虫避けに役立つ。蚊や虫刺され後のケア、治りにくい水虫にも使用できるほか、デオドラント作用があるので、汗が多い季節にごく少量スプレーに入れて用いるとよい。

## 主な使用法
アロマバス、トリートメント、スキンケア、ヘアケア、芳香浴

## ブレンドアドバイス
ゼラニウム、ラベンダー、ペパーミント、ティーツリー、ユーカリ・ラジアータ、ユーカリ・グロブルス、同じ芳香成分を含んでいるシトロネラなどの精油と相性がよい。

## 購入のポイント
価格：10mlで1,400〜1,800円
シュタイゲリアナ種（*Eucalyptus staigeriana*）も同じようにレモン様の香りだが、主成分はシトラールなのでシトリオドラとは作用が若干異なる。購入時は学名を確認すること。

## その他
ノート：トップ
ブレンドファクター：1

## 注意事項
高濃度で使用すると皮膚刺激がある。敏感肌の方は注意。
妊娠中は使用を避ける。

LESSON 1　精油ガイド

# ユーカリ・ラジアータ

フトモモ科 *Eucalyptus*属

染みとおるようなスーッとする心地よい香り。

学名●*Eucalyptus radiata*（エウカリプトゥス ラディアタ）
主な産地●オーストラリア、南アフリカ、中国
抽出部位●葉（乾燥した葉）
抽出方法●水蒸気蒸留法

葉──去痰、精神の浄化、開放感

ユーカリの種類は約600種。成長がはやく森林浴効果もあり公害にも強いので、最近は都市にも植えられている。特にラジアータ種は、香料用としてだけでなく石油の代替エネルギー源としても着目されはじめている。

### 主な作用
神経強壮、強壮刺激、去痰、抗炎症、抗カタル、うっ血除去、鎮咳、抗菌、抗ウイルス、免疫強化

### 主な芳香成分
オキサイド類：1,8-シネオール60〜75％
モノテルペン炭化水素類：リモネン3〜10％、α-ピネン2〜5％、β-ミルセン〜2％、γ-テルピネン〜2％
モノテルペンアルコール類：α-テルピネオール5〜10％
エステル類：酢酸テルピニル 微量、酢酸ゲラニル 微量
アルデヒド類：シトラール 微量

1,8-シネオールが主成分だが、グロブルス種よりも精油全体に占める割合が少なく、その分ほかの成分が豊富に存在する。

### どんなときに選ぶ？
鼻やのどが弱い人に向く精油。心身ともに疲れを感じはじめたときに用いると、心身の活力を取り戻してくれる香り。気分が落ちこんでいる日にラジアータ種の香りを吸入すると、心地よい刺激が沈んだ気持ちを引き上げてくれる。

### 心　閉塞感、否定的な気持ち、無力感、古い考え方への固執、うつ状態、記憶・集中力の低下

心に余裕を取りもどし、文字通り「一息つく」ことを助けてくれる香り。ユーカリ・グロブルスよりも、穏やかにゆっくりと心と体を強壮し、浄化する。ユーカリの仲間はどれも湿っぽい気持ちや滞った感情から開放して、自由に新しいステージへ一歩を踏み出す勇気が湧く力を与え、心のキャパシティーを広げてくれる。固定観念、主義、習慣などにこだわり、自分で自分の可能性や気持ちを閉じこめてしまう傾向があるときにもよい。

### 体　花粉症、咽頭炎、副鼻腔炎、耳炎、耳痛、喘息、咳、発熱、風邪、インフルエンザ、膀胱炎、おりもの、腟炎、免疫低下、ペットケア

呼吸器系でもどちらかというと鼻や咽頭など上気道や耳の症状に。去痰、うっ血除去作用があり、粘液過多、炎症を和らげる。他の強力な精油とブレンドするとより効果的。部屋に拡散させると感染予防になる。鼻やのどに来る風邪やインフルエンザの予防や治療の補助として使われる。ラベンサラやローズマリー・シネオールとブレンドしてのど、胸、鼻周辺にすりこむとよい。ハエ、ダニやノミなどの駆虫にも役立つ。グロブルス種よりも作用がやさしいのでユーカリ・グロブルスが使用できない小さい子どもや高齢者、動物にも使用可能。

### 肌　ニキビ、脂性肌、ヘアケア

オイリーな肌のケアや炎症、膿をもつようなニキビのケアに用いられる。グロブルスだと刺激が強いと感じるときに。スキンケアにメインで使われることは少ない精油だが、少量を他の精油とブレンドするとよい。

### 主な使用法
アロマバス、トリートメント、スキンケア、ヘアケア、芳香浴

### ブレンドアドバイス
グロブルス種よりも1,8-シネオールが少なく、比較すると他の芳香成分も多く柔らかい香りなので、芳香浴や吸入では使用量を大目にすることも可能。ラベンダー、ローズマリーなどハーブ系の精油と相性がよい。

### 購入のポイント
価格：10mlで1,800〜1,900円
ユーカリ・グロブルスとラジアータは、含有成分、用途が似ているが、ラジアータの方が香りと作用が優しい。ユーカリの中では刺激が少なく、小さなお子さんに使うケースは、ラジアータ種がおすすめ。

### その他
ノート：トップ
ブレンドファクター：2

### 注意事項
妊娠初期は使用を避ける。
妊娠中期・後期の使用は可能だが、使用の際は体調に十分注意する。
グロブルス種ほどではないが、敏感肌の方は注意。

# ユズ

ミカン科 *Citrus*属

🍊 ユズの果実特有の爽やかな香気あふれる香り。

学名●*Citrus junos*（キトゥルス ユノス）
主な産地●日本（高知、徳島など）
抽出部位●果皮
抽出方法●圧搾法

樹高4m近い耐寒性の常緑樹。枝には鋭いとげがあり、果実は直径4〜7cmくらい、厚くデコボコした果皮をもつ。果皮や果汁は、料理、お菓子に利用。*junos*は「柚の酸」という意味。酸味が強いのでつけられた。

果皮 ─ 加温、鎮痛、リフレッシュ

### 主な作用
鎮痛、発汗、血流促進、加温、食欲増進、健胃、消化促進、収れん、癒傷、抗菌、抗ウイルス、防虫

### 主な芳香成分
モノテルペン炭化水素類：リモネン70〜80％、α-ピネン〜2％、γ-テルピネン〜10％、β-フェランドレン〜2％、パラシメン 微量
フェノール類：チモール 微量
アルデヒド類：シトラール 微量

75種ほどの芳香成分が含まれているが、リモネンを70％以上含む。血管を拡張し、体の血流を促す。アロマテラピーにユズ精油が利用されはじめたのは最近であるが、かなり注目を集めている。

### どんなときに選ぶ？
冬至の時期や、心と体を温め元気を出したいときに。肩や腰の痛みを和らげ、免疫の向上やリラックス効果ももっている香り。ご高齢の方やアロマテラピーになじみがない方にも喜んでいただけることが多い精油。

**心** うつ状態、不安、緊張、ストレス、疲労、不眠

ストレス性の心身の不調、頭痛、胃腸のトラブルに役立つ。芳香の拡散、オイルトリートメント、アロマバスなどで使用するとよい。ユズの精油を持っていると季節に関係なく一年中ユズ湯を楽しむことが出来る。香りを楽しむ目的でポプリ、ルームコロンなどアロマクラフト作りにも応用すると、ふとした瞬間に漂う残り香が心をリラックスさせてくれる。

**体** 消化不良、食欲不振、むくみ、足の疲れ、肩こり、関節痛、リウマチ、腰痛、冷え性、坐骨神経痛、マタニティケア

胃腸を強壮、消化を促す。みぞおち周辺、下腹部に塗布して時計回りにマッサージする。腹部膨満感（鼓腸）、便秘などに。体を温める効果がある。体の冷えが改善されてくるにつれ、不調の程度が軽減されたという臨床例はとても多い。ユズ、ジンジャー、オウシュウアカマツ、ラベンダーなど手頃な価格で購入でき、血液循環を促し、免疫系を強化する作用がある精油は家庭でそろえておきたいもの。冷え症、肩こり、五十肩、神経痛、腰痛、妊娠中のマイナートラブルなどの症状の緩和に役立つ。妊娠中の方以外は、ローズマリー・シネオール、ラベンダー、ジンジャー、カルダモンとブレンドするとより温まるのでおすすめ。

**肌** 育毛、肌荒れ、傷、しもやけ、あかぎれ、脂性肌

毛根を刺激、頭皮を柔らかくし、ふけを予防する効果がある。ニキビや毛穴の広がりが気になるとき、収れん作用のある他の精油とブレンドしスキンケアオイルやローションにごく少量足すとよい。クリームやハンドソープにまぜておくと、香りも万人に好まれる上、血流促進や殺菌消毒効果と手荒れやささくれ、傷を治す作用も期待できる。

### 主な使用法
アロマバス、トリートメント、スキンケア、ヘアケア、芳香浴

### ブレンドアドバイス
サンダルウッド、オウシュウアカマツ、ジュニパー、サイプレス、ジンジャー、マンダリン、ネロリ、カルダモン、ラベンダー、オレンジなど、ハーブ、花、柑橘系、樹木の精油との相性がよい。

### 購入のポイント
価格：10mlで2,800〜3,800円／食品添加物認可の精油は10mlで2,800円／水蒸気蒸留法で抽出した精油は10mlで3,990円
水蒸気蒸留法で抽出した精油のほうがやさしい印象。好みにあったほうを購入するとよい。食品添加物認可をうけた食用ユズ精油も入手できる。風邪の初期や吐き気に、少量をはちみつにまぜて飲用すると治りがはやい。

### その他
ノート：トップ
ブレンドファクター：4

### 注意事項
高濃度で使用すると皮膚刺激がある。敏感肌の方は注意。
光毒性があるといわれている。塗布直後に日光に当たらないよう注意する。

LESSON 1 精油ガイド

# ラベンサラ（ラヴィンツァラ） クスノキ科 *Cinnamomum*属

🌿 ユーカリに似たスーッとする爽やかな香り。

学名●*Cinnamomum camphora*（キンナモムム カンフォラ）
＊俗称*Ravensara aromatica*（ラウェンサラ アロマティカ）
主な産地●マダガスカル、レユニオン島
抽出部位●葉
抽出方法●水蒸気蒸留法

葉｜心身の活性化、鎮静、催眠

クスノキ科の高木。日本のクスノキと同種だがマダガスカルで育つと芳香が変わり、葉の精油にはカンファーがあまり含まれない。樹皮や根から抽出した精油にはカンファーとサフロールが含まれ、毒性が強い。

### 主な作用
鎮静、催眠、鎮痛、神経強壮、強壮刺激、去痰、抗カタル、鎮咳、うっ血除去、抗菌、抗ウイルス、免疫強化

### 主な芳香成分
オキサイド類：1,8-シネオール50〜60％
モノテルペン炭化水素類：α-ピネン5〜10％、サビネン10〜15％、β-ピネン 微量、リモネン 微量
モノテルペンアルコール類：α-テルピネオール5〜10％
微量成分：β-ミルセン、β-カリオフィレン、α-ヒュムレン

1,8-シネオールが主成分。炎症を抑えて痰や過剰な粘液を排出させる他、免疫機能作用を活性化させる。α-テルピネオールには抗アレルギー作用、抗喘息作用、鎮咳作用、胆汁分泌促進作用がある。

### どんなときに選ぶ？
風邪気味のときや疲労がたまってきたとき、眠れないときに。かなりショッキングな出来事があったときにも。多岐にわたる作用をもっている精油なので、心と体のアンバランスを全体的に整えてくれる。

### 心
興奮、精神疲労、ショック、トラウマ、極度の不安、不眠、心配、パニック、恐怖、ハイテンション、うつ状態、無気力、出産

起きた現実を直視して事実として受け入れ、乗り越える力を与え、ゆっくりと元の状態に戻るのを助けてくれる。自分の中心が揺らいでしまうほどの精神的なダメージやショックな出来事があり、恐怖心やパニック、精神的にまいっているときに役立つ。精神を強化し、まっすぐ太くするイメージ。臨床ではストレスや疲労から眠れなくなった人や出産前の不安にも使われる。実際は病気ではないが病的な生活態度でいる人、うつ状態やストレス性の心身の不調を回復させる。背骨に沿って塗布しながらすり込むとよい。

### 体
免疫力低下、冷え性、肩こり、足の疲れ、倦怠感、咽頭炎、風邪、インフルエンザ、気管支炎、発熱、副鼻腔炎、肺炎、喘息の予防、花粉症、中耳炎、肝炎、腸炎

マダガスカル語でラヴィンツァラRavintsara（＝英語でGood leaf：Ravinaは葉、tsaraはよいという意味）と呼ばれるこの精油の作用は実に幅広い。抗菌、抗ウイルス、免疫強化作用があり、治癒力を高める。ティーツリー、ラベンダー、ユーカリ、柑橘系とブレンドするとより効果的。心と体のためのレスキューアロマのひとつで関節痛、筋肉の痙攣、こわばり、リウマチ、首や肩のこり、ストレス、疲労を緩和する。ラベンダー、ローズウッド、ユーカリ・シトリオドラなどとブレンドするとよい。副腎の機能を刺激するともいわれ、施術に応用できる可能性が高い。細菌やウイルス感染による腸炎や肝炎に使われる例もある。

### 肌
乾癬、水ぼうそう、皮膚真菌症、ニキビ、ヘルペス、口腔内のケア

抗菌、抗ウイルス作用に優れ、傷があり新たな感染を起こしやすい皮膚や治りにくい水虫や乾癬に使われる例もある。歯肉炎や口腔内の傷にもよい。

### 主な使用法
アロマバス、トリートメント、スキンケア、ヘアケア、芳香浴

### ブレンドアドバイス
ユーカリ、ティーツリーなどフトモモ科の精油、タイム、ラベンダーやローズマリーなどシソ科の精油、柑橘系の精油との相性がよいが、たいていの精油とブレンドしてもよく合う、使いやすい精油。

### 購入のポイント
価格：10mlで2,100〜2,500円
ラヴィンツァラの精油は長らくラベンサラと呼ばれ、学名も混同されていた（日本ではラベンサラという名で販売されているため、本書でもラベンサラとした）が、実は別種。芳香成分を比較すると*Ravensara aromatica*の葉や樹皮の精油とはだいぶ異なる。従ってアロマ効果も変わってしまうので確認してから購入すること。

### その他
ノート：トップ
ブレンドファクター：3

### 注意事項
妊娠初期は使用を避ける。
妊娠中期・後期の使用は可能だが、使用の際は体調に十分注意する。

# ラベンダー・アングスティフォリア　シソ科 Lavandula属

🌿 爽やかで果物のような酸味と甘みが感じられるハーバルな香り。

学名 ● *Lavandula angustifolia*
（ラウァンドゥラ アングスティフォリア）
主な産地 ● フランス、オーストラリア（タスマニア）、ブルガリア
抽出部位 ● 花と葉（花が咲いた先端）
抽出方法 ● 水蒸気蒸留法

水はけのよいやせた石灰質の山岳地帯に育つ多年生低木。困難な環境で成長する植物ほど逆境に立ち向かう強さがあるといわれている。野生ラベンダーは、株も花も小さいがその香りはとても力強い。

### 主な作用
鎮静、鎮痙、催眠、抗うつ、自律神経調整、抗痙攣、血圧降下、抗炎症、癒傷、瘢痕形成、筋肉弛緩、皮膚細胞活性、抗菌、抗ウイルス、抗真菌

### 主な芳香成分
モノテルペンアルコール類：$l$-リナロール30〜45％、テルピネン-4-オール 〜5％、ラバンジュロール 微量
エステル類：酢酸リナリル40〜45％
セスキテルペン炭化水素類：$\beta$-カリオフィレン〜5％
モノテルペン炭化水素類：$\beta$-オシメン〜5％、$\alpha$-ピネン 微量、$\delta$-3-カレン 微量
オキサイド類：1,8-シネオール／リナロールオキサイド 微量

酢酸リナリルと$l$-体のリナロールが主成分。鎮静、抗痙攣、鎮痛作用が主な特徴だが、多数の芳香成分が、少量ずつ300種以上存在するため、用途が広く万能に使える。

花と葉 — 鎮静、バランス調整、癒傷

### どんなときに選ぶ？
体の痛み、落ち着きのなさ、イライラを感じている日に。心を鎮めて緊張を和らげる効果がある。心、体、感情、精神すべてのバランスをとる香り。緊急時に使うとよいレスキューアロマのひとつ。少量なら原液塗布が可能な精油。

### 心
興奮、激情、緊張、不安、恐怖、うつ状態、自律神経のアンバランス、PMS（月経前緊張症）、更年期、マタニティケア、出産、動悸、不眠、慢性疲労

ラベンダーの花の優しい青色は、見るものに静かな安らぎを与える。その香りも同様に副交感神経を活性化し、自律神経系のバランスを整え、心身症的な症状を緩和する。ベルガモット、ネロリとのブレンドはパニックやヒステリーなど心の緊急時にとても役立つ。ラベンダーの語源は「洗う」という意味のラテン語Lavare：ラヴァーレという説があるが、その名の通り心の痛みや憂い、うっ積した感情を洗い流して内面の静けさを取り戻し、自分らしさを再び構築する助けになる。脳内のセロトニンの分泌を促すといわれている。

### 体
月経痛、胃痛、疝痛、筋肉の痙攣・痛み、足の疲れ、喘息の予防、打撲、怪我、腰痛、風邪、気管支炎、耳の炎症、頭痛、冷え性、高血圧、免疫低下

頭痛、筋肉のこり、胃痛、月経痛などあらゆる痛みと痙攣のある症状に。打撲直後も患部に塗布しておくとよい。筋肉の弛緩と鎮痛には、マージョラム、ローズマリー（カンファー、シネオール）、ペパーミントと一緒に使うとより効果的。痙攣性の痛みは、抗ストレス作用がある精油やプチグレンと一緒に使うと相乗効果が期待できる。免疫系を刺激し、病原菌に負けない抵抗力をつける。

### 肌
手荒れ、傷、やけど、マメ・靴ずれ、皮膚炎、皮膚真菌症、帯状疱疹、痔、虫さされ、かゆみ、妊娠線

やけどの応急手当に使うと痛みがおさまり、あまりあとも残らない。消毒を必要とするニキビ、傷、水虫、水ぼうそうなどにティーツリーとブレンドすると傷をはやく治す作用がある。直接触ることが出来ない傷には、ローションにしてスプレーするなど基材を工夫する。敏感肌を含む全ての肌タイプに使用できる。子どものケアにも使える精油。

### 主な使用法
アロマバス、トリートメント、スキンケア、ヘアケア、芳香浴

### ブレンドアドバイス
花、柑橘系、葉、ハーブ、シソ科の精油と相性がよい。ブレンドにラベンダーを1、2滴加えると、他の精油の作用を高めて相乗効果が期待できる上、全体の香りがまとまりやすくなる。

### 購入のポイント
価格：栽培のものは10mlで2,100〜3,000円／野生のものは10mlで3,500〜4,000円
刺激や毒性がなく安全性が高いので、まず揃えておきたい精油。生育場所が高くなるほど、酢酸リナリルの割合が増して甘い香りになる。1600〜1800mの野生ラベンダーは、生産量が少なく入手しにくいが、香りも格別で最高品質とされる。

### その他
ノート：トップ〜ミドル
ブレンドファクター：6〜7

### 注意事項
妊娠初期は使用を避ける。
高濃度で使用すると覚醒してしまい、眠れない。

LESSON 1　精油ガイド

# レモン

ミカン科 *Citrus*属

🍋 非常に軽くフレッシュで爽やかなレモンの香り。

学名●*Citrus limon*（キトゥルス リモン）
主な産地●イタリア、アメリカ、スペイン、アルゼンチン
抽出部位●果皮
抽出方法●圧搾法

果皮｜空気清浄、解毒、頭脳明晰

樹高6m程の常緑高木。花弁の表が白く、裏側が紫色の花が一年を通して開花する。ヨーロッパに広まったのは12世紀頃で、十字軍の兵士が持ち帰ったとされる。壊血病対策に薬用として使用された。

### 主な作用
精神鼓舞、健胃、駆風、消化促進、血流促進、加温、止血、結石溶解、肝臓強壮、静脈強壮、抗菌、抗ウイルス、免疫強化

### 主な芳香成分
モノテルペン炭化水素類：リモネン60～70％、β-ピネン10～15％、γ-テルピネン5～10％、α-ピネン／β-ミルセン／ザビネン 微量
セスキテルペン炭化水素類：β-ビサボレン 微量
フロクマリン類：ベルガモッチン、ベルガプテン 微量
アルデヒド類：シトラール 微量

約130種以上の芳香成分が存在。リモネン、β-ピネンなどモノテルペン炭化水素類が主成分。レモン独特の香りは、微量成分のシトラール、ヘキサナール、ヘプタナールなどによる。フロクマリン類が存在するので光毒性に注意が必要。

### どんなときに選ぶ？
冷静な判断や記憶力、集中力を高めて意欲的に活動したい日に。脳を刺激してリフレッシュ出来るので、頭がボーっとするときや1日がはじまる朝に香りを嗅ぐのはおすすめ。バジルやティーツリー、ローズマリーとブレンドしてみては。

**体** 消化不良、便秘、吐き気、胸やけ、乗り物酔い、二日酔い、肝臓の不調、食欲不振、マタニティケア

他の柑橘系と同様、胃腸の働きを高める。特に脂っこい食事をした後の消化を助け、肝臓の機能を強化する。吐き気、嘔吐にはバジル、ペパーミントとのブレンドがよく使われる。ローズマリー・ベルベノンとキャロットシードとのブレンドは肝臓、胆のう、すい臓を強壮するという臨床例がある。

**体** むくみ、ダイエット、関節炎、リウマチ、痔、静脈瘤、高血圧、冷え症、体液の滞留、腎臓の不調

血液やリンパの流れを促進、体を温め体内の老廃物を排出する。関節炎やリウマチ、痛風など筋肉や関節の痛み、足の疲れやむくみによい。妊娠中のマイナートラブル、セリュライトの改善にも役立つ。血管壁を強化し、特に静脈の流れを改善するので、サイプレスやシダーウッドなどとブレンドして静脈瘤や痔の予防に用いる。歯肉炎、口臭予防などの口腔ケア、動脈硬化、高血圧、糖尿病など生活習慣病の予防にも使われる。

**体** 免疫低下、風邪、インフルエンザ、咽頭炎、感染症の予防、病後

レモンの香りは爽快でリフレッシュ効果が高い上、抗菌作用に大変すぐれ、室内芳香に用いると空気を清浄する。病原菌と戦う白血球を活性化する働きがあるとされ、風邪や炎症、病後に使われる。やや熱めの湯でオウシュウアカマツ、プチグレン、サイプレス、ローズマリー（シネオール、ベルベノン）などと一緒に入浴や足浴に使うと心身に活力が戻ってくる。

**肌** 脂性肌、吹き出物、ニキビ、デオドラント、しみ、いぼ、ウオノメ、爪の手入れ、ヘアケア

いぼ、ウオノメには、患部のみにレモンを高濃度で塗布する方法がある。爪や唇の荒れ、オイリーな肌、脂っぽい頭皮のお手入れにおすすめ。化膿したニキビや赤みを帯びた肌に。デオドラント効果も高いので、体臭予防にも役立つ。

### 主な使用法
アロマバス、トリートメント、スキンケア、ヘアケア、香水 湿布、芳香浴、掃除（ハウスキーピング）

### ブレンドアドバイス
代表的なトップノート。柑橘系、ローズマリー、ペパーミントなどハーブの精油、コリアンダー、フランキンセンスなどリモネンを含む精油との相性がよい。ラベンサラ、ラベンダー、ティーツリーとの組み合わせは、免疫系を刺激し治癒力を高める。

### 購入のポイント
価格：10mlで1,700～2,600円
果皮を圧搾したものがほとんどだが、蒸留法で抽出した精油もある。蒸留は、熱により若干成分の変化を伴うので、香料としてみると圧搾のほうが香りがよい。イタリア産はカリフォルニア産よりもシトラールの量が多い傾向がある。

### その他
ノート：トップ
ブレンドファクター：4

### 注意事項
高濃度で使用すると皮膚刺激がある。敏感肌の方は注意する。
光毒性があるので、塗布直後に日光に当たらないよう注意する。

# レモングラス

イネ科 *Cymbopogon*属

🌱 ピリッとした新鮮な草とレモンを思わせる爽やかな香り。

学名 ● *Cymbopogon citratus*（キンポポゴンキトラトゥス）
主な産地 ● ベトナム、マダガスカル、スリランカ、インドネシア、インド
抽出部位 ● 葉（根を除く全草）
抽出方法 ● 水蒸気蒸留法

成長がはやく、年2回以上は収穫される草丈の高いイネ科の多年草。栽培には熱帯性気候が適しており、高温と日光を好む。暑い地方に多い熱病や感染症の予防に長く使用されてきた歴史がある植物。

葉 ― 覚醒、頭脳明晰、刺激強壮

### 主な作用

鎮静、鎮痛、抗アレルギー、血流促進、血管拡張、血圧降下、消化促進、駆風、抗炎症、解熱、収れん、抗菌、抗ウイルス、抗真菌、昆虫忌避

### 主な芳香成分

アルデヒド類：シトラール70〜80％、シトロネラール2〜10％
モノテルペン炭化水素類：リモネン2〜5％
モノテルペンアルコール類：ゲラニオール〜5％
微量成分：酢酸ゲラニル、β-カリオフィレン、リナロール

異性体の関係にある芳香成分、ゲラニアールとネラールが混在しており、総称して「シトラール」と呼ばれる。シトラールには抗ヒスタミン作用、抗真菌作用、抗菌作用、抗がん作用、鎮静作用、鎮痛作用があるが、皮膚刺激もあり使用濃度に注意する。

### どんなときに選ぶ？

すっきりとした香りが気持ちをしゃっきっとさせて、リフレッシュしたいときに。尽きない悩みや精神疲労、極度の緊張があるときに使用する。視野を広げて、冷静に解決策を生み出せるように助けてくれる香り。

### 心

**興奮、神経過敏、記憶・集中力の低下、無気力、心配、緊張**

過度な興奮や神経過敏になっているときに、鎮静し気持ちを切り替えてくれる香り。心配事があり、常にその問題に意識が集中してしまい、その他の事への無関心、うつ状態、食欲減退や不眠にもつながりかねないようなときにローズマリー（シネオール、ベルベノン）、ペパーミント、オウシュウアカマツなどとブレンドする。精神を高揚し、活性化してやる気や集中力を増す。朝のシャワーやデスクワーク、勉強のときに香りを拡散させるとよい。アドレナリンの分泌を促すといわれている。

### 体

**冷え性、筋肉痛、肩こり、リウマチ、腰痛、下肢のむくみ、ダイエット、ペットケア、昆虫忌避**

鎮痛作用や血流を促す作用があり、筋肉や腱などの働きを高めることから、捻挫、筋違い、筋肉痛、肩こりの人によい。スポーツ後の筋肉のクールダウンにも用いられる。脂肪やセルライトが気になるときに。体の働きを強壮する作用がある。抗菌、消臭の効果もありノミやダニを予防するので、ラベンダー、ヒノキなどとブレンドし、ケージの掃除やペットの被毛のブラッシングなどにも使われる。キッチンのハエ、ごきぶりなどの害虫避けにもなる香り。

### 肌

**ヘアケア、ニキビ、デオドラント、消臭、虫刺され、発汗、皮膚真菌症、かゆみ**

過度の発汗や体臭の予防。殺菌消毒し、デオドラント効果が高い精油なので、夏用のボディローションに少量ブレンドしておくとよい。虫刺され後のかゆみ対策にラベンダー、メリッサ、ティーツリー、カモミール（ジャーマン、ローマン）などとブレンドするとよい。シトラールは、特に白癬菌に効果があるとされ、水虫などの対策によい。その場合は、レモングラスやティーツリー、ミルラ、パルマローザ、ゼラニウムなどとブレンドすると、より効果的である。

### 主な使用法

アロマバス、トリートメント、スキンケア、ヘアケア、芳香浴

### ブレンドアドバイス

気持ちが悪くなることや肌に刺激を感じることもあるので、量を加減して用いる。マージョラム、ローズマリー、ブラックペッパー、ジンジャー、アンジェリカなどハーブ、スパイス、種子の精油と相性がよい。

### 購入のポイント

価格：10mlで1,700〜1,800円
レモングラスと呼ばれる植物には、*Cymbopogon flexuosus*もあるがこちらは、よりシトラールの含有量が多い。
精油の熟成にともなう空気や光にさらされるとシトラールの含有量は徐々に減ってしまうので、新鮮なものを購入し、1年以内に使い切る。

### その他

ノート：トップ
ブレンドファクター：1〜2

### 注意事項

高濃度で使用すると皮膚刺激がある。敏感肌の方は注意。
作用が強いので少量（30mlの基材に対して1〜3滴）で十分。
眼圧を上げるので緑内障の方への過度の使用は避ける。
妊娠中は使用を避ける。

LESSON 1　精油ガイド

# ローズ・アブソリュート

バラ科 *Rosa*属

🌸 オットーよりも華やかでよりバラらしい印象を与えるフローラルノート。

学名●*Rosa centifolia* キャベジローズ（ロサケンティフォリア）
　　　*Rosa damascena* ダマスクローズ（ロサダマスケナ）
抽出部位●花
抽出方法●有機溶剤法
主な産地●ブルガリア、トルコ、モロッコ、フランス、エジプト

ケンティフォリア種は*centifolia*（100枚の）という名の通り、100枚前後の花弁をもつ。ヴィーナスとともに生まれた花といわれ、ボッティチェリの「ヴィーナスの誕生」にはケンティフォリア種のバラが描かれている。

花 ― 幸福感、精神高揚、官能的

### 主な作用
鎮静、抗うつ、精神高揚、多幸、強壮刺激、ホルモン調整、通経、催淫、抗痙攣、収れん、抗炎症、緩下、瘢痕形成、皮膚軟化、抗菌、抗ウイルス

### 主な芳香成分
モノテルペンアルコール類：
シトロネロール10～20％、ゲラニオール5～10％、ネロール3～8％、リナロール10～20％
芳香族アルコール類：
フェニルエチルアルコール65～70％
微量成分：ダマセノン、ファルネソール、ダマスコン、β-イオノン、ローズオキサイド、オイゲノール、酢酸ゲラニル

ケンティフォリア種やダマスク種のバラから有機溶剤法で抽出されたものがローズ・アブソリュート。主な芳香成分はローズオットーとほぼ同じだが成分の比率が大幅に変わり、オットーとは香りも違う印象となる。アブソリュートは、フェニルエチルアルコールが圧倒的に多い。

### どんなときに選ぶ？
ハートを温める香り。女性らしさを引き出し、感情を自由に表現するのを助ける。その時々にあわせてローズオットーと使い分けてみるとよい。体を流れるエネルギーを細胞の隅々までめぐらせる力もある。より高い次元で自分を発揮したいときに。

### 心
愛情への恐怖、性への恐怖、インポテンツ、不感症、あきらめ、変化・手放すことへの恐怖、悲嘆、うつ状態、ショック、嫉妬、執念深さ、興奮、情緒不安定、無気力、意気消沈

ローズオットー同様、心を満たして多幸感をもたらす。ローズ・アブソリュートのほうが催淫作用は強いともいわれ、その香りは官能を刺激する。オットーにも同様の力があるが、エネルギー体にダイレクトに働きかける。かなり希釈されるとその力を発揮し、サトルボディ（68ページ参照）のケアにも用いられる。ローズウッド、ヒノキなどとのブレンドは臨床でよく使われ、エネルギーを通し、感情に働きかけ中心を強くする。心が傷ついたときオットーは、優しくなぐさめて保護するように癒し、落ち込みからゆっくり引き上げる。アブソリュートは、なぐさめると同時に内面の情熱を呼び覚まし、本来の快活さ、強さをより成長させることでショックを乗り越える。ともに一見ソフトではあるが、大変パワフルな精油である。

### 体
更年期、月経痛、月経不順、PMS（月経前緊張症）、便秘、出産、ストレス性の症状、高血圧、動悸

ホルモンバランスを整え子宮を強壮する。PMSや更年期の情緒不安定に。心と体は密接につながっているので、精神面でのリラクゼーションを図りたいとき、香りは重要なファクター。同じローズでもアブソリュートとオットーは、香りの印象が違うので好みのほうを用いるとよい。

### 肌
あせも、ニキビ、乾燥、肌荒れ、しわ、しみ・傷あと・色素沈着、目のクマ、湿疹、かゆみ、傷、静脈瘤、妊娠線の予防、全ての年代の肌のスキンケア

スキンケアにはオットーのほうが使いやすいといわれる。昔は、抽出の際に用いた溶剤が2～6％ほど残留するといわれ、敏感肌、子どもへの使用はオットーのみとするアロマセラピストも多かった。フェニルエチルアルコールは肌を活性化させる力が強い。ローズ芳香蒸留水には多量に含まれている。

### 主な使用法
アロマバス、トリートメント、スキンケア、ヘアケア、香水、湿布、芳香浴、吸入

### ブレンドアドバイス
アブソリュートは、ブレンドに柔らかさと繊細さを加え、心地よい甘さを演出する。華やかで香水作りに向く濃厚で甘い香り。
花、ハーブ、樹木、種子、樹脂、柑橘系などほとんどの精油と相性がよい。

### 購入のポイント
価格：10mlで12,000～15,000円
アブソリュートはローズオットーより、同量の原料からの収量が多いのでやや価格は抑えられる。しかし高価なので1～5mlの少量での購入がおすすめ。流通量は少ないがダマスク種から抽出されたアブソリュートも入手可能。やわらかな優しい香り。

### その他
ノート：ミドル～ベース
ブレンドファクター：1

### 注意事項
作用が強いので、少量（30mlの基材に対して1～3滴）で十分。妊娠初期は使用を避ける。

# ローズウッド

クスノキ科 *Aniba*属

🌱 わずかにスパイシーで心休まるフローラル・ウッディー調の香り。

学名●*Aniba rosaeodora*（アニバ ロサエオドラ）
主な産地●ブラジル
抽出部位●木部
抽出方法●水蒸気蒸留法

別名ボアドローズ。快い香りを持ち、重要な香料原料。非常に成長が遅く、精油が蒸留できるまで約15年はかかる。一時期、乱伐によって絶滅が心配されたが、現在はブラジル政府によって計画的に植栽されている。

木部／精神安定、鎮静、穏やかさ

### 主な作用
鎮静、抗うつ、神経強壮、疲労回復、催淫、鎮痛、皮膚軟化、皮膚細胞成長活性、抗菌、抗ウイルス、抗真菌、免疫強化

### 主な芳香成分
モノテルペン炭化水素類：α-ピネン／リモネン 微量
モノテルペンアルコール類：リナロール80～90％（*d*-体と*l*-体の混合）、α-テルピネオール2～5％
エステル類：酢酸リナリル 微量
オキシド類：1,8-シネオール 微量、リナロールオキサイド 微量

精油全体としてはリラックス効果もあるが、ローズウッドに含まれる*d*-体のリナロールは交感神経を活性化、神経を強壮し、うつ、不安を和らげる作用がある。α-テルピネオールには抗炎症、収れん、1,8-シネオールには去痰作用がある。

## どんなときに選ぶ？

リラックスしたい日に。バラに似た柔らかくやさしい甘い香りが、心をほっとさせてくれる。精神的、肉体的な疲れを癒し、気持ちを明るくしてくれる精油。2、3滴垂らしたアロマバスがおすすめ。

### 心
不安、精神疲労、興奮、神経質、無気力、うつ状態、ストレス、マタニティケア、食欲不振

適切に希釈すれば、妊産婦、子どもにも使える精油。主成分のリナロールには*l*-体と*d*-体がある。ローズウッド精油中には混合して存在している。*d*-リナロールには心身を活性化する作用があり、*l*-リナロールは鎮静作用がある。したがって肉体疲労やストレス性の肩こり、頭痛などや神経が疲労しきってしまったときに役立つ。やさしい香りは、嗅いだ瞬間に気持ちを和ませてくれるが、中枢神経系を強化し安定させるパワーを秘める。出産直前の準備にも使われる精油。
ヨガや呼吸法、瞑想を行うとき、ローズウッド、フランキンセンス、ヒノキ、ネロリ、ローズなどの芳香を拡散させるとより集中でき、チャクラの活性化にも役立つといわれている。

### 体
疲労、風邪、咽頭炎、中耳炎、副鼻腔炎、気管支炎、口内炎、膀胱炎、膣炎、おりもの

免疫力を高め、抗菌作用のある成分を多く含んでおり、感染症や炎症に役立つ。その場合、レモン、ティーツリー、ユーカリ（グロブルス、ラジアータ）とブレンドする。子どもの風邪にも使用できる。

### 肌
湿疹、皮膚炎、ニキビ、しわ、しみ・そばかす、乾燥、赤ら顔、ヘアケア、傷、妊娠線、スキンケア、まめ、皮膚真菌症

敏感肌、普通肌、老化肌、脂性肌すべての肌タイプによい。肌の細胞を活性化し、若返り効果が期待できる。ハリがない肌、乾燥やしわ、しみ、そばかす、乾癬、ニキビなどの症状に。アトピー性皮膚炎や湿疹には、ラベンダー、ローズ、カモミール（ジャーマン、ローマン）などとブレンドして使われる。痛んだ髪のケアにもよい。抗真菌作用があり、ティーツリー、パルマローザ、ゼラニウムなどとブレンドして、水虫や爪白癬など皮膚の真菌症にも使用される。

### 主な使用法
アロマバス、トリートメント、スキンケア、ヘアケア、芳香浴

### ブレンドアドバイス
石鹸、頭髪・スキンケア用クラフトに欠かせない。ほとんどの精油と相性がよいが、特にローズ、イランイラン、フランキンセンス、ゼラニウム、ラベンダー、ネロリはおすすめ。

### 購入のポイント
価格：10mlで1,750～2,400円
皮膚への刺激が少なく、安全性が高い成分が特徴で使いやすい。スキンケアやリラックス用に大変役立つので、まず揃えておきたいおすすめの精油のひとつ。ローズとは違う種類の植物(木)なので間違えないこと。

### その他
ノート：ミドル
ブレンドファクター：6

### 注意事項
基本的な用量・使用法を守る。

LESSON 1 精油ガイド

# ローズオットー

バラ科 *Rosa* 属

🌸 気品あふれるフローラルな香り。「香りの女王」と呼ばれる。

学名●*Rosa damascena* ダマスクローズ（ロサ ダマスケナ）
主な産地●ブルガリア、トルコ、モロッコ、フランス、エジプト
抽出部位●花
抽出方法●水蒸気蒸留法

花 ― 幸福感、精神高揚、受容

ローズオットーは原種に近いダマスクローズから抽出される。日が昇るにつれ花の芳香は少なくなるので早朝に摘み、すぐに蒸留所に運ばれる。オットー（otto）はペルシャ語のattar（花の精、香水という意味）に由来。

### 主な作用
鎮静、抗うつ、多幸、強壮刺激、抗痙攣、ホルモン調整、通経、催淫、収れん、抗炎症、緩下、瘢痕形成、皮膚軟化、抗菌、抗ウイルス

### 主な芳香成分
**モノテルペンアルコール類**：シトロネロール45～60％、ゲラニオール10～20％、ネロール5～10％、リナロール1～2％
**芳香族アルコール類**：
フェニルエチルアルコール1～2％
**ステアロプテン**：10～20％
**微量成分**：ダマセノン、ダマスコン、β-イオノン、ローズオキサイド、オイゲノール、酢酸ゲラニル、ファルネソール

「香りの研究は、バラにはじまりバラに終わる」といわれる。発見された成分は500以上だが、未知の成分も存在。バラらしさをかもし出すのは、ダマセノン、ローズオキサイドなどの微量成分。ローズオットーは13℃以下で固まる性質がある。

### どんなときに選ぶ？
本当につらいときやさみしいときに。深く心を痛める出来事や自信を失くすような体験のあと、あらゆるネガティブな感情を癒し、傷つき閉じてしまった第4チャクラを開いて、再び喜びや愛情を受け入れ、育てる力を与える。

### 心
欲求不満、興奮、心痛、悲嘆、怒り、落ち込み、孤独感、神経過敏、うつ状態、無感動、ショック、嫉妬、強迫観念、情緒不安定、性的な問題、インポテンツ、不感症

やさしい愛情あふれる香りは、心をなぐさめ、満たして多幸感をもたらす。鎮静すると同時に高揚する。元気なときは、お酒に酔ったような少しハイな気分に、落ち込んだときはゆっくりと気持ちが引き上げられるのを感じることだろう。心の浄化に役立つ香り。起きた事実は変わらないが、それを受け止めるのが楽になったと感じる人が多い。ローズは、伝統的に愛の象徴とされ催淫剤として使われた。愛されることや愛することへのブロックがあるときに、肉体的にも感情的にも女性のセクシュアリティーに働きかけネロリ、イランイラン、ジャスミン同様、性的な悩みに使われる。

### 体
更年期、月経痛、月経不順、PMS（月経前緊張症）、便秘、出産、花粉症、気管支炎、めまい・不眠・頭痛・胃腸の不調などストレス性の症状、動悸、高血圧

脳の下垂体や視床下部を刺激するといわれており、ホルモンバランスを整え子宮を強壮する。サイプレス、ゼラニウム、クラリセージとブレンドすると効果的。女性の一生を通じ、思春期、成熟期、出産、更年期、老年期とライフステージに合わせて幅広く使われる。血液を浄化する作用、抗ヒスタミン作用、肝臓強壮、免疫強化作用もあり、花粉症や二日酔いにも使われる。

### 肌
あせも、ニキビ、乾燥、肌荒れ、しわ、しみ、傷あと、色素沈着、目のクマ、湿疹、かゆみ、傷、静脈瘤、妊娠線の予防、全ての年代・肌タイプのスキンケア

皮膚の弾力や潤いを取り戻し、特に成熟した肌の若返りによい。毛細血管が目立つ肌にも。パルマローザ、ゼラニウムなどとブレンドし、ローズヒップ油にまぜて使うと美肌力がアップする。サイプレスとのブレンドは静脈瘤の予防に。目の疲れや新生児の湿疹などには、ローズ芳香蒸留水が役立つ。

### 主な使用法
アロマバス、トリートメント、スキンケア、ヘアケア、香水 湿布、芳香浴、吸入

### ブレンドアドバイス
ローズオットーは、香りを持ち上げ、強さ、華やかさを演出する。粗いブレンドを丸く仕上げて美しさと深みを与える。花、ハーブ、樹木、種子、樹脂、柑橘系などほとんどの精油と相性がよい。

### 購入のポイント
価格：ローズオットーは10mlで30,000～40,000円／ローズ・イン・ホホバ（精油をホホバ油で5～10％濃度に希釈したもの）は10mlで3,000～4,000円
蒸留や栽培の条件にもよるが、3,500～4,000kgの花から1リットルしか抽出できないのでかなり高価だが、ベース（基材）に1滴加えるだけで驚くほどの効果がある。1～5mlの少量での購入がおすすめ。
流通量は少ないが、ケンティフォリア種から水蒸気蒸留法で精油を抽出する場合もある。トルコ産のオットーはブルガリア産に比べると男性的で強い香り。

### その他
ノート：ミドル～ベース
ブレンドファクター：1

### 注意事項
作用が強いので、少量（30mlの基材に対して1～3滴）で十分。
妊娠初期は使用を避ける。

PART 3 精油・キャリアオイルガイド

# ローズマリー・カンファー

シソ科 *Rosmarinus* 属

🌿 つんとした鋭い刺激を感じるシャープなカンファー（樟脳）の香り。

学名●*Rosmarinus officinalis* ct.camphor
　　　（ロスマリヌス オフィキナリス カンファー）
主な産地●フランス
抽出部位●花と葉
抽出方法●水蒸気蒸留法

*和名マンネンロウ。樹高1m以上に成長する常緑低木。海岸近くに生え、小さな青色の花がまるで海の波が散ったしずくの様であることからRos（しずく）marinus（海の）という名がつけられた。*

花と葉 ── 筋肉弛緩、頭脳明晰、直感

### 主な作用
神経強壮、頭脳明晰、強心、血圧上昇、通経、肝臓強壮、胆汁分泌促進、粘液溶解、筋肉弛緩、加温、うっ血除去、利尿、抗菌、抗ウイルス

### 主な芳香成分
モノテルペン炭化水素類：α-ピネン10～25％、カンフェン5～15％
ケトン類：カンファー15～25％
オキサイド類：1,8-シネオール15～35％
微量成分：リナロール、β-カリオフィレン、リモネン、酢酸ボルニル、β-ミルセン、α-テルピネオール

筋肉弛緩作用があるカンファーが主成分。1,8-シネオール、α-ピネンなどオキサイド類やモノテルペン炭化水素類を含むので抗感染作用も期待できる。

### どんなときに選ぶ？
気力がなく、だるくて仕方ない日に。すーっと鼻からぬけて頭の働きをクリアにする。決断力や集中力、意欲が欲しいときに。カンファータイプは、香りが強すぎるとかえって疲れてしまうので他のローズマリーより少量だけ用いれば十分。

### 心　無気力、記憶・集中力の低下、神経衰弱
精神を高揚し活性化させ、ひらめきや直感、インスピレーションをわき起こす。脳の血流量を増し、記憶力や集中力を高める作用もある。ごく少量で強壮作用を示し、過度だとかえって刺激となり、てんかん発作の要因ともなりやすい。濃い濃度で用いるとローズマリー・カンファーがもつ神経毒性の面が強く作用してしまうので注意が必要。

### 体　筋肉・関節の症状、肩こり、足の疲れ、ダイエット、消化不良、低血圧、痰、副鼻腔炎、月経不順
主に筋肉の問題に使われる。心臓の拍動を強めて血流を促し、筋肉を弛緩させる作用にすぐれているので肩こり、筋肉痛、関節の痛み、腰痛、神経痛、筋肉の拘縮、リウマチなどに用いる。ごく少量で心臓を強壮し、血圧を上昇させる。多量で筋肉を緩めてリラックスさせるが、過度だと主成分のカンファーは肝臓や神経に対して毒性を現し、流産や痙攣や昏睡を引き起こす可能性があるといわれている。単品で使うより他の精油とブレンドしたほうがよい。時々セリュライトや肥満対策に使用されることもあるが、使用頻度はベルベノンタイプのほうが高い。

### 主な使用法
アロママッサージ、トリートメント、スキンケア、ヘアケア、芳香浴

### ブレンドアドバイス
ラベンダー、マージョラム、タイム、ゼラニウム、オウシュウアカマツ、フランキンセンス、カルダモン、ジンジャー、ジュニパー、ユーカリ、レモンなどハーブ、樹木、柑橘系、スパイスの精油との相性がよい。

### 購入のポイント
価格：カンファータイプ：10mlで2,000円
ローズマリーには、カンファー臭が強いタイプ、ベルベノン臭が強いタイプ、シネオール臭が強いタイプと3種類のケモタイプ（化学種）が存在し、種名の後ろに成分名を書き、どのタイプか表示するので購入の際は確認する。カンファータイプは、筋肉痛や腰痛に役立つが神経毒性を示す成分も多いので使用量には注意が必要。

### その他
ノート：トップ～ミドル
ブレンドファクター：1

### 注意事項
高濃度で使用すると皮膚刺激がある。敏感肌の方は注意。
作用が強いので少量（30mlの基材に1～3滴）で使う。
妊娠中、授乳中、てんかんの方、乳幼児への使用を避ける。
ホメオパシー療法とは、併用しない。

---

### ＊ローズマリー・カンファーの有用性
ローズマリーのカンファータイプの精油は、セルフケアの使用頻度が他の2種（ベルベノンタイプ、シネオールタイプ）に比べると少ない。筋肉への働きかけが主な作用となり、その他の面での活用例が少ないことと、ケトン類のカンファーに神経毒性あることを考慮されるためと推測されるが、ピンポイントでの使用にとどめ、希釈濃度に気をつければかなり有効であることは確かである。

LESSON 1　精油ガイド

# ローズマリー・シネオール

シソ科 *Rosmarinus*属

🌿 ユーカリに似た爽やかでリフレッシュできる香り。

学名●*Rosmarinus officinalis* ct. cineole
（ロスマリヌス オフィキナリス シネオール）
主な産地●モロッコ、チュニジア、北アフリカ
抽出部位●花と葉
抽出方法●水蒸気蒸留法

ローズマリーは民間薬として古くから使われていた。種名の*officinalis*は「薬用の、薬効がある」という意味のラテン語。ほかにもセージ、ジャスミン、ジンジャーなど古くからの薬用植物につけられている。

### 主な作用
頭脳明晰、記憶・集中力強化、肝臓強壮、抗炎症、去痰、粘液溶解、抗カタル、消化促進、抗菌、抗ウイルス、抗真菌

### 主な芳香成分
オキサイド類：1,8-シネオール50〜60%
モノテルペン炭化水素類：α-ピネン10〜20%
ケトン類：カンファー2〜10%
微量成分：ボルネオール、β-カリオフィレン

去痰作用、粘液をさらさらにする粘液溶解作用、血流を促進させる作用が特徴であるオキサイド類の1,8-シネオールが主成分。カタル症状、痰、炎症を伴う風邪の症状や筋肉痛によい。

### どんなときに選ぶ？
ちょっと落ち込み気味で、行動する気がなかなか起きず、やや引きこもりたいような気持ちのときに役立つ精油。脳に活力を与え、やる気や自信を引き出す。勉強部屋に向く香りのひとつ。

#### 心　不安、緊張、イライラ、不眠、精神疲労、無気力、記憶・集中力の低下

気持ちの乱れがあり、意識を集中させることが難しいときに。頭をすっきりさせ、気分転換しやすくなる。神経過敏でささいなことでもイライラし、まれに傷つきやすくなるときに。このような精神状態が長く続くと肉体の疲労だけではなく、神経衰弱やうつ状態、不眠にもつながりやすいので早めにケアしたいもの。ローズマリーは全般的にどのタイプも、精神を刺激し、上昇させる方向で作用するが、香りの鋭さや深さなどニュアンスがそれぞれ多少異なる。状態に合わせて使い分けてみること。

#### 体　慢性疲労、風邪、気管支炎、副鼻腔炎、中耳炎、耳痛、頭痛、インフルエンザ、冷え性、肩こり、リウマチ、腰痛、筋肉痛、坐骨神経痛、下痢、便秘、消化不良

1,8-シネオールが多く含まれており、うっ血除去作用や粘液溶解作用があり、痰の排出を助ける。他の精油と組み合わせて咽喉や鼻、気管支、肺のカタル症状に使われる。少量なら子どもの気管支炎、風邪のときにもよい。ティーツリー、ユーカリ（グロブルス、ラジアータ）、タイム・リナロールなどとブレンドすると抗感染作用や免疫を強化する。血液循環を促進する効果もあり、冷え性や静脈瘤にサイプレスや柑橘系とブレンドする臨床例がある。筋肉疲労やリウマチ、神経痛にも用いる。スポーツ前の準備にもよい。消化器系が弱り、下痢や嘔吐、消化不良、便秘のときにもよい。

#### 肌　ヘアケア、デオドラント、ニキビ、吹き出物、スキンケア

デオドラント作用に優れているので、体臭予防に役立つ。オイリーな肌を清浄し、収れんし、ニキビや吹き出物を防ぐ。ふけ、脱毛が気になるときに、シダーウッド・アトラス、ジュニパー、ヒノキ、ティーツリーなどとブレンドし、無香料シャンプーにまぜて使用するとよい。

### 主な使用法
アロマバス、トリートメント、スキンケア、ヘアケア、芳香浴

### ブレンドアドバイス
ユーカリ、ティーツリー、マートルなどフトモモ科の精油、タイム、フランキンセンス、シダーウッド、レモン、オレンジ、ゼラニウム、ラベンダー、ネロリなど柑橘系、ハーブ、樹木、樹脂などの精油との相性がよい。

### 購入のポイント
価格：10mlで1,900〜2,000円
香りと作用が異なる3種類のケモタイプ（化学種）があるので確認すること。
はじめてローズマリーを購入するときは、比較的穏やかな作用のシネオールタイプがおすすめ。

### その他
ノート：トップ
ブレンドファクター：2

### 注意事項
高濃度で使用すると皮膚刺激がある。敏感肌の方は注意。
作用が強いので少量（30mlの基材に1〜3滴）で十分。
妊娠初期は使用を避ける。
妊娠中期・後期の使用は可能だが、使用の際は体調に十分注意する。
ホメオパシー療法とは、併用しない。

# ローズマリー・ベルベノン

シソ科 *Rosmarinus*属

すーっとするハーブ系のフレッシュな心地よい香り。

学名●*Rosmarinus officinalis ct.verbenone*
（ロスマリヌス オフィキナリス ベルベノン）
主な産地●コルシカ島、スペイン、フランス
抽出部位●花と葉
抽出方法●水蒸気蒸留法

肉の臭みをとり、消化を促すとしてフランス料理やイタリア料理に欠かせないハーブ。生育環境で香りが変わるというケモタイプの概念は、料理人の間で広まり、やがてアロマセラピストにも知られるようになった。

花と葉 ── 肝機能調整、解毒、抗カタル

### 主な作用
自律神経調整、脂肪溶解、卵巣強壮、抗痙攣、去痰、粘液溶解、肝臓強壮、胆汁分泌促進、心臓強壮、うっ血除去、駆風、皮膚組織活性、癒傷、瘢痕形成、抗菌、抗ウイルス

### 主な芳香成分
モノテルペン炭化水素類：α-ピネン25〜35％、カンフェン5〜15％
ケトン類：ベルベノン15〜20％、カンファー2〜10％
エステル類：酢酸ボルニル2〜10％
オキサイド類：1,8-シネオール5〜20％
モノテルペンアルコール類：ボルネオール〜10％
微量成分：β-カリオフィレン

酢酸ボルニル、ベルベノン、α-ピネンなどが主な成分。肝臓を強壮する作用にすぐれている。コレステロール値が高く、ダイエットしたい人にも使われる。

### どんなときに選ぶ？
精神的には、うつ状態や不安感が強く、肉体的には過食やアルコールの過剰摂取、薬を飲用したあとの疲労感が抜けないときに。心身を刺激して強壮する力がある精油。

**心** うつ状態、不眠、心配、神経過敏、自信喪失、無気力、記憶・集中力の低下、更年期の不調、性的な問題、インポテンツ

精神的な不調が多く、イライラして傷つきやすくなり、意識を集中させることが難しいだけでなく、意欲そのものが湧かなくなり、自信や目的の欠如、自分を大切にすることが出来なくなったときに。ローズマリー・ベルベノンは、心臓や腎臓、肝臓、肺とも関連があり、心と体の両面を穏やかに刺激し、ベースをあげる。ラベンダー、ローズ、ネロリ、マンダリン、メリッサ、プチグレンなどとブレンドし、心配、神経過敏、うつ状態、性的な不調に使われることがある。

**体** 心臓・肝臓・胆のう・すい臓の不調、胃痙攣、嘔吐、低血圧、消化不良、高コレステロール、セリュライト、冷え性、月経不順、過多月経、おりもの、気管支炎、中耳炎、歯肉炎

肝臓や胆のうの機能を調整する。体を浄化し、肝機能の低下、肥満、糖尿病、動脈硬化、高コレステロールなど生活習慣病予防に役立つ。代謝促進や肝機能の調整、胆汁分泌、脂肪溶解作用は他のローズマリーより強い。肝毒性があるフェノール系の成分を含む精油を使用するときは、肝臓を保護する目的でローズマリー・ベルベノンを一緒に用いるとよい。消化不良、鼓腸、胃腸の痙攣も和らげる。過剰な粘液を溶解するので呼吸器のカタル症状に用いるほか、静脈やリンパのうっ滞除去に役立ち、むくみや静脈瘤、痔のときにサイプレスとブレンドされる例もある。

**肌** ヘアケア、傷、あかぎれ、老化肌、ニキビ、ケロイド、傷跡、毛包炎、しわの予防

ふけ、脱毛予防にローズマリーのシネオールとベルベノンの両方が使われる。皮膚を清浄にし、皮膚組織を再生する作用があり、肌のハリの回復やしわの予防、ニキビ、毛包炎、傷、あかぎれなどに臨床でよく用いられる。どの肌タイプでも使うことが可能。

### 主な使用法
アロマバス、トリートメント、スキンケア、ヘアケア、芳香浴

### ブレンドアドバイス
ユーカリ、ティーツリーなどフトモモ科の精油、フランキンセンス、サイプレス、ローズ、オレンジ、レモン、ラベンダー、ゼラニウムなど柑橘系、ハーブ、樹木、樹脂の精油との相性がよい。

### 購入のポイント
価格：10mlで4,200〜4,500円
香りと作用が異なる3種類のケモタイプ（化学種）があるのでよく確認すること。
ベルベノンタイプは、価格はやや高いが、用途が幅広く便利な精油。

### その他
ノート：トップ〜ミドル
ブレンドファクター：2

### 注意事項
高濃度で使用すると皮膚刺激がある。敏感肌の方は注意。
作用が強いので少量（30mlの基材に2〜3滴）で十分。
妊娠中、授乳中、てんかんの方、乳幼児は使用を避ける。
ホメオパシー療法とは、併用しない。

LESSON 1　精油ガイド

# LESSON 2
# 「キャリアオイルガイド」の読み方

　精油は原液で使うのではなく、植物の種子や果実から抽出した植物油（キャリアオイル）などで希釈したものをトリートメントなどに使用します（56ページ参照）。
　植物油には、オレイン酸やリノール酸などの脂肪酸のほか、ビタミンAやEなどお肌によい成分が含まれています。トリートメントのほか、アロマクリームなどのクラフトにも使用します。
　「キャリアオイルガイド」では、19種類の植物油をご紹介します。お肌の状態、用途や目的に合ったキャリアオイルを選べるようになると、アロマがもっと楽しくなります。

## 「キャリアオイルガイド」の主な構成

① キャリアオイル（植物油）の名前
② 原料となる植物とその説明
③ 学名（学名の読み方）、主な産地、抽出方法、浸透性、香りなどの他、購入のポイントなど
④ オイルの特徴
⑤ おすすめの使い方

## アプリコットカーネル油

学名●*Prunus armeniaca*(プルヌス アルメニアカ)
主な産地●中国、ネパール、北米、フランス
抽出方法●アンズ種子の仁を低温圧搾
浸透性●とてもよい
感触●滑りもよく、とても軽い。肌になじむ
香り●甘い杏仁の香り。ほぼ無臭のものもある

こんなときに
気合を入れた肌のお手入れに。どの肌質でも◎
使用期限の目安
開封後、3〜4か月
購入のポイント
価格：100mlで2,500〜4,000円。体と顔用のお手入れに、これ一本あればOK

高さ5〜10m程のバラ科の落葉高木。初夏、長野県千曲川周辺では、黄色に熟した実がたわわに実る。果実は、生食、ジャム、酒、砂糖漬けにする。硬い種子の中身（杏仁）は、漢方の咳を止める生薬や油の原料となる。有用成分は、脂肪酸とアミグダリン。

硬い種子の中に、杏仁がある。

### どんなオイル？
オレイン酸が約65％と豊富に含まれ、肌にやさしい極上のスキンケアオイル。浸透性に優れている。肌を軟化し、しなやかさやハリを保ち、荒れた肌を再生する。トリートメントに用いると粒子が細かく感じられ、つけたときのさらっとした感触が心地よい。精製度が低いものは、杏仁の甘い香りが強く残る。

### おすすめの使い方
単品で使えるオールマイティーなオイル。皮膚がはがれたり、めくれたりしているときなどや湿疹、かゆみなどがある敏感肌、やつれた肌、くすんでつやがない肌、乾燥肌、赤ちゃんの肌や妊娠線予防などに。やや高価だが美容のためのクラフトやトリートメント用にそろえておきたい。手元にないときはスイートアーモンド油やピーチカーネル油で代用できる。

## アボカド油

学名●*Persea americana*（ペルセア アメリカナ）
異名：*Persea gratissima*（ペルセア グラティシマ）
主な産地●南アメリカ、スペイン、イスラエル
抽出方法●果肉を低温圧搾、溶剤抽出
浸透性●とてもよい
感触●粘度が高く、やや油っぽい感じ
香り●ほぼ無臭

こんなときに
お肌の緊急時、お手入れ不足のときに。硬くなった角質に
使用期限の目安
開封後、4か月〜半年
購入のポイント
価格：100mlで2,000〜3,000円。ホホバ油やマカダミアナッツ油などと一緒に購入するとよい

樹高7〜25mになるクスノキ科の常緑樹。中央アメリカ原産。果皮がワニの皮に似ていることから和名はワニナシ。バターのような果肉は、栄養分に富んでおいしい。熱帯地域では、化粧用としても伝統的に使われた。現地の老婦人の肌の若々しさが注目され、その用途での利用が世界中に広まった。

### どんなオイル？
オレイン酸が70％、リノール酸が10％、パルミトオレイン酸が5〜10％ほど含まれ、レシチン、ビタミンA、E、B群などが豊富なオイル。保湿力に優れ、角質化した足裏、かかと、ひじなどを軟化する。冬場の乾燥した手足によい。美容液やクリームに加えるとリッチな使用感になる。筋肉や肌の炎症を和らげる。肌に栄養を補給し、若々しさを取り戻す。

### おすすめの使い方
どろっとして油っぽいと感じることも。軽くてすべりがよい他のキャリアオイルに、全体の10〜25％だけアボカド油を加えると使いやすい。開封後、4か月〜半年ほど品質を保つので、やや多めの購入も可能。アボカド油をマカダミアナッツ油、アルガン油、アプリコットカーネル油、ピーチカーネル油、ローズヒップ油などとブレンドすると美容液として最高の組み合わせになる。

LESSON 2　キャリアオイルガイド

## オリーブ油（エキストラバージンオイル）

学名●*Olea europaea*（オレア エウロパエア）
主な産地●イタリア、ギリシャ、スペイン、地中海沿岸地域
抽出方法●果肉を低温圧搾
浸透性●普通
感触●やや粘性があるが、軽いものもある
香り●独特の香り。ほぼ無臭もある

こんなときに
体の疲れと痛み、肌や髪のお手入れに
使用期限の目安
開封後、4か月～半年
購入のポイント
価格：100mlで1,000～4,000円。精製度が高いものはアロマショップ、薬局などで購入できる。価格差が大きい

モクセイ科の常緑高木。寿命が長く、樹齢1000年を超える古木も現存する。数千年前から栽培され、力、勇気、平和の象徴とされた。葉や果実、油が薬や香油に使われた。便秘、高血圧、心臓病、動脈硬化などを予防するとされ、食用油としても人気が高い。

### どんなオイル？
心身ともに消耗し、疲れきっている人に役立つ。筋肉をほぐし、痛みや疲労を緩和する。古代ギリシャの競技者は、試合前後に好んで使ったという。オレイン酸が約70～85％、リノール酸は5～10％ほど含まれている。ビタミンAやEも含まれる。乾燥肌をやさしく保護、柔らかさを保ち、しわやしみを予防する。虫刺され後や皮膚の炎症を緩和する。

### おすすめの使い方
オリーブ油には、いくつかグレードがある。エキストラ・バージン（一番絞り）を選ぶとよい。香りが強いので他のオイルと全体の20～25％だけまぜると使いやすい。老化肌、爪や頭皮の手入れ、妊娠線予防、クレンジングなどに使われる。化粧用オリーブ油、局方オリーブ油、オリーブスクワラン油は、どれも精製・脱臭され、ほぼ無臭、単品でも使える。オリーブスクワラン油は、軽い感触で滑りがよい。

## カメリア（ツバキ）油

学名●*Camellia japonica*（カメリア ヤポニカ）
主な産地●日本
抽出方法●ツバキの種子を低温圧搾
浸透性●よい
感触●普通の滑り。精製度が高いものは、軽い
香り●独特の香り。ほぼ無臭のものもある

こんなときに
髪と頭皮のケア、紫外線防止、乾燥肌
使用期限の目安
開封後、8か月～1年
購入のポイント
価格：100mlで2,500～4,000円。精製・脱臭したものは、アロマショップで購入できる

ツバキ科の常緑高木。果実中に数個の種があり、その油は、日本女性の肌や黒髪を美しく保ってきた。伊豆諸島、九州の五島列島などが昔からの産地。最近、石鹸の材料やキャリアオイル、てんぷら油としても人気。庭木の顔でもあり、奈良時代から親しまれ園芸品種がとても多い。

### どんなオイル？
オレイン酸が約85～90％と多く含まれ、肌にやさしい。リノール酸は2～4％と極端に少ないので酸化しにくく、安定性が高い。紫外線から肌を守る。独特の香りがあり、やや油っぽいと感じるがよく浸透する。育毛効果があり、頭皮へ栄養と潤い、弾力を与え、髪を太くしっかりさせる。ふけ、かゆみ、切れ毛、抜け毛、白髪、枝毛の予防に効果的。

### おすすめの使い方
シャンプー前に頭皮になじませる、または洗面器のお湯に1、2滴入れてリンス代わりに使う。2週間ほど続けるとよい。アフターシェイビングオイル、UVケアとしても使える。香りが強いものは、他のキャリアオイルに全体の20～25％ほどまぜるとよい。精製ツバキ油は、無臭で低刺激性、感触もさらっと軽い。入浴直後につけるとアトピー肌や敏感肌を保護する。

## グレープシード油

学名●*Vitis vinifera*（ウィティス ウィニフェラ）
主な産地●フランス、イタリア、チリ
抽出方法●ブドウの種子を圧搾、溶剤抽出
浸透性●普通
感触●軽く、さらっとしている。肌の上を楽に滑る
香り●ほぼ無臭

こんなときに
ボディのトリートメント、化粧用。普通〜脂性肌に◎
使用期限の目安
開封後2〜3か月
購入のポイント
価格：100mlで1,500〜1,800円。刺激が少なく、べたつかないオイルが欲しいときに

ブドウ科のつる性落葉低木。葉の一部は変形して巻きひげになる。紀元前4000年代、エーゲ海周辺の地域で栽培がはじまり、各地に広まった。現在、世界で最も生産量が多い果樹。ワインを造ったあとのブドウの種からあっさりした味の美しい緑色のオイルがとれ、料理、お菓子、化粧品原料に使われる。

### どんなオイル？

トリートメントをするときに手の動きが軽く感じられ、のばしやすい。他のリノール酸主体のオイルと比べて使用感はソフトでさらっとしており、油っぽい感触はまったくない。主成分は、リノール酸で約60〜70%。ビタミンEは100g中30〜70mg前後と割と多い。肌のクレンジングやエモリエント効果（皮膚にうるおいを与え、柔らかくする働き）があり、乾燥肌〜脂性肌の方に向く。

### おすすめの使い方

夏場など汗ばむ季節に、あるいは背中やお腹など広い面をトリートメントするときにおすすめのキャリアオイル。グレープシード油やホホバ油を使うと、あとのべたつき感が残らない。また、クリームや乳液の材料としても便利。やや酸化しやすいリノール酸の性質を考慮し、早めに使い切る。オイルがしみたタオルは、オイルの酸化臭がするのですぐに洗濯する。

## ゴマ（太白）油

学名●*Sesamum indicum*（セサムム インディクム）
異名：*sesamum orientale*（セサムム オリエンタレ）
主な産地●インド、中国、アフリカ、東南アジア
抽出方法●種子を低温圧搾
浸透性●ややよい
感触●やや粘性はあるが、普通程度の滑り
香り●ほぼ無臭。香りがある焙煎ゴマ油は使わない

こんなときに
ヘアケア、痛みの緩和、血流促進、ベビーマッサージ
使用期限の目安
開封後、半年〜8か月
購入のポイント
価格：100mlで800円程度。茶色のものではなく、薄い黄色の太白油を選ぶ

1mほどに成長するゴマ科の一年草。強壮食品として中国から伝わり、日本でも600年代から栽培される。昔は、多くの農家が作っていたが、機械化ができず手間がかかるので激減。今はほとんどが輸入。近年、ほぼ無農薬で栽培される国産ゴマの需要が高まっている。

### どんなオイル？

セサモリン、セサモールなどゴマ特有の抗酸化物質、ビタミンEを含む。酸化しにくく、長期間の保存可能。老化を予防し、毒素排出（デトックス）、頭皮ケア、リウマチや関節炎に役立つ。一度100〜120度に温め、冷ましてから遮光容器で保存・使用する場合もある。この前処理（キュアリング）を施すと抗酸化物質が増える。

### おすすめの使い方

トリートメントには、焙煎せずに生ゴマを搾った太白油を用いる。アボカド程ではないが、やや油っぽく表面に薄い膜が残る感じ。滑りが軽いほかのキャリアオイルとまぜるとよいが、単品での使用も可能。のどが弱い人は、キュアリングしたゴマ油を5分ほど口に含み、転がしてから吐き出し、レモン果汁を加えた水でうがいをするという使い方がある。

## 小麦胚芽油（ウィートージャームオイル）

学名●*Triticum vulgare* / *Triticum aestivum*
（トリティクム ウルガレ / トリティクム アエスティウム）
主な産地●アメリカ、カナダ、オーストラリア
抽出方法●小麦の胚芽を圧搾、溶剤抽出
浸透性●普通
感触●粘性が高く、濃厚で重い感じ
香り●独特の香り

こんなときに
老化肌の再生と唇や手足の乾燥に
使用期限の目安
開封後、3〜4か月
購入のポイント
価格：100mlで2,000〜6,000円。
乾燥肌、老化肌、唇、指先、爪のケアに

イネ科の一年草。小麦粉を作るときに除かれる胚芽部分から油が抽出される。種子が発芽・成長するときの栄養分が豊富に含まれる胚芽油は、サプリメントや化粧品に加工される。収油率はとても低く、1tの小麦から換算すると100g程度しかとれない。

### どんなオイル？
リノール酸55〜60％、オレイン酸20〜30％のほか、ビタミン類も豊富に含む。抗酸化作用があるビタミンEは、150〜240mg／100gと特に多い。内服すると体の酸化を防ぎ、血流促進、冷えや筋肉の疲労回復に役立つ。外用では、しもやけや肌あれ、乾燥した肌、炎症した肌、老化肌を整える。こっくりしたクリームをつけたような感触が残る。

### おすすめの使い方
単品で使わず、全体の5〜10％を目安に他のキャリアオイルとまぜるとよい。手荒れ用のハンドクリーム、乾燥した唇のクリーム用にシアバター、アボカド油、マカダミアナッツ油などとブレンドする。開封後は、早めに使いきる。アロマテラピー用のオイルがないときは、サプリメントの小麦胚芽油カプセルで代用できる。必要なときに割れば新鮮なものが使える。小麦アレルギーの方は避けること。

## スイートアーモンド油

学名●*Prunus amygdalus*（プルヌス アミグダルス）
異名：*Prunus dulcis*（プルヌス ドゥルキス）
主な産地●地中海沿岸、カリフォルニア、イタリア、スペイン
抽出方法●アーモンド種子の仁を低温圧搾
浸透性●普通〜ややゆっくり
感触●肌へのあたりがやわらかい。滑りは普通
香り●ほぼ無臭

こんなときに
日常的な肌のお手入れやベビーマッサージに
使用期限の目安
開封後、3〜4か月
購入のポイント
価格：100mlで2,000円程度。体と顔用に。迷ったらまず、このオイルかホホバ油を選ぶ

バラ科の落葉高木。扁平な形の果実は、酸っぱくて食べられない。熟すと割れて中から飛び出す種子は食用。モモやサクラなど仲間の中で一番はやく、厳しい冬に目覚める。葉が出る前の2月初め頃から淡いピンクの花が咲く。花言葉は、「希望」。

アーモンドの花。

### どんなオイル？
ゆっくりと浸透し、有用成分がやさしく穏やかに作用する。赤ちゃん、敏感でかゆみのある肌によくなじむ。オレイン酸60〜80％、リノール酸約20％のほか、パルミチン酸、ビタミンA、$B_1$、$B_2$、$B_6$などを含む。抗炎症作用、保湿作用、皮膚軟化作用があり、やわらかさを保つ。保存期間は、オリーブ油やアボカド油に比べるとやや短いので、はやめに使い切る。

### おすすめの使い方
単独で使える。アプリコットカーネル油と作用が似ているがスイートアーモンド油のほうが安価で手軽。他のキャリアオイルにスイートアーモンド油をまぜると肌への効果が高まる。手足のひび割れにオリーブ油、小麦胚芽油、キャロット油などをスイートアーモンド油とまぜて使う。湿疹、肌荒れ、赤ちゃんのケアには、単品かカレンデュラ油とまぜて使う。

## 月見草油（イブニングプリムローズオイル）

学名●*Oenothera biennis*（オエノテラ ビエンニス）
主な産地●北米、イギリス、中国
抽出方法●種子を低温圧搾
浸透性●普通
感触●やや粘性がある
香り●ほぼ無臭～ややあり

こんなときに
肌、体、心の疲れが続くときに。アレルギー、PMS（月経前緊張症）、ストレス
使用期限の目安
開封後、約3週間程度。冷蔵庫で保存
購入のポイント
価格：100mlで6,000円程度。高価。酸化するので少量ずつの購入がおすすめ

アカバナ科の2年草。和名は、メマツヨイグサ。体質改善に役立つ薬草として古くから利用された。夜、4枚の花弁をもつ黄色の花が咲き、翌朝にしぼむ。同じアカバナ科、*Oenothera*属の植物は、全世界に80種以上分布、日本には、帰化植物としてメマツヨイグサをはじめ、オオマツヨイグサ*O.erythrosepala*やマツヨイグサ*O.stricta*など数種が野生化している。

### どんなオイル？
体内でプロスタグランジン（重要な生理活性物質）に変わるリノール酸（60～75％）とγ-リノレン酸を約10％含む。これらの成分を過不足なく摂取することで免疫系を強化し、アレルギーや炎症反応、老化、ホルモンバランスを間接的に調整するとされ、月見草油は、内用も外用もされている。酸化がはやいので少量ずつの購入が望ましい。

### おすすめの使い方
新鮮なうちに使い切る。他のキャリアオイルに10～20％くらいの割合でまぜる。ホルモンのアンバランス、更年期の症状、PMS（月経前緊張症）、月経痛、肌の乾燥や炎症、湿疹、アトピー性皮膚炎、関節の痛みや炎症、リウマチなどに月見草油を外用だけでなく、サプリメントなどで摂るのもよい。サプリメントのカプセルを割って、トリートメント用に代用することもできる。

## ピーチカーネル油

学名●*Prunus persica*（プルヌス ペルシカ）
主な産地●中国、北米
抽出方法●モモ種子の仁を低温圧搾
浸透性●普通～ややゆっくり
感触●やや粘性はある。肌へのあたりはやわらかい
香り●ほぼ無臭

こんなときに
日常的な肌のお手入れに。どの肌質でも◎
使用期限の目安
開封後、3～4か月以内
購入のポイント
価格：100mlで2,000円程度。体と顔用に。アプリコット油のほうが軽い感触が強い

バラ科の落葉高木。4月頃、葉と同時に花が咲く。硬い種子の中身（桃仁）の有用成分は、アンズと同じアミグダリンだが、杏仁とは違う効能や使い方があり、漢方では婦人病の生薬になる。モモの葉は、湿疹やあせもの家庭薬になる。

硬い種子の中に、桃仁がある。

### どんなオイル？
オレイン酸が約60～65％、リノール酸が25％ほど含まれる。同じバラ科で、種子の仁が原料のアプリコットカーネル油やスイートアーモンド油と似た作用をもつ。老化肌、敏感肌、乾燥肌、肌荒れ、かゆみ・湿疹のある肌に、ボディとフェイスと両方に使うことが多い。皮膚を保護し、栄養を与える。

### おすすめの使い方
アプリコットカーネル油、スイートアーモンド油、ピーチカーネル油は、どれも美容に役立つ。感触は、ピーチカーネル油とスイートアーモンド油が似ている。さらっと軽い感触が好みのときは、ピーチカーネル油よりアプリコットカーネル油が向く。価格が手軽なピーチカーネル油とスイートアーモンド油に、脂性肌や混合肌ならホホバ油を少し加えたり、乾燥肌ならアボカド油を少し加えたりするなど工夫して使うとよい。

## ヘーゼルナッツ油

学名●*Colylus avellana*（コリルス アウェラナ）
主な産地●フランス
抽出方法●種子を低温圧搾
浸透性●とてもよい
感触●のびやすく、べたつき感が少ない
香り●香ばしいナッツの香り

こんなときに
荒れた肌の再生。普通～脂性肌に
使用期限の目安
開封後、半年以内
購入のポイント
価格：100mlで4,000～5,000円。やや高価

ヨーロッパ原産。カバノキ科の落葉広葉低木。和名は、セイヨウハシバミ。果実は、クリと同様に堅果（けんか）と呼ばれ、とてもおいしい。お菓子や料理に使われる。野生では、野ねずみやリスが冬の食料として土の中に貯蔵し、食べ忘れたものが発芽して成長する。

### どんなオイル？
オレイン酸が約40％、パルミトオレイン酸が20～25％と他のキャリアオイルより圧倒的に多い。このオイルは、浸透性にすぐれ、ブレンドした精油の浸透もはやめる。粘性はあるが、浸透がよいのでそれほど油っぽく感じられない。痛んだ肌の回復、脂性肌を収れんする。体液循環を促し、筋肉に作用するともいわれている。

### おすすめの使い方
独特の香りが気になるときは、他のキャリアオイルとブレンドする。人の皮脂にも含まれるパルミトオレイン酸は、皮膚の再生に関係する重要な脂肪酸。加齢により減少するので、美容液を作るときにヘーゼルナッツ油やマカデミアナッツ油を少し加えるとよい。この2つのナッツ油のブレンドは、むくみや肩こり、筋肉痛にも役立つ。

## ホホバ油

学名●*Simmondsia chinensis*
（シンモンドシア キネンシス）
主な産地●メキシコ、アメリカ南西部、イスラエル
抽出方法●種子を低温圧搾
浸透性●とてもよい
感触●滑りがとてもよく、さらっとした使用感
香り●精製ホホバ油は、無臭。ホホバ・ゴールドは、かすかな香りあり

こんなときに
ヘアケア、スキンケア全般に。どの肌質の人にも◎
使用期限の目安
開封後、8か月～1年以内
購入のポイント
価格：100mlで2,600～5,000円。幅広く使える。さらっとしたオイルが欲しいときに

ツゲ科の常緑低木。水分蒸発を防ぐざらついた葉をもち、強い太陽、雨が少ない半砂漠のような土地でも育つ。属名の*Simmondsia*は、植物学者シモンズF.W.Simmondsにちなむ。ホホバ油は、マッコウクジラ油の代用品として注目され、化粧品とヘアケア商品に加工される。

ホホバの雌花。受粉後、この雌花が果実になる。

### どんなオイル？
植物性の液体ワックス。黄色いホホバ油と脱色・精製した透明のものがある。安定性と耐湿性が高く、品質を長く保てるオイル。低温で固まるが室温で元に戻る。主成分は、高級脂肪酸と高級アルコールからなるエステル。さっぱりとして、油っぽい感じはほとんどない。皮脂バランスを調整、炎症を抑え、しわ・しみを防ぐ。ネイティブ・アメリカンが強い陽射しと乾燥から髪と肌を守るために使っていた。

### おすすめの使い方
シルクのような感触をもち、単品で使える。油っぽいオイルもホホバ油とまぜると全体の滑りが軽くなり使いやすい。フェイシャルからヘアケア、クラフトまで用途が幅広い。特に肌の炎症、ニキビ、脂性肌、老化肌に向く。ごく少量ずつローズ芳香蒸留水とまぜてもよい。頭皮にすり込んでからシャンプーすると育毛効果もあり、髪につやを出す。この場合、リンスは不要。

# ボリジ（ボラジ）油

学名●*Borago officinalis*（ボラゴ オフィキナリス）
主な産地●フランス、中国、中東
抽出方法●種子を低温圧搾
浸透性●普通
感触●やや粘性がある
香り●ほぼ無臭～ややあり

**こんなときに**
肌と体の疲れが続くときに。しわ、乾燥、アレルギーに
**使用期限の目安**
開封後、約3週間程度。冷蔵庫で保存
**購入のポイント**
価格：10mlで1,200円、100mlで8,000円程度。高価。酸化するので少量ずつの購入がおすすめ

ムラサキ科の一年草。全体がとげのような白い毛で覆われる。属名の*Borago*は、剛毛という意味のラテン語borraに由来する。下向きに咲く星形の花は、砂糖漬けにしてケーキの飾りや生でサラダの彩りに使われる。心を慰め憂うつな気持ちを追い払い、勇気をもたらす花という言い伝えがあり、教会のタペストリーや騎士の衣装に刺繍され、中世の兵士は、別れの杯にボリジの青い花を浮かべて飲んだという。

### どんなオイル？
月見草油と作用が似ている。どちらもγ-リノレン酸を含み内用と外用に使われる。様々な症状に効果があるとされるγ-リノレン酸を月見草油の2倍近く、約20～30%含んでいる。リノール酸は30%前後とやや少ない。体液循環促進、免疫系の強壮、皮膚軟化、皮膚活性、保湿、しわを予防する。最近では、副腎を強壮する効果があることが示唆されている。

### おすすめの使い方
新鮮なうちに使い切る。他のキャリアオイルに10～20%くらいの割合でまぜる。精神的なストレス、悲しみ、失望などの感情があるとき、病後、更年期の症状、PMS（月経前緊張症）、月経不順、月経痛、湿疹、アトピー性皮膚炎、花粉症、関節炎、リウマチなどにボリジ油を内用と外用する。サプリメントのカプセルを割って、トリートメント用に代用することもできる。

# マカダミアナッツ油

学名●*Macadamia ternifolia /Macadamia integrifolia*（マカダミア テルニフォリア/マカダミア インテグリフォリア）
主な産地●オーストラリア、パラグアイ、アメリカ（ハワイ、マウイ）
抽出方法●種子を低温圧搾
浸透性●とてもよい
感触●やや粘性はあるが、べたつき感は少ない
香り●ほぼ無臭。独特の香りのものもある

**こんなときに**
乾燥しすぎてかゆみがある肌、老化肌に
**使用期限の目安**
開封後、半年～8か月以内
**購入のポイント**
価格：100mlで2,000円程度。保存性が高いので多めの購入も可能

ヤマモガシ科。オーストラリア原産。名前は、イギリス人化学者マカダムL.Macadamにちなむ。葉は、長楕円形でふちが波状。光沢があり、枝に輪になって数枚つく。脂肪、鉄、カルシウム、リンが豊富な丸い種子は、塩と一緒にローストされたり、チョコレートに包まれるなどしておやつになる。

### どんなオイル？
酸化しにくく、長期の保存ができるキャリアオイル。オレイン酸が55～70%、リノール酸は1～4%と極端に少ない。人の皮脂にも10%以上含まれるパルミトレイン酸の含有量は、ヘーゼルナッツ油と同じく15～25%と多い。ビタミンA・E・Bも含まれており、皮膚の若返りを助ける。肌になじみやすくて使いやすい。

### おすすめの使い方
皮脂が少ない乾燥肌のトリートメントによい。単品の使用でもよいが、ホホバ油、スイートアーモンド油、アプリコットカーネル油、オリーブ油などとまぜて使うのもおすすめ。背中や足のすねなどがかゆくなり、かき壊しや炎症を起こしてしまう人に。冬場や高齢の方へトリートメントを行うときに用意しておきたいオイルのひとつ。

LESSON 2　キャリアオイルガイド

## ローズヒップ油

**学名**●*Rosa rubiginosa*/*Rosa canina*/*Rosa moschata*（ロサ ルビギノサ/ロサ カニナ/ロサ モスカタ）の3種から油をとる
**主な産地**●チリ、ペルー、アメリカ
**抽出方法**●種子を低温圧搾、溶剤抽出
**浸透性**●普通
**感触**●粘性が高く、どろっとしている
**香り**●独特の香りあり

**こんなときに**
肌の若返り、しわ、しみ、色素沈着の予防
**使用期限の目安**
開封後、約3週間程度。冷蔵庫で保存
**購入のポイント**
価格：10mlで950円、100mlで6,000円程度で高価。酸化しやすいので少量ずつの購入がおすすめ

バラ科の落葉低木。夏の終わりに実り、秋に赤く熟す楕円形のバラの実は、古くから強壮剤として薬にされた。今では、ビタミンCが豊富な果実として知られ、ジャムやシロップ、ハーブティーとして利用される。ローズヒップ油を採るバラは、ドッグローズ（写真）をはじめ数種ある。

### どんなオイル？
癒傷作用、抗炎症作用、美白効果が期待できる。皮膚を再生、しわや老化を防ぐアンチエイジングの美容オイルとして人気がある。オレイン酸（10～15％）と必須脂肪酸のリノール酸（40％）、α-リノレン酸（20～25％）を含む。必須脂肪酸は、体に入ると代謝されて血圧、ホルモン分泌、免疫系の調整など様々な働きを行うプロスタグランジンに変化する。

### おすすめの使い方
新鮮なうちに使い切ること。やや脂臭いので気になるときは他のキャリアオイルとまぜて使う。ブレンドオイルを作るときは、香りが強くて美容にもよい精油を1種類は入れるとよい。目元やフェイスのケアに向く。皮膚がはがれたり、めくれたりしているとき、傷あと、荒れた肌や乾燥肌に、アプリコットカーネル油、ホホバ油、アボカド油などとブレンドする。

## アルニカ油　　　　　　　　　　　　　インフューズドオイル

**学名**●*Arnica montana*（アルニカ モンタナ）
**主な産地**●ドイツ、フランス
**抽出方法**●花をオリーブ油（またはひまわり油）に浸ける
**浸透性**●普通
**感触**●やや粘性がある＊ベースの油の性質による
**香り**●薬のような独特の香り

**こんなときに**
腰や肩など体に痛みがあるとき
**使用期限の目安**
開封後、2～3か月
**購入のポイント**
価格：100mlで4,000円程度。やや高価

ヨーロッパの山岳地帯の牧草地に生えるキク科の多年草。葉がウサギの耳のような形をしている。和名は、ウサギギク。花をアルコールや植物油に漬け込んでハーブティンクチャーやインフューズドオイルを作る。捻挫や打撲のとき、よく使われる家庭薬だが、実は毒草である。ホメオパシー療法では、利用頻度が高い、ポリクレストレメディのひとつ。

### どんなオイル？
打撲や捻挫の痛みを和らげ、腫れを鎮め、怪我の回復をはやめる。事故や怪我などによる肉体的・精神的ショックから滞ってしまった生命エネルギーの流れを回復するハーブとして知られ、手術や抜歯前に、意図的にティンクチャーやホメオパシーのレメディを内服する例も。オイルの性質はそれらとは少し違うが、もとは同じ植物なのでその要素も反映されている。

### おすすめの使い方
怪我をした直後に、なるべくはやく全体的に塗布する。打撲、あざ、傷、やけど、捻挫、筋肉痛、テニス肘、関節炎、リウマチ、腰痛などのほか、精神的なショックの後にもよい。高価なオイルなので他のキャリアオイルとまぜて使うことが多い。より深い部位の痛みや怪我、炎症、慢性的な症状には、セントジョーンズワート油を試してみるとよい。この2つのオイルをまぜて使う臨床例もある。

## カレンデュラ油　　インフューズドオイル

学名●*Calendula officinalis*
（カレンドゥラ オフィキナリス）
主な産地●イギリス、オーストラリア、フランス、地中海沿岸
抽出方法●花をオリーブ油（またはひまわり油）に浸ける
浸透性●普通
感触●やや粘性がある＊ベースの油の性質による
香り●薬のような独特の香り

こんなときに
赤ちゃんのスキンケア、荒れた肌に
使用期限の目安
開封後、2〜3か月
購入のポイント
価格：100mlで4,000円程度。やや高価なオイル

キク科の一年草。和名ポットマリーゴールド。中世の頃から傷の消毒、潰瘍、止血、ただれ、炎症、腫れや痛みがあるとき、肝臓と腸が弱ったときに用いられた古い薬草。カレンデュラからは、オイルだけでなく、ハーブティー、ハーブティンクチャー（チンキ）、ホメオパシーレメディ、フラワーエッセンスも作られている。

### どんなオイル？
カレンデュリン、サポニンなどの有用成分とカロチノイド、フラボノイドなどの色素がベースの植物油に溶け出した黄色のオイル。鎮痛作用、抗炎症作用があり、皮膚を再生して傷を癒す力が強い。そのため、痛がゆい肌、荒れた肌、日焼け、やけどのあと、炎症や湿疹がある敏感肌を落ち着かせる。静脈瘤、打撲のときにも使うことがある。

### おすすめの使い方
傷や皮膚の炎症を最小限に抑え、回復を促すオイル。赤ちゃんのおむつかぶれ、湿疹、授乳時のお母さんの乳頭（授乳直前には、オイルをふき取る）、きり傷などのケアに使われる。単品でもよいが他のキャリアオイルに20〜25％ほどまぜて使うことが多い。みつろうと一緒に軟膏に仕上げるのもおすすめ。肌が敏感なときは、パッチテストをすること。

## キャロット油　　インフューズドオイル

学名●*Daucus carota*（ダウクス カロタ）
主な産地●フランス
抽出方法●根をオリーブ油（またはひまわり油）に浸ける
浸透性●普通
感触●やや粘性がある＊ベースの油の性質による
香り●ほのかにニンジンの香り

こんなときに
荒れた肌や粘膜の修復に
使用期限の目安
開封後、2〜3か月
購入のポイント
価格：10mlで650円、100mlで4,000円程度。少量ずつの購入がおすすめ

セリ科の二年草。昔から薬とされたのは野生のノラニンジン。花がレースのように美しく、女王様のレースQueen-Anne's-Laceという名で呼ばれた。食用ニンジンの*Daucus carota* var.*sativus*は、ノラニンジンが改良されたもの。刻んだ根を植物油に漬け込んでキャロット油が作られる。

### どんなオイル？
カロチノイド、ビタミンA、B、C、Dを含み、荒れた粘膜や皮膚を修復して再生する。治りにくい乾癬や湿疹に使われる例もある。秋から冬にかけての唇や指先の乾燥、手荒れや主婦湿疹、あかぎれ、やけどのあとに役立つオイル。やや粘性があり、どろっしているので他のキャリアオイルに10〜20％くらいブレンドされることが多い。

### おすすめの使い方
老化しやすい首や手に。入浴後、キャロット油を唇に塗り、ラップで5分ほど覆った後、余分なオイルはティッシュペーパーをのせてこすらずにいとる。キャロット油、スイートアーモンド油、シアバター、みつろうを材料にしてリップクリームを作ると、持ち運べて便利。ラベンダー、ペパーミントなどの精油を入れるとよい。

LESSON 2　キャリアオイルガイド

## セントジョーンズワート（ハイペリカム）油　インフューズドオイル

**学名** ● Hypericum perforatum
　　　　（ヒペリクム ペルフォラトゥム）
**主な産地** ● フランス、イギリス
**抽出方法** ● 花をオリーブ油（またはひまわり油）に浸ける
**浸透性** ● 普通
**感触** ● やや粘性がある＊ベースの油の性質による
**香り** ● 独特の香り

**こんなときに**
神経痛、筋肉痛、腰や肩など体が痛いときに
**使用期限の目安**
開封後、2～3か月
**購入のポイント**
価格：100mlで4,500～5,500円程度。アルニカ油が使われるときよりも深い部位の痛みがあるときに

オトギリソウ科の多年草。草丈は、30～60cm。perforatum：穴が開いたという意味の種名のとおり、葉を透かしてみると透明な斑点が多数ある。古くから、花をつぶすときに赤い汁が出る様子から、血を止め、鎮痛する植物といわれていた。実際に止血や打撲などの薬として、十字軍の兵士は、遠征にこの油を持っていった。ハーブティー、ハーブティンクチャー（チンキ）、ホメオパシーレメディ、サプリメントも作られる。

### どんなオイル？
花に含まれる精油、ヒペリシン、フラボノイドなどが有用成分。赤い色のセントジョーンズワート油は、打撲や捻挫、腰痛、切り傷など様々な痛みを和らげる。毒素排出（デトックス）の作用があり、じん麻疹、傷、痔、炎症に効果がある。高価なオイルなので、他のキャリアオイルとまぜて使うことが多い。

### おすすめの使い方
打撲、筋肉痛、捻挫、関節炎、リウマチ、静脈瘤、神経痛に。神経組織の炎症、より鋭く刺すように感じる痛み、深い部位の痛みに、ピンポイントで痛みの箇所に塗布する。単独でもよいが、相乗効果を期待してアルニカ油、マカダミアナッツ油、ヘーゼルナッツ油などとまぜる。すりむいたような傷や切り傷、日焼けを含むやけどには、単品かまたはカレンデュラ油とまぜる。

---

## column 2　足裏の反射区

　足裏には、体の各臓器や器官につながっていると考えられ、反射区と呼ばれている場所があります。反射区を刺激すると、その部位と関連する臓器や器官に働きかけると考えられています。

　反射区を覚えるのは大変なので、体の位置（頭部、胸部、上腹部・下腹部）と対応させ、右足は右半身、左足は左半身と覚えると簡単です。足の裏を触ったときに、ゴリゴリして痛いところを中心に刺激するといいでしょう。

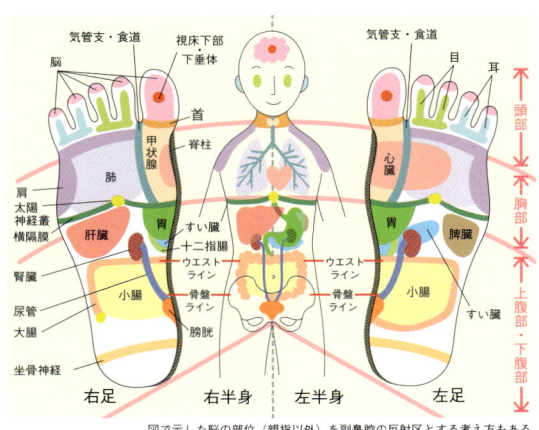

図で示した脳の部位（親指以外）を副鼻腔の反射区とする考え方もある。

PART 4

セルフケア
症状別
ガイド

アロマテラピーは、医療に代わるものではありません。
でも、楽しみながら生活の中に取り入れ、続けることで、
心と体のメンテナンスに役立てている方も増えています。
おうちで出来るアロマケアのポイントと
アロマレシピをご紹介します。

## *Self Care Guide*

医学監修：中村裕恵

# セルフケアをはじめる前に

### まずは、3日間続けてみましょう

　何ごとも続けて行うことによって、必ず変化が現れてきます。たまに1回やってみるだけでは体感しにくいものです。まずは、3日間続けてみましょう。さらに続けてできそうだったらもう3日。3日をワンクールと考えて、疲れすぎたときや時間的に無理な日はお休みしましょう。

　同じことを続けると体も慣れてきますし、何かしらの効果が期待できます。気持ちが乗ってくれば、何クールもこなすことができますよ。

### セルフケアはどうやる？

#### パッチテストと使用レシピの記録
トラブルを極力避けるため事前にパッチテストを行い、使った精油のブレンドのレシピや、キャリア（基材）、経過についてメモしておくとよいでしょう。何か好ましくない反応があった場合、次のレシピ作りの参考になります。また、記録することで自分を客観的に見つめ直すことにもつながります。

#### かけられる時間と頻度によって、やり方を考えましょう
どれくらいの時間と頻度で行えるかも大切なポイント。短時間しかない場合は、希釈濃度を少し濃くして部分的に（局所のみ）塗布だけするという方法もあります。時間のあるなし、また、どこで、誰に行うかによっても方法は変わってきます。長く続けられそうな方法をその時その時に合わせて考えることが大切です。手軽に家庭で毎日続けるにはアロマバス（入浴）がおすすめ。外出時に持ち運べるアロマクラフトも便利です。

#### 周囲にも配慮を
香りの好みは、人それぞれです。自宅でも家族と同居している場合や、会社や病院の大部屋などで実践する場合は、他の方に好感をもたれやすく、香りがこもりにくい精油を選ぶように配慮しましょう。

## 注意！ 不調の程度の見極め

急性症状の場合は、必ず医師の診察を受け、その指示に従ってください。アロマテラピーは、医療に代わるものではありません。あくまでも補助的に活用してください。また、慢性的な不調に活用するときも、気になることがある場合は、医師や専門家に相談しましょう。痛みやその他の症状は、肉体的、精神的なバランスを失っていることを私たちに知らせてくれるサインと考えることもできますが、自分で病気の診断はできません。セルフケアには、限界があることを理解しておくことが大切です。

＊174ページ以降のレシピに出てくるみつろう軟膏、みつろうクリームは、80〜81ページで作り方を紹介しています。

### アプローチを変える！

アロマに慣れてきたら、他のやり方にもチャレンジしてみましょう。回数を重ねるごとにアプローチを変えると、新しい発見があるかもしれません。

例

① 睡眠・鎮静させるアロマ
　↓
　睡眠前のアロマバス

② 根本原因かなと思われることにアプローチ
　↓
　毎日、10〜20分オイルトリートメント

③ 心身を強壮・刺激するアロマ
　↓
　目覚めのアロマバス

④ 睡眠・鎮静
　↓
　休日の足浴

### その他、気をつけること

・他の方に実践する場合、ご本人が希望しているかどうかを確認する。
・精油は飲用しない。誤って目などの粘膜につかないよう気をつける。
・禁忌事項を確認する（乳幼児や妊娠中の方、持病がある方など）。
・高齢者に行うときは、精油の種類や濃度などに向かないものもあることを理解する。

## からだと心編 ① 運動器系の不調

運動器系：骨、筋肉、腱、関節など

運動後のケア全般にローズマリー、ジュニパー、ユーカリ・シトリオドラなどが役立ちます。クールダウンにはペパーミントを加え、温めて筋肉をほぐしたいときはラベンダー、オレンジ、ジンジャー、マージョラムを加えましょう。

**クールダウン用スプレー**
ジュニパー 8滴
レモングラス 8滴
ローズマリー・シネオール 12滴
（カンファーの場合10滴）
ペパーミント 6滴
無水エタノール10ml／精製水90ml

作り方●精油を無水エタノールで希釈し、精製水を加える。スプレーボトルをよく振ってから使用する。

> **アロマケアのポイント**
>
> 筋肉を温め、蓄積した疲労物質を流す作用がある精油を使用します。筋肉の太い部分（筋腹）だけではなく、疲れや痛みが出やすい関節の周辺、腱も念入りに精油をすり込むと回復も早まり怪我を予防します。緊張すると肩がこり、呼吸が浅くなるなど意識は知らないうちに筋肉を固くします。心の状態もこりとは関係が深いのでリラックスできる環境を整えることも大切です。
>
> ●筋肉を温めて緊張を緩める（筋肉の弛緩、血流促進、加温）
> ●尿酸、乳酸などの老廃物の排出を助ける（血液・リンパのうっ滞除去）
> ●興奮を鎮め、穏やかなくつろいだ時間を過ごす（鎮静、自律神経調整）

### 教えて！1  肩こり、腰痛がなかなか治りません。どうしてですか？

肩こりは、筋肉が緊張して収縮している状態です。筋肉が疲れると乳酸という疲労物質（老廃物）が生じます。乳酸は、血液によって運搬され、体内で代謝されたあと、体外に排出されます。しかし、血流が悪いと、体内に蓄積されたままになり、痛みや疲れの原因となってしまうのです。

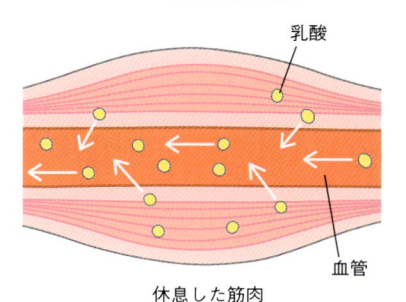

> 血行をよくするには、リラックスして、温めるのがいいよ！

（図：休息した筋肉／乳酸／血管）

筋肉が緊張した状態では、そこを通る血流も悪くなる。そうすると酸素やエネルギー物質の供給も乳酸の排出もうまくいかなくなる。

**注意して！**
怪我をした直後は、とにかく冷やすこと。冷やすことで、患部の腫れを抑え、怪我の治りを早めます。温めるのは厳禁です。

### 教えて！2  「ひざが痛くて、歩けない」と母はいいます。運動もよくしていたのに、なぜでしょうか？

私たちの体は、筋肉と骨の連携により動かすことが出来ます。骨と骨とを連結する部分を関節といい、ひざもそのひとつです。内部には、クッションや潤滑油の役目をする軟骨や滑液があり、骨同士の運動による摩擦を防いでいます。ひざの使いすぎや老化による軟骨の磨耗、滑液の減少などが起きると、骨同士が直に当たったり、骨が変形したりして痛みを生じます。

> 急激な動きもひざを痛めるよ！気をつけて！

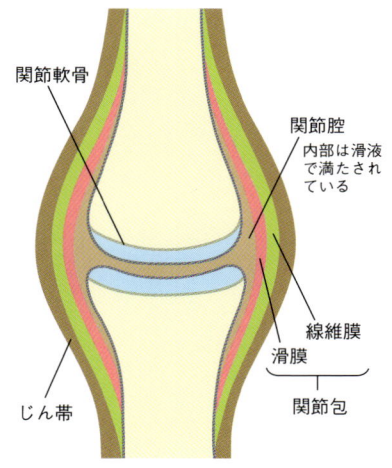

（図：関節軟骨／関節腔 内部は滑液で満たされている／線維膜／滑膜／関節包／じん帯）

体重の増加や冷えも痛みを助長する。太ももの筋肉の強化、ストレッチ、アロマバスやひざまわりへのアロマ精油の塗布も痛みの緩和に役立つ。

# 肩こり・腰痛・筋肉痛・こむら返り

こりがある部位の血液やリンパの循環を促すと、筋肉の緊張やハリが緩み、痛みが緩和されます。ブレンドオイルを塗布してから手の平や指の腹で押さえて円を描くようにほぐします。精油を数滴入れたアロマバスもおすすめです。

### おすすめの精油
**メイン** オウシュウアカマツ、レモングラス、マージョラム、ジュニパー、ローズマリー(カンファー・シネオール)、ブラックペッパー

**サブ** イランイラン、サイプレス、ジンジャー、プチグレン、ユーカリ(グロブルス、シトリオドラ)ラベンダー

## 肩こりさんのアロマクリーム

血液循環を促し、筋肉を緩める効果があるマージョラム、ジュニパー、ローズマリー、ラベンダーなどが役立ちます。腕の使いすぎも肩こりにつながります。肩関節、腕の付け根、胸の前(鎖骨の下あたり)にもオイルを塗布しておくとよいでしょう。

マージョラム 4滴
ラベンダー 5滴
レモングラス 4滴
みつろうクリーム(市販の無香料クリーム)30g
または乳液 30ml

作り方●基材に精油を加え、よくかきまぜる。
＊症状がひどいときはシラカバ、ジンジャー、ペパーミントのいずれかを2滴追加します。シラカバ(179ページ)は、サリチル酸メチルが主成分で湿布薬のような香りがします。皮膚刺激もあるので連続使用は2週間以内にとどめて本当につらいときにだけ役立ててください。

## 筋肉痛用トリートメントオイル

鎮痛、抗炎症作用が強力なレモングラス、ユーカリ・シトリオドラ、筋肉内にたまった老廃物を流すジュニパー、サイプレスなどを配合します。ペパーミントを加えると清涼感もあり、アイシングの効果が強化されます。

レモングラス 3滴
ジュニパー 3滴
ローズマリー・シネオール 3滴
(カンファーの場合 2滴)
キャリアオイル 30ml

作り方●基材に精油を加え、まぜる。
＊熱をもっているようなときはペパーミントとラベンダーを2滴ずつ加えます。

## 腰痛用トリートメントオイル

お尻からももの裏側も同時に塗布し、ほぐしておきます。この部位を緩めておくと腰への負担が軽くなります。血液循環の促進や、筋肉の弛緩、鎮痛作用がある精油をバランスよくブレンドします。ストレスから由来する腰痛には精神をリラックスさせる精油もブレンドの選択肢に入れてください。

オウシュウアカマツ 4滴
マージョラム 4滴
ローズマリー・シネオール 4滴
(カンファーの場合 3滴)
キャリアオイル 30ml

作り方●基材に精油を加え、まぜる。
＊痛みが強いときはジンジャーかブラックペッパー2滴またはシラカバかペパーミント2滴を追加します。
＊キャリアオイルはアルニカ油を使うと鎮痛効果がより強くなります。

## こむら返り予防のトリートメントオイル

ふくらはぎの筋肉が疲労し、激しく痙攣するこむら返りの予防には、ラベンダー、マージョラム、イランイラン、プチグレン、ローズマリー(カンファーかシネオール)、バジルなど抗痙攣作用、鎮痛作用、筋肉弛緩作用がある精油を揃えておきましょう。こむら返りの直後にラベンダーを3滴原液で塗布すると痛みがかなり緩和されます。

マージョラム 3滴
イランイラン 3滴
ラベンダー 5滴
キャリアオイル 30ml

作り方●基材に精油を加え、まぜる。
＊上記にローズマリー・カンファーを2滴加えるとより効果的です。

## だるさ・疲労感

レモンやローズマリーなど血液循環を促し心身を活性化する精油や、ヒノキ、ローズウッドなど精神疲労を緩和する精油を選択します。疲れの原因は、体内の老廃物の増加、冷え、睡眠不足、ストレス、食事の質など様々です。病気が原因の場合もあるので、長く続く場合は医師の診察を受けましょう。

**おすすめの精油**
- メイン オウシュウアカマツ、ゼラニウム、サイプレス、ラベンサラ、レモン、ローズマリー(カンファー・シネオール)
- サブ ジュニパー、タイム・リナロール、ヒノキ、マージョラム、ラベンダー、ローズウッド、サンダルウッド

### 眼精疲労と全身の疲れに

目を酷使し、同じ姿勢を続けることが多い方に。ローズ芳香蒸留水を含ませたコットンで目の冷湿布後、蒸しタオルで首の後ろと目の上を温めましょう。レシピのジェルは首、肩、鎖骨下、手首、ふくらはぎなどに塗布してください。

| | |
|---|---|
| グレープフルーツ | 6滴 |
| ゼラニウム | 2滴 |
| ローズウッド | 4滴 |
| ジェル基材 | 30g |
| (またはジェル基材 25g、キャリアオイル 5ml) | |

作り方●基材に精油を加え、よくかきまぜる。

### 疲労回復のアロマバス

疲れきってしまったけれど、もうひとふんばりしたい!! ラベンサラとローズマリーは、そんなときに体力や気力を高めてくれます。どちらか好きなほうでもかまいません。ユズは、じっくりと体を温めてくれるので熟睡することが出来るでしょう。

| | |
|---|---|
| ラベンサラ | 1滴 |
| ローズマリー・シネオール | 1滴 |
| ユズ | 2滴 |
| 天然塩 | 40g |

作り方●天然塩と精油をよくまぜて、お風呂に入れる。
＊同じ精油のブレンドを10mlの植物油にまぜ、トリートメントしても効果があります。

### 下半身の疲れを緩和する足浴

全身の血流がよくなり、足だけではなく肩や背中の重だるさも楽になります。サイプレス、ジュニパー、サンダルウッドなどを用いて10〜15分程度の足浴を行います。足浴が無理な場合は、洗面台に湯をためて5分ほど手首から上10cmくらいまでをつける手浴を行ってください。

| | |
|---|---|
| サイプレス | 2滴 |
| レモン | 2滴 |
| 天然塩 | 40g |

作り方●天然塩と精油をよくまぜる。バケツかたらいに42度くらいの湯をいれ、精油と天然塩を加えて足首から15cmくらい上までを浸す。
＊同じ精油のブレンドを10mlの植物油にまぜ、アキレス腱の両側に塗布しても効果があります。

# 関節痛・坐骨神経痛・リウマチ・腱鞘炎

加温、鎮痛、筋肉の弛緩、抗炎症、コーチゾン様などの作用がある精油を選びます。冷えは痛みを助長させます。体を温めて血液循環をよくする精油での入浴や足浴は患部の発痛物質の排出を促し、痛みの緩和を助けます。

### おすすめの精油
**メイン** オウシュウアカマツ、オレンジ（スイート、ビター）、ジュニパー、マージョラム、ユーカリ・シトリオドラ、ローズマリー（カンファー・シネオール）

**サブ** サイプレス、ジンジャー、バジル、ペパーミント、ブラックペッパー、ヤロウ、ユズ、ラベンダー

## 消炎・鎮痛用クリーム

炎症や痛みの緩和には、オウシュウアカマツ、ジュニパー、ユーカリ・シトリオドラなどの精油がよく使われます。香りに慣れてしまうと効果が弱くなるので、1か月を目安に精油の組み合わせを変えましょう。持ち歩けていつでも塗布できる基材にブレンドすると便利です。

オウシュウアカマツ 4滴
ラベンダー 4滴
ユズまたはグレープフルーツ 3滴
みつろうクリーム（市販の無香料クリーム）30g
またはジェル 25gとキャリアオイル 5ml

作り方●精油を基材に加え、よくかきまぜる。
＊炎症や痛みが強いときは、シラカバ（179ページ参照）とペパーミントを2滴ずつ、冷えが強いときはジンジャー2滴を上記に加えます。

## 痛みがある日のアロマバス

昔から、体を温め神経痛やリウマチによいといわれているユズの精油をブレンドしました。日によってオウシュウアカマツとローズマリーを交互にブレンドするとよいでしょう。

オウシュウアカマツまたは
ローズマリー（カンファーまたはシネオール）2滴
ユズ 2滴
天然塩 40g

作り方●天然塩に精油を加え、よくかきまぜる。
＊同じ精油のブレンドでトリートメントオイルを作るときは、10mlの植物油にまぜてください。

## みんなのアロマ体験談

### 01 旅行中の心と体の疲れに

旅行コンサルタントをしています。足の疲れと興奮や緊張が続く旅の間、お客様が、楽しく華やかな気持ちで過ごしていただけるように、精油入りの足などに使うオイルを作り、差し上げています。ローズ、ラベンダー、サンダルウッド、ゼラニウム・ブルボンをメインにユズやオレンジなど柑橘系をプラスして仕上げます。これは「足だけではもったいない！」と眠りにつくときにも使っていただき、好評です。足専用のオイルにはレモングラスやローズマリー、ユーカリも使います。　　　　　（60代　女性）

## ウォーミングアップ用オイル

人気があるゴルフやテニスなどのスポーツは、利き腕のひじや手首、前腕、腰など特定の場所に負荷がかかりやすく、痛みを抱える方は多いものです。プレーの前に筋肉を温め、腱や関節の動きをサポートするオイルをすり込んでおくと怪我の予防にもつながります。お試しください。

ユーカリ・グロブルス 4滴
ローズマリー・カンファー 3滴
（シネオールの場合4滴）
ジュニパー 5滴
キャリアオイル 30ml
または乳液 15mlと植物油 15ml

作り方●精油を基材に加え、よくまぜる。

## ぎっくり腰・捻挫・打撲・筋肉裂傷などの応急手当

まず冷やして痛みや炎症を緩和する精油を用います。受傷直後にラベンダーの精油を原液で2滴、またはペパーミントとヘリクリサム（下の囲み参照）を2滴ずつ10mlのキャリアオイルに薄めて塗布しておくとその後の治り方が違います。

**おすすめの精油**
**メイン** ヘリクリサム、ペパーミント、ヤロウ、ユーカリ・シトリオドラ、シラカバ
**サブ** ユーカリ・グロブルス、マージョラム、ラベンダー、ローズマリー（カンファー・シネオール）

### 受傷直後の冷却用アロマスプレーと冷湿布

受傷直後、炎症を起こしている患部を冷却します。冷湿布を行うか、スプレータイプのクラフトを作り、何度も患部にスプレーします。痛くて患部に触れられないときは、オイルよりもスプレーのほうが役立ちます。

ペパーミント 4滴
ラベンダー 6滴
無水エタノール 5ml／精製水 25ml

作り方●スプレー容器に基材を入れ、精油を加える。よく振ってから使用する。
＊冷湿布は洗面器一杯の氷水に上記の精油を2滴ずつ入れタオルを浸して絞り患部にあてます。
＊骨折直後は、オイルトリートメントは禁忌です。

### クレイを使った湿布

緊急時の応急手当にはクレイ（粘土）も役立ちます。ガーゼの上に精油をまぜたクレイをのせ、患部を湿布します。クレイを基材にすると精油の浸透力が増し、冷却効果も持続します。

ペパーミント 2滴
ユーカリ・シトリオドラ 2滴
ユーカリ・グロブルス 2滴
クレイ（モンモリオナイトまたはカオリン）を水で耳たぶ程度の固さに練ったもの 40g／ガーゼ

作り方●練ったクレイに精油を加え、さらによく練り、ガーゼに塗る。

### 捻挫・打撲・ぎっくり腰用塗布クリーム

受傷直後は、温めたり、患部のトリートメントをするのは禁忌です。まず十分冷やし、クリームは塗布するだけにとどめましょう。このレシピは応急手当用です。数日たって炎症が落ち着いたら、シラカバはオレンジかジンジャーに変更します。

ユーカリ・シトリオドラ 4滴
ペパーミント 4滴
ラベンダー 4滴
シラカバ 3滴
みつろうクリーム（市販の無香料クリーム） 20g
アルニカ油 10ml

作り方●クリームとキャリアオイルをよくまぜる。精油を加え、さらによくかきまぜる。
＊アルニカ油がないときは、クリーム（30g）だけで作成します。

### じん帯・筋肉の裂傷用塗布クリーム

医療機関での治療後に行います。ギブスや包帯で固定されている患部をさけてその上下や怪我をかばって凝っている他の部位に軽く伸ばすように塗布しておきましょう。

ジュニパー 4滴
ユーカリ・シトリオドラ 3滴
ローズマリー・シネオール 4滴
（カンファーの場合3滴）
ラベンダー 4滴
みつろうクリーム（市販の無香料クリーム） 30g
またはキャリアオイル 30ml

作り方●基材に精油を加え、よくかきまぜる。

---

| | |
|---|---|
| ヘリクリサム | 酢酸ネリル、β-ジオン、α-ピネンなどが主成分。血腫抑制、抗凝血、鎮痛、抗炎症、血液・リンパのうっ滞除去、抗痙攣、収れん、瘢痕形成、肝臓強壮などの作用があり、打撲の直後に塗布するとあざや腫れを予防する。 |
| シラカバ(バーチ) | サリチル酸メチルが主成分（90％以上）。湿布薬のような香り。鎮痛、抗炎症、抗痙攣、抗リウマチ、加温などの作用があり、肩こり、神経痛、リウマチ、捻挫、腱鞘炎などに用いる。皮膚刺激が強いので連続使用は2週間までとする。 |

## からだと心編 ② 呼吸器系の不調

呼吸器系：鼻、鼻腔、副鼻腔、咽頭、喉頭、気管、気管支、肺など

精油を使ったうがいは、病原菌が侵入しやすいのどを殺菌して風邪を予防し、のどの乾燥や痛みも和らげます。

**最強うがいレシピ**
ティーツリー 1滴
レモン 1滴
作り方●コップに200mlほど水を入れ、精油を加える。

精油、天然塩、クレイ（粘土）をお風呂に入れると保温効果が持続します。体を温め、質のよい睡眠をとることは、自然治癒力を高めます。

**風邪予防のアロマバス**
ユーカリ・ラジアータ
（またはグロブルス） 2滴
ラベンダー 2滴
天然塩 20g／クレイ 20g
作り方●天然塩、クレイ、精油を合わせ、よくかきまぜる。

**アロマケアのポイント**

精油を吸入することにより、鼻から肺までの空気の通り道（気道）を殺菌・消毒し、また粘膜から精油成分を効果的に吸収させることが出来ます。風邪の予防で大切なのは加温と加湿です。乾燥や低温は、粘膜の抵抗力を弱め、線毛運動も鈍くなり、細菌、ウイルスは威力を増すからです。疲れやストレス、睡眠不足でも抵抗力は低下します。

- 風邪の原因となる細菌、ウイルスを抑える（抗菌、抗ウイルス）
- 免疫力を刺激し治癒力を高める（免疫強化、鎮静、自律神経調整）
- 炎症や咳を抑え、過剰な粘液や痰を排出する（抗炎症、鎮咳、去痰、抗カタル）

### 教えて！1　1年中、風邪を引いてしまいます。アロマで予防はできますか？

鼻やのどなどの呼吸器は、空気と一緒に細菌やウイルス、ほこりなどの異物が常に侵入してきます。風邪は、鼻やのど、気管に細菌が感染し、炎症が起きたものです。予防の第一歩は入り口で異物の侵入をシャットアウトすること。抗菌、抗ウイルス作用のある精油の吸入やうがいを習慣づけましょう。気温が低く、乾燥する冬は特に気をつけましょう。

> のどにはリンパ組織があり、細菌やウイルスと戦って、肺に行かないように食い止めているよ！

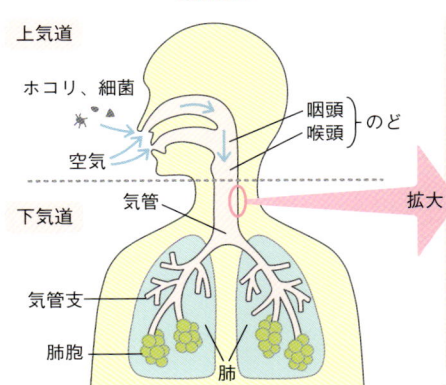

鼻から入った空気は、湿度95％、温度35度程度に調整され、肺に送られる。空気が乾燥して、温度が低い冬場は、抵抗力が衰える。

### 教えて！2　咳がたくさん出ると疲れてしまいます。なぜ出るのですか？

咳は、異物を排出するための大切なしくみのひとつ。ほこりや細菌などの異物は、粘液によってからめとられたあと、咳や線毛運動によって体外に排出されます。スムーズな排出を助けるようなケアをしましょう。ただし、咳が続くときは、必ず医療機関を受診すること。また、咳をしすぎて筋肉痛が起きたときにもアロマ精油は役立ちます。

> 呼吸器の内側は全て、殺菌効果のある成分を含む粘液で覆われているよ！

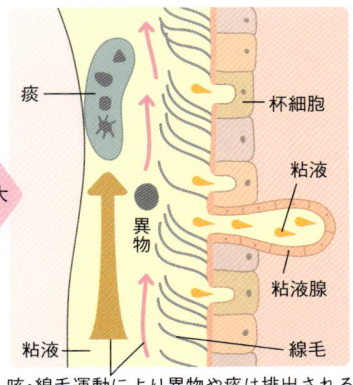

咳・線毛運動により異物や痰は排出される

痰は、細菌と戦った白血球、細菌の死骸、粘液がまざったもの。線毛が上へと運んでいる。

## 風邪・インフルエンザ

のどが腫れ、痰や咳が出るのは体が細菌と戦っていることの現れです。抗菌、抗ウイルス、免疫強化作用がある精油を用いて体の治癒力を応援しましょう。出し切れない痰が残っていると新たな細菌やウイルス感染の温床となります。ユーカリなど痰を排出する作用がある精油も上手に取り入れましょう。

### おすすめの精油
**メイン** ティーツリー、ユーカリ・グロブルス、ユーカリ・ラジアータ、ラベンサラ、ローズウッド、ペパーミント
**サブ** タイム・リナロール、ニアウリ・シネオール、マートル、ローズマリー・シネオール、レモン

### 風邪気味の日のセルフパヒューム

お仕事の合間やストレスを感じたときに。風邪を予防し、同時にリラックスできるオーデコロンです。さわやかなシトラス系でまとめ、そっと包み込まれるようなやさしい印象の香りです。

| |
|---|
| プチグレン 2滴 |
| ベルガモット 6滴 |
| マンダリンまたはスイートオレンジ 3滴 |
| ローズマリー・シネオール 5滴 |
| サンダルウッド 3滴 |
| 無水エタノール 10ml／精製水 20ml |

作り方●ガラス製のボトルに無水エタノールを入れ、精油を加え希釈する。精製水を加え、よく振ってから使用する。

### すっきりアロママスクとアロマスプレー

電車や病院の待合室、オフィスなどで大活躍！使い捨てのマスクに、精油を直接垂らすだけです。下記のレシピにレモン、ローズウッドを1滴ずつ加えると香りがよりマイルドになり、精油同士の相乗効果も期待できます。

| |
|---|
| ペパーミントまたはティーツリー 1滴 |
| ユーカリ・ラジアータ 1滴 |
| マスク（立体型） |

作り方●立体型の使い捨てのマスクに精油を垂らす。
＊香りが強すぎると感じたときは、スプレー容器に無水エタノールを5ml入れて上記精油を各6滴ずつ（レモン、ローズウッドも入れるときは各精油3滴ずつ）希釈し、精製水25mlを加え、よく振ってからマスクにスプレーする。

### 風邪に負けない！万能軟膏

鼻水、鼻づまり、咳、痰など、一般的な風邪の症状に対応した万能軟膏です。首から胸、のど、あごの下から耳、肩から背中にかけてやさしく塗ります。以下のレシピにペパーミントを2滴ほど加えると清涼感が増し、鼻の通りがさらにアップします。

| |
|---|
| ティーツリー 4滴 |
| ユーカリ・ラジアータ 6滴 |
| ラベンサラ 5滴 |
| みつろう軟膏（市販の無香料クリーム）30g |

作り方●基材に精油を加え、よくかきまぜる。
＊お腹に来る風邪は、ティーツリーにかえてマージョラムにします。
＊ユーカリはグロブルス種でもOK。

### インフルエンザ用軟膏

医師の診察や処方を受けたあと、少しでも楽に過ごすために併用してください。このレシピは、作用が強いので連続使用は2週間以内にとどめます。使い方は、左記の万能軟膏と同じです。

| |
|---|
| ラベンサラ 12滴 |
| ラベンダー 10滴 |
| ユーカリ・ラジアータ 12滴 |
| タイム・リナロール 5滴 |
| ティーツリーまたはニアウリ・シネオール 6滴 |
| みつろう軟膏 30g |
| または無香料乳液 35mlと植物油 15ml |

作り方●基材に精油を加え、よくかきまぜる。
＊タイム・リナロールの代わりに、ローズマリー・シネオールにしてもよいでしょう。

## のどの痛み

抗菌作用、抗ウイルス作用、抗炎症作用がある精油を選びます。乾燥する季節は、のどの抵抗力が弱くなりがち。精油をブレンドしたアロマクラフトを携帯して、1日に数回使用しましょう。風邪の予防やのどの痛みの緩和に役立ちます。

**おすすめの精油**
- **メイン** ティーツリー、ニアウリ・シネオール、ペパーミント、ユーカリ・ラジアータ、ユーカリ・グロブルス
- **サブ** ラベンダー、レモン、ユズ

### いつでも！マウスウォッシュ

保存期間は1日と短いですが、さわやかな香りのうがい水をペットボトルに入れて持ち歩くと、いつでも、ブクブク、ガラガラうがいが出来ます。基材の緑茶は殺菌効果をより高めてくれます。

- ティーツリーまたはユーカリ・ラジアータ 2滴
- レモン 3滴
- 無水エタノール　小さじ1杯程度（5〜10ml）
- ペットボトルの水または緑茶 500ml

作り方●無水エタノールに精油を希釈し、ペットボトルの水か緑茶にそのまま加える。必ず1日で使い切ること。
＊無水エタノールはなくても作成可能。その場合は、よく振ってから使用してください。
＊高熱が出る、のどが化膿するなどしたときは、必ず医師の診察を受けましょう。

### 爽快！マウススプレー

マウスウォッシュよりも保存期間が長く、外出先でも使用でき、携帯用に便利です。スプレー容器に入れて痛みやいがらっぽさがあるときにのどにシュッとスプレーして使います。

- ペパーミント 2滴
- ティーツリーまたはニアウリ・シネオール 2滴
- レモン 2滴
- 無水エタノール 3ml／水 27ml

作り方●スプレー容器に無水エタノールを入れ、精油を加え希釈する。水を加えよく振ってから使用する。
＊保存期間は2〜3週間。
＊食品添加物の認可を受けた精油を使うとよいでしょう。

## 気管支炎、咳、痰

呼吸器の奥の炎症になるほど慢性化しやすく肺炎にまで進むこともあるので、注意が必要です。痰が出ている間は、細菌やウイルスはまだ死滅していないので無理をせず安静にしましょう。抗菌、抗ウイルス、去痰、鎮咳作用などがある精油を用います。

**おすすめの精油**
- **メイン** サイプレス、ティーツリー、ユーカリ・グロブルス、ユーカリ・ラジアータ、ローズマリー・ベルベノン
- **サブ** ジンジャー、フランキンセンス、プチグレン、マートル、ニアウリ・シネオール、パルマローザ

### 咳を撃退！ 簡単吸入

「咳がつらい」「痰が切れない」ときに鼻から肺までを消毒するようなイメージでしっかり吸入しましょう。肺にこもった熱を取り除いてすっきりさせます。下記と同じ精油を植物油10mlに希釈して胸や背中に塗布してもよいでしょう。

- サイプレス 2滴
- ジンジャー 1滴
- マグカップ1杯の70度くらいのお湯

作り方●湯を入れたマグカップに精油をたらし、立ち上る蒸気を吸入する。
＊目をつぶり、一気に吸い込まないように注意しましょう。

蒸気で咳が誘発される場合は、湯の温度を下げるか塗布に変えてください。

# 鼻づまり、鼻水

うっ血除去、粘液溶解、抗カタル、抗炎症などの作用がある精油を用います。なかでもペパーミントとユーカリ・グロブルス、ユーカリ・ラジアータは、鼻粘膜の腫れを鎮め、空気の通りをよくしてくれます。

### おすすめの精油
**メイン** ティーツリー、ペパーミント、ユーカリ・ラジアータ、ラベンサラ、ローズマリー・ベルベノン

**サブ** オウシュウアカマツ、オレンジ、ジンジャー、ユーカリ・グロブルス、ラベンダー

## 鼻風邪用アロマジェル

鼻のまわり、あご下から耳にかけて塗布します。さらっとした使用感で、べとつかないので会社でも使えます。家にいるときは、基材を植物油に変えて、胸元や背中、首などにも広く塗布します。

| | |
|---|---|
| ペパーミント | 3滴 |
| ティーツリー | 6滴 |
| ユーカリ（ラジアータまたはグロブルス） | 4滴 |
| ジェル 40g／植物油 5ml | |
| ローズ水5ml（ローズ水がなければ、植物油を5ml増量） | |

作り方●基材を合わせ、まぜる。精油を加え、よくかきまぜる。
＊肌が荒れて塗布するとひりひりする場合は、上記レシピの精油滴数を1/2に減らして、ラベンダーを2滴加えます。

## 鼻がすーっとするアロマオイル

鼻水の粘性が高いときに。小鼻の上と鼻のつけ根の2箇所にオイルをつけ、親指と人差し指で軽くつまんで上下に動かします。

| | |
|---|---|
| ローズマリー・ベルベノン | 2滴 |
| ティーツリー | 2滴 |
| ラベンダー | 2滴 |
| ユーカリ（ラジアータまたはグロブルス） | 1滴 |
| キャリアオイル10ml | |

作り方●基材に精油を加え、まぜる。

# 発熱、だるさ

解熱して冷却する作用がある精油を中心に、発汗を促すものや免疫力を高める精油を選びます。大目に水分をとり、発熱で消耗してしまうビタミンCも十分に補給するよう心がけましょう。熱が続く場合は、医師の診察を受けましょう。

### おすすめの精油
**メイン** ブラックペッパー、ペパーミント、ユーカリ（グロブルス、ラジアータ）、ラベンサラ

**サブ** ティーツリー、ニアウリ・シネオール、ベルガモット、レモン

## 熱がある日の冷湿布

表面に浮いた精油をすくいとるようにタオルを浸して絞り、額やわきの下、そけい部（下肢の付け根）などに当てます。何度か繰り返します。

| | |
|---|---|
| ペパーミント | 2滴 |
| ラベンサラ、ユーカリ・ラジアータ、ティーツリー、ベルガモットなどから好みの香りのもの | 1～2滴 |
| 洗面器1杯の冷水 | |

作り方●洗面器の冷水に精油を加える。表面に浮いた精油をすくい取るようにしてタオルを浸す。
＊湿布ができないときは、ローズ芳香蒸留水に浸したコットンで、顔や首筋をふき取ります。ローズ芳香蒸留水250mlにペパーミント2滴を小さじ1杯の無水エタノールに希釈して加えると、清涼感が増し、より効果的です。

## 病後の回復を助けるオイル

病後の疲労感や体力の低下があるときに。胸骨の上や腹部や足裏、ふくらはぎに軽く塗布します。

| | |
|---|---|
| グレープフルーツ | 3滴 |
| タイム・リナロールまたはローズウッド | 3滴 |
| ローズマリー・ベルベノン | 5滴 |
| レモン | 4滴 |
| 植物油 30ml（またはジェル 20g、植物油 10ml） | |

作り方●基材に精油を加え、まぜる。

# 症例 ▶▶▶▶▶▶▶▶▶▶▶▶▶▶ Case 01

## 「アロマは体調管理に役立っています」　41歳 女性

### 自覚症状

花粉症と鼻炎、喘息、冷え症、肩こり、敏感肌。半年前に転職をし、疲れがたまっている。2〜3年前、喘息と診断され、ときどき症状が出る。過去に十二指腸潰瘍あり。眠りが浅く、何度も目が覚める。左足首の靭帯がゆるんでおり、捻挫も多く痛めやすい。

### 施術とセルフケアの方針

自宅でのセルフケアに加え、継続した半年ほどのトリートメントを提案。
**初回のレシピ**：ラベンダー3滴、カモミール・ローマン2滴、ローズマリー・カンファー2滴、ホホバ油15ml、マカダミア油15ml　＊首と肩のみジンジャーを1滴追加して塗布。
**施術**：足浴20分、全身、頭皮、顔

### 自宅でのセルフケア

①ユーカリとティーツリーの吸入②ラベンダーとユズを使った入浴③アロマジェル④セルフマッサージ
**ボディ用**：オレンジ2滴、ベンゾイン1滴とホホバ油15ml／カモミール・ローマン1滴、ラベンダー2滴、マージョラム1滴とホホバ油15ml／プチグレン・マンダリン2滴、シラカバ2滴、ラベンダー3滴／ホホバ油15ml）
**鼻・のど用**：ティーツリー2滴、ユーカリ・ラジアータ1滴、レモン1滴とホホバ油10ml
**足用**：ラベンダー2滴、ジンジャー1滴、カルダモン1滴、ブラックペッパー2滴／ホホバ油15ml／その他

### 施術の実際

8か月にわたり10回施術を行う。約20分の足浴後、全身75〜90分の施術を基本とし、ストレスが強いときは顔と頭皮も行う。初回以降のレシピは、状態に合わせて変更。クラフトの作り方、吸入の方法などもアドバイス。毎回、アロマクラフトを持ち帰る。

### ご本人の感想

**1回目（9月16日）**
体も足首も左側の方が疲れていることに気づいた。
**2回目（11月16日）**
お腹がゆるいのは変わらず。「ものの言い方がやさしくなった、顔の感じが変わった」と人からいわれた。
**3回目（12月14日）**
便秘と下痢を繰り返していたが、ここ1か月は特になし。喘息は出ないが、鼻炎と手足の冷え（特に足）が気になる。オイルを塗布すると足の内側が痛い。
**4回目（1月4日）**
最近、喘息と顔のかゆみがある。夜、目が覚める回数が少なくなった。アロマジェルの作り方とアロマの吸入の方法を習得。精油、ハーブティー購入。
**6回目（2月24日）**
ジェルを塗っていたらのどの調子が改善。顔のラインがすっきりしたように思う。ハーブティーにも慣れてきた。担当する仕事内容の変更を決意。先週は気分が落ち込み、胃がつまるような感じが強かったがネロリとラベンダーのオイルを塗るとすーっと楽になった。プールに週2〜3回通いはじめた。
**7回目（2月22日）**
食事がおいしく感じる。肩こりがひどくて歯が浮いたときがあったが、シラカバ入りオイルをつけると楽。お腹の調子はずいぶん改善されたと思う。
**10回目（5月11日）**
毎日がとても楽しい。毎月必ず風邪をひいていたが、ひかなくなった。ストレス解消の方法がわかってきた。仕事の大変さは変わらないがダメージは前より受けず、いい意味で開き直れるようになった。ふだん、ゆっくりすることがないのでただ静かに過ごせるアロマの時間はとても貴重。朝、4時や5時に目が覚めることはなくなった。精油を入れた芳香蒸留水をプールのあとに使うと肌の調子がとてもよい。

**Comment ▶ ▶ ▶**　体調がある程度整ってからは、年3〜4回、季節の変わり目にメンテナンスを目的にいらしてくださり、ときどきの不調はご自宅でのセルフケアや水泳などで上手に対処なさっています。花粉症や鼻炎、喘息の症状が毎年徐々に楽になっているとのうれしいご報告がありました。

## からだと心編 ③ 消化器系の不調

消化器系：口、食道、胃、肝臓、膵臓、胆のう、十二指腸、小腸、大腸、直腸、肛門

静かに揺れるアロマキャンドルの炎を見つめていると、安らいで時間がたつのも忘れてしまうほどです。オレンジ、ベンゾイン、レモングラス、シナモン、ブラックペッパー、ラベンダーなどの精油で香りをつけると、ストレスや胃の負担も和らげてくれます。

### オレンジとスパイスのアロマキャンドル

オレンジ（スイートまたはビター）20滴
ブラックペッパー 10滴
クローブ（またはシナモン）5滴
ユーカリ・シトリオドラ（またはベンゾイン）10滴
みつろう150g
素焼きの鉢（底に穴がないタイプ）／タコ糸

作り方●みつろうは弱火でゆっくりと湯せんして溶かす。溶けたろうは、加熱しすぎると火がつくことがあるので注意すること。割り箸にはさんだ芯をおろした容器に静かに溶けたろうを注ぐ。温度が少しだけ下がり、ろうが固まる前に芯に浸み込ませるように精油を加え、竹串で軽くかきまぜる。

＊みつろうの代わりにパラフィンや市販のろうそくを使用したり、たこ糸の代わりに市販のろうそくの芯を再利用することができます。火の取扱いには注意してください。

## アロマケアのポイント

消化器は心の状態との関係が密接な器官です。興奮しているときや仕事中は、交感神経が活発になり消化活動は抑制されます。リラックスすると消化液がバランスよく分泌され、消化管の蠕動運動がスムーズになり消化・吸収・排泄が滞りなく行われます。精神的な緊張や、腹部や腰の冷えがあると蠕動運動は乱れ、胃腸の働きは鈍くなります。生活のリズムを整えて精神状態を安定させる、お腹周りを温めるなどがセルフケアのポイントになります。

- 気持ちをリラックスさせる（抗ストレス、自律神経調整、副交感神経の強壮、鎮静、精神安定）
- 蠕動運動を促進し、消化を促す（駆風、健胃、消化促進、緩下）
- 胃腸を温め、消化液の分泌を促す（血流促進、加温、胆汁分泌促進、肝臓強壮）

### 教えて！1
**イライラすると胃が痛くなり、下痢か軟便になります。イライラと胃腸の働きに関係はあるのですか？**

病気以外に長く続くイライラや緊張、不安などの精神的ストレスも下痢や胃痛の原因と考えられています。ストレスで自律神経やホルモンの働きが乱れると胃液の過剰分泌や胃粘膜の血流や粘液分泌が低下し、胃の表面を保護する粘液の防御壁がこわれます。そこに強い酸性の胃液が働くので炎症が起きて痛みを感じます。食物は、蠕動運動によって大腸に送られて便になります。この運動の乱れも下痢の原因のひとつです。

> 蠕動運動や胃液や粘液の分泌には、自律神経が関係しているよ！

### 教えて！2
**お腹の調子が悪くなると、口の中から嫌なにおいがします。**

消化器は、口から肛門まで約9mの1本の管です。食道から胃への入り口（噴門）は、食物が通過するときだけ開くので、胃のニオイが直接あがってくることはありませんが、胃が消化不良を起こすと一時的に噴門の閉じ方が不十分になったり、舌苔※ができるなどして嫌なにおいがする、また、腸内で発生したガスが血管をめぐって肺や口から吐き出された結果、口臭になるということはあります。

※舌苔…表面の苔のような汚れ

> ストレスは胃腸の天敵！食後はのんびり過ごそう！

**蠕動運動のしくみ**

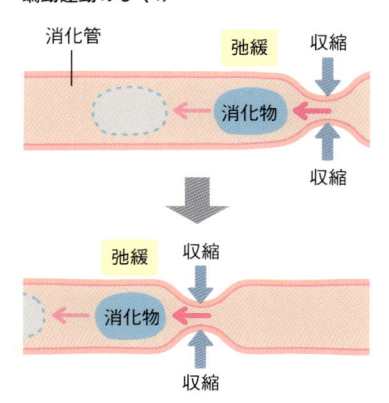

消化管では、消化物が進む方向の筋肉が緩み、後ろが収縮することで、消化物が前に押し出される。

リラックスすると、自律神経である副交感神経の働きが活発になり、消化液の分泌が促され、消化、吸収を高める。

Self Care Guide からだと心編 3 消化器系の不調

## 消化不良・下痢（食あたり）

お腹を温め、消化管の蠕動運動促進や消化液の分泌を促すジンジャー、オレンジ、レモングラスなどが使われます。不安や緊張も消化不良につながるのでネロリやカモミール・ローマンなども役立ちます。食あたりや食べすぎたときの下痢は、体にとって浄化・解毒にもつながるので必要以上に止めないことも昔からの生活の知恵として知られています。

### おすすめの精油
**メイン** オレンジ、クローブ、ジンジャー、フェンネル、ブラックペッパー、ペパーミント、マンダリン、レモン

**サブ** レモングラス、ローズマリー・シネオール、ローズマリー・ベルベノン、カモミール・ローマン、ネロリ

---

### 消化を助けるハーブティー

消化を促す作用があるペパーミント、ローズマリーのドライハーブをブレンドしましょう。清涼感あふれる香りで脂っこい食事の後のお茶に適しています。健胃作用があるオレンジピールとレモングラスを加えると味がととのい飲みやすくなります。

ペパーミント、ローズマリーのハーブティーをブレンドしたものをティースプーン 2杯
レモングラス、オレンジピール 少々
お湯 400ml

作り方●材料をブレンドし、お湯で抽出する。

---

### 食あたり対策の塗布オイル

少々、香りや皮膚への温感が強いレシピです。食あたりかも？と思ったときに塗布しておくと症状が軽くてすみます。殺菌作用があり、胃腸を温めて蠕動運動を調整してくれます。

クローブ 2滴
ペパーミント 2滴
バジル 2滴
ティーツリー 2滴
キャリアオイル 20ml

作り方●基材に精油を加え、よくまぜる。
＊激しい嘔吐・腹痛・下痢・発熱などがある場合は、医師の診察を受けましょう。

---

### 胸焼け・胃もたれ対策のアロマクリーム

やさしくみぞおち、腹部全体に塗布します。柑橘、スパイスの精油やカモミール・ローマン、ペパーミントは胃液の分泌や胃の蠕動運動を促進します。

ペパーミント 2滴
ブラックペッパーまたはジンジャー 3滴
ローズマリー・ベルベノン 3滴
レモン 5滴
みつろうクリーム（市販の無香料クリーム）30g
またはキャリアオイル 30ml

作り方●基材に精油を加え、よくかきまぜる。

---

### みんなのアロマ体験談

**02**

#### 暴飲暴食後の赤いニキビに

海外旅行でかなり遊びました。ほぼ毎日、夜遅くまで友人と飲みながらの油っぽい肉料理。そのせいか、ときどき頭痛を起こし、吐きました。帰国後、口の周りが乾燥して切れ、髪のはえ際と両頬にニキビができ、赤く腫れて膿んでしまいました。これはいけない！ とローズマリー・ベルベノン、ジュニパー、ゼラニウム、グレープフルーツの精油で、トリートメントと半身浴を開始。ハーブティー（ペパーミント、ローズマリーなど）も飲むようにしました。残ったハーブティー45mlと無水エタノール5mlにベルガモット、ティーツリー、ラベンダーを1滴ずつ入れて、化粧水をつくりました。ニキビあとは薄くなり、肌の透明感が戻りました。食べ過ぎと寝不足だったかもと反省しています。

（20代　女性）

## 便秘・下痢など排便リズムの乱れ

食あたりでもないのに下痢をする、便秘と下痢を交互に繰り返す、仕事や通勤中の突然の便意などがある場合、オレンジ、ネロリ、カモミール・ローマンが役立ちます。まず柑橘やスパイスの精油でお腹を温め、全体的に胃腸の蠕動運動を整えます。便秘には、ローズマリー、マージョラムなどを、下痢にはプチグレン、バジル、ペパーミントなどを加えます。

### おすすめの精油
**メイン** オレンジ、カルダモン、カモミール・ローマン、ネロリ、プチグレン、ラベンダー、ローズウッド

**サブ** ジンジャー、バジル、ブラックペッパー、ペパーミント、ベルガモット、マージョラム、ローズマリー・シネオール、ローズマリー・ベルベノン

### 便通を整えるアロマクリーム

腸の流れに沿って手を密着させてゆっくりと時計周りに動かします。お腹が冷たい方は、下記のレシピにカルダモン、バジル、ブラックペッパーなども加えましょう。食用のローズ芳香蒸留水の飲用も効果的です。

- オレンジまたはマンダリン 4滴
- ローズマリー（シネオールまたはベルベノン）3滴
- マージョラム 3滴
- みつろうクリーム（市販の無香料クリーム）30g またはキャリアオイル 30ml

作り方●基材に精油を加え、よくまぜる。

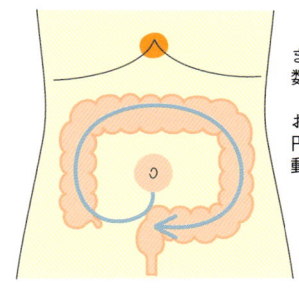

まず●部分に数秒手を置く
おへそを中心に円を描くように動かす

## 胃痛・疝痛（せんつう）

胃の痛みはストレスが関係している場合も多く、ネロリ、マージョラム、プチグレンなど痙攣を鎮めると同時に精神的な緊張を和らげる精油が役立ちます。胃酸過多には、カモミール・ローマン、バジル、ペパーミントなどを、胃炎には抗炎症作用があるカモミール・ジャーマンを加えます。症状がひどい場合は、必ず医師の診察を受けてください。

### おすすめの精油
**メイン** イランイラン、カモミール・ローマン、バジル、プチグレン、ペパーミント、ラベンダー

**サブ** ネロリ、マンダリン、マージョラム、ローズマリー・ベルベノン

### お腹をいたわるオイル

優しくみぞおち、腹部に塗布します。足裏の胃腸の反射区（170ページ参照）にすり込むのもよいでしょう。おすすめの精油を使ったアロマバスも行ってみましょう。急な痛みには、ペパーミントかバジルを吸入後、ラベンダーを原液で2滴程塗布すると和らぐことがあります。

- ネロリまたはカモミール・ローマン 2滴
- ペパーミント 3滴
- バジル 3滴
- キャリアオイルまたは無香料乳液 30ml （15mlずつブレンドしてもよい）

作り方●基材に精油を加え、よくまぜる。

脳
足の指を曲げるとへこむ所＝太陽神経叢（湧泉のツボ）

右足　左足
大腸はここからスタート

- 小腸
- 大腸
- 胃
- すい臓／十二指腸
- 肝臓

Self Care Guide からだと心編 ③ 消化器系の不調

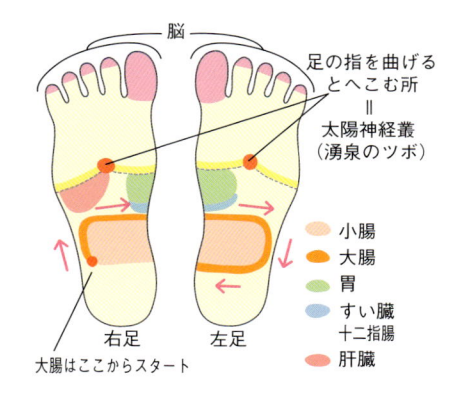

## 二日酔い

二日酔いの朝は、気分をすっきりさせ、吐き気を抑えるレモン、肝臓や膵臓の働きを高め、アルコールの分解を促進するローズマリー・ベルベノン、ペパーミントなどを用います。水分を多めにとり、入浴や足浴を行い、汗をたくさん出すことも効果的です。

**おすすめの精油**

**メイン** グレープフルーツ、バジル、ペパーミント、ローズマリー・ベルベノン、レモン、ユズ

**サブ** キャロットシード、ジュニパー、ブラックペッパー、メリッサ

### 二日酔いの朝のバスソルト

入浴剤を作り、お風呂に入れて使用しましょう。血液やリンパの循環、発汗を促す作用の精油を組み合わせます。

ジュニパー 2滴
レモンまたはグレープフルーツ 2滴
天然塩 40g

作り方●基材に精油を加え、よくかきまぜる。

### 肝臓を強壮するアロマクリーム

肝臓の働きを高めたいときは、キャロットシードが役立ちます。右わき腹、腹部全体と腰にすり込みます。レモン、ローズマリー・ベルベノンは、脂肪を乳化して消化を助ける胆汁の分泌を促すので、二日酔いだけでなく脂っこい食事の後にも役立ちます。

キャロットシード 3滴
ペパーミント 3滴
ローズマリー・ベルベノン 4滴
レモン 4滴
みつろうクリーム（市販の無香料クリーム）30g
または植物油 30ml

作り方●精油を基材に加え、よくかきまぜる。

### 吐き気を和らげるアロマはちみつ

食用の精油をはちみつにまぜて内服します。二日酔いの吐き気にも効果が期待できます。

レモンまたはユズ 4滴以内
ペパーミント 2滴以内
はちみつ 30g

作り方●はちみつに精油を加え、よくまぜ合わせる。ティースプーン1杯程度を一日二回ほど内服する。

## 腸内ガス（鼓腸）

お腹が張りやすい方に。消化を促進し、腸にたまったガスを排出する駆風作用があるスパイスや柑橘の精油を中心にブレンドしてみましょう。食用（食品添加物として認可されたもの）のペパーミント、ローズ、ネロリなどの芳香蒸留水の飲用も効果的です。

### おすすめの精油

**メイン** オレンジ、カルダモン、カモミール・ローマン、フェンネル、ペパーミント、マンダリン、ブラックペッパー

**サブ** クローブ、ジンジャー、バジル、マージョラム、ローズマリー（シネオール、ベルベノン）

### 腸内ガスを緩和するアロマクリーム

便秘や消化不良、空気の飲み込みなどでお腹が張るときは、やさしくみぞおち、腹部全体に広げて手を密着させ、おへそを中心に時計周りにゆっくりと動かします（189ページ参照）。

| | |
|---|---|
| フェンネル | 3滴 |
| カルダモン | 2滴 |
| オレンジ（スイートまたはビター） | 3滴 |
| みつろうクリーム（市販の無香料クリーム） | 30g |
| またはキャリアオイル | 30ml |

作り方●基材に精油を加え、よくかきまぜる。

### お腹にやさしいハーブティー

食べ過ぎやお腹が痛いとき、カモミール・ジャーマンとペパーミントのハーブティーが役立ちます。オレンジピール、フェンネル、レモングラス、ローズマリー、ローズヒップなども飲みやすくておすすめです。

| | |
|---|---|
| カモミール・ジャーマン、フェンネルシードのハーブティーのどちらか単品、またはブレンドしてティースプーン | 2杯ほど |
| 温めたミルクかお湯 | 400ml |

作り方●温めたミルクかお湯400ml程度で抽出する。
＊ジンジャーパウダー、ターメリックパウダーを好みで少量加えてもOK。

### みんなのアロマ体験談 03

**手術後のお腹の痛みが緩和しました**

手術をしてから腸が癒着しやすくなり、便秘とガスでお腹が張り、かなり痛みがありました。ストレスや慢性疲労、肩こり、足の冷えもあり、眠りも浅く、つらかったのでアロマをはじめました。5か月たち、お腹の痛みはゼロではないですが、生理痛のようなキツイ痛みではなくなり、楽になりました。前よりガスも出るし、ほぼ毎日お通じがあります。眠りも深くなり、全体的に体調がよくなったと感じます。よく使う精油は、オレンジ、バジル、フェンネル、ジンジャー、ペパーミントです。最初の頃は、ラベンダー、オレンジ、ベルガモット、プチグレン、ゼラニウム、ネロリ、マージョラムでした。毎日、お腹と腰にオイルをつけています。今後も続けるつもりです。　　（40代　女性）

### みんなのアロマ体験談 04

**通勤中のお腹の痛みに**

通勤中にみぞおちのあたりがきりきりと痛くてたまらないことがあります。座り込みたくなるほど痛いこともあったので困っていました。電車に乗っていると急に起きてくるのですが、駅のトイレに行ってもお腹の調子が悪いわけではありませんでした。病院では、神経性胃炎と診断されました。アロマテラピーを試してみようと思い、ラベンダーやペパーミントをまぜたオイルをバッグに入れて持ち歩き、お腹に塗ったり、カモミール・ローマンを1滴ティッシュに垂らして下着にはさみ、胸元から香らせたりするようにしました。すると痛さが楽になり、痛むことがだんだん少なくなりました。ペパーミントのオイルは鎮痛効果に即効性があるので驚いています。　　（30代　女性）

## からだと心編 ④ 泌尿器系の不調

泌尿器系：腎臓、尿管、膀胱、尿道

体内を浄化する効果や貧血予防、花粉症予防にすぐれ、鉄分とビタミンCが豊富なネトルに、他のハーブをブレンドします。ハーブティーだけではなく、ただの白湯も自然薬になります。白湯は、体内の未消化物や老廃物を洗い流す効果があります。慣れてくると次第に白湯の甘さが感じられるようになってくることでしょう。

**体内浄化ティー**
カモミール・ジャーマン、ペパーミント、ネトルのハーブティーをブレンドしたものをティースプーン　2杯
お湯　400ml
作り方●お湯で抽出する。

**アロマケアのポイント**

老廃物の蓄積、体の冷え、休養不足、ストレスなど体の不調の原因は多岐にわたりますが、血液を浄化する役目がある腎臓の働きを高めることで老廃物の排泄を促し、病気の予防につながります。意識してハーブティーや白湯を多めに飲用し、腎臓を強壮、血液循環を活発にする精油を用いて尿の量を増やします。

- 腎臓での血液のろ過機能を高め、尿生成を促す（利尿、腎臓の強壮）
- 体を温めて尿酸、乳酸などの老廃物の運搬を助ける（血液・リンパのうっ滞除去、加温、血流促進）
- 興奮を鎮め、穏やかなくつろいだ時間を過ごす（鎮静、自律神経調整、精神安定、多幸）

### 教えて！1
**仕事柄、朝から夕方までに、お手洗いに1回しか行きません。「膀胱炎になるよ」といわれますが、本当ですか？**

尿は1日約1500ml排泄されます。排尿は成人で日中は4から6回、夜間は0から1回が標準です。膀胱は尿を溜めておくところですが、長時間溜めすぎると細菌感染を起こしやすくなります。特に女性は、尿道が約4cmと、男性（約20cm）よりも短いので細菌が入りやすく、膀胱炎になりやすいのです。

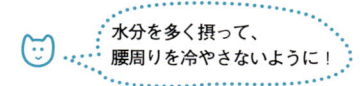

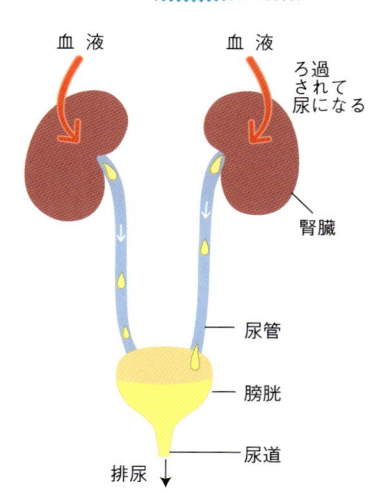

> 水分を多く摂って、腰周りを冷やさないように！

血液は腎臓内でろ過される。体に必要な物質は再吸収され、不要なもの（老廃物）だけが尿となって膀胱に集められる。

### 教えて！2
**赤ちゃんがお漏らしをしなくなるのは、なぜですか？**

膀胱の尿量が約300から400mlになると、膀胱内の圧力が高まり、自律神経によって反射的に膀胱壁が収縮し、膀胱出口の内尿道括約筋が緩みます。尿を我慢したり、出したりするときに使うのは、外尿道括約筋。この外尿道括約筋は、自分の意志で動かすことができるので、赤ちゃんも訓練するとお漏らしをしなくなるのです。

> おしっこは、体の中でいらなくなったもの。我慢のしすぎはだめ！

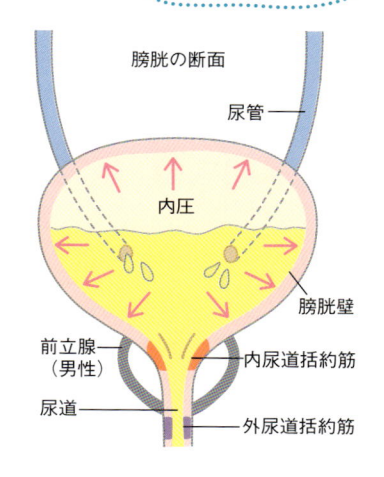

心理的なストレスや不安、緊張などの影響による頻尿は、わずかな尿量でも膀胱壁が過敏に反応し、尿意が発生してしまう。

## 腎臓の強壮と利尿促進

腎臓の働きを高めて利尿を促す作用があるジュニパーやキャロットシードなどを中心に、体を温めるスパイスや柑橘系の精油も組み合わせます。シャワーですませずに、お風呂にゆっくりつかることも心がけます。

**おすすめの精油**
- **メイン** キャロットシード、ジュニパー、シダーウッド・アトラス、サンダルウッド、サイプレス、ブラックペッパー
- **サブ** オレンジ、ペパーミント、マージョラム、ローズマリー・ベルベノン、レモン

### 腎臓を強壮するアロマクリーム

腎臓のあたり、腰、下腹部全体にすり込みます。腎疾患を持っている方が過度に使用すると、逆に腎臓に負担がかかってしまうので注意しましょう。

- キャロットシード 3滴
- ジュニパーかブラックペッパー 3滴
- シダーウッド・アトラス 3滴
- みつろうクリーム（市販の無香料クリーム）30g
  またはキャリアオイル 30ml

作り方●基材に精油を加え、よくかきまぜる。

### 利尿を促すトリートメントオイル

水分を多めに取り、体を温めるよう心がけます。腰や腹部にカイロを貼るのもおすすめです。オイルは、腰と下腹部全体にすり込みます。

- ジュニパー 3滴
- サイプレス 2滴
- オレンジ（スイートまたはビター）3滴
- ラベンダー 2滴
- キャリアオイル 30ml

作り方●基材に精油を加え、まぜる。

## 精神的緊張による頻尿

膀胱の壁は平滑筋で出来ており、その動きは自律神経によってコントロールされています。緊張やストレスが強いと膀胱壁が過敏になり、排尿筋が収縮してわずかな尿量でも尿意をもよおしてしまいます。安心出来る好きな香りを吸入したりお風呂に入れたりしてリラックスしましょう。

**おすすめの精油**
- **メイン** オレンジ、カモミール・ローマン、サイプレス、ネロリ、プチグレン、マージョラム
- **サブ** ミルラ、マンダリン、ラベンダー、ラベンサラ、好みの香りの精油

### 不安を和らげるオイル

基本的には好みの香りを中心にして神経の緊張を和らげ、抗不安作用があるプチグレン、ネロリ、オレンジなどの精油をブレンドします。腰、下腹部、前腕、手首、みぞおちなどに塗布しましょう。

- オレンジ（スイートまたはビター）6滴
- プチグレン 2滴
- ネロリ 2滴
- サイプレス 3滴
- キャリアオイル 30ml

作り方●基材に精油を加え、まぜる。
＊または無水エタノール3mlで精油を希釈し、精製水27mlを加えて、スプレーとして使用します。

### 心配な頻尿は、お風呂で解決！

お出かけの用事があって、うまくいくかなと少し心配なときに。予定の2、3日前からアロマのお風呂に入ってみましょう。当日は、緊張したときに使えるよう、左記の塗布用オイルかスプレーを持ってお出かけください。

- ヒノキ 1滴（または好みの木の精油）
- マンダリン 2滴またはローズウッド 1滴
- 天然塩 40g

作り方●天然塩に精油を加え、よくかきまぜる。

## 膀胱炎の予防とケア

疲れ、冷え、睡眠不足、ストレスが重なって免疫力が低下すると膀胱炎が起こりやすくなります。膀胱に尿がたまっている状態も細菌に感染しやすくなります。体を温かくして、ハーブティーなどで水分を大目に取り、まめにトイレに行きましょう。
ごく初期の膀胱炎は、抗菌作用のある精油を2、3滴入れたお風呂に入るとはやく回復します。

**おすすめの精油**

**メイン** サンダルウッド、ゼラニウム、ティーツリー、パルマローザ、マートル、ラベンダー、ローズウッド

**サブ** オウシュウアカマツ、サイプレス、ジュニパー、シダーウッド・アトラス、イランイラン、マージョラム

### 膀胱炎の予防におすすめのアロマバス

入浴に精油を使用してみましょう。膀胱炎の予防や疲労回復、免疫力の向上に役立ちます。

| | |
|---|---|
| ラベンダー | 2滴 |
| ローズウッドまたはサンダルウッド | 2滴 |
| 天然塩 | 40g |

作り方●天然塩に精油を加え、よくかきまぜる。お風呂に入れて使用する。

### 膀胱炎のための腰湯・座浴

お風呂に腰くらいまで湯をはるか洗面器または大きめのたらいに殺菌作用のある精油を入れて腰湯か座浴をします。天然塩と一緒に用いると効果的ですが、そのまま精油だけを垂らしてもかまいません。

| | |
|---|---|
| サンダルウッド | 1滴 |
| ラベンダー | 1滴 |
| パルマローザ | 1滴 |
| 天然塩 | 40g |

作り方●天然塩に精油を加え、よくかきまぜる。

### 前立腺肥大と軽い膀胱炎：男性編 下腹部のトリートメント

前立腺肥大では尿が出にくく、膀胱にたまりがちになります。長時間の同じ姿勢や過労、冷えが重なると前立腺のうっ血がひどくなり、前立腺炎や膀胱炎が起こりやすくなります。うっ滞除去に効果的なマートルとサイプレスのブレンドオイルを下腹部、腰、大腿部、下肢の付け根に塗布します。

| | |
|---|---|
| マートル | 6滴 |
| ローズウッド | 4滴 |
| ティーツリー | 3滴 |
| サイプレス | 3滴 |
| みつろうクリーム（市販の無香料クリーム） | 30g |
| またはキャリアオイル | 30ml |

作り方●基材に精油を加え、まぜる。

### 軽い膀胱炎：女性編 下腹部のトリートメント

膀胱炎になってしまったら、このクラフトを持ち歩き、一日3回ほど下腹部や腎臓のあたり、腰に塗布し、十分に水分補給を行います。血尿や発熱、悪寒などがあるときは、速やかに医師の診察を受けましょう。

| | |
|---|---|
| マージョラムまたはイランイラン | 2滴 |
| ローズウッド | 5滴 |
| パルマローザ | 3滴 |
| ティーツリー | 4滴 |
| みつろうクリーム（市販の無香料クリーム） | 30g |
| またはキャリアオイル | 30ml |

作り方●基材に精油を加え、まぜる。

## からだと心編 ⑤ 循環器系の不調

循環器系：心臓、動脈、静脈、毛細血管、リンパ管

下肢の付け根、ひざの裏、腹部、上腕からわきの下、鎖骨下、首などの皮膚表面をごく軽い圧でそっと押し、リンパ節を刺激します（198ページ参照）。泌尿器系、免疫系、循環器系の働きをサポートすることが出来ます。

## アロマケアのポイント

ストレス、喫煙、糖分や脂肪分の多い食事、自律神経系や内分泌（ホルモン）系の乱れ、老廃物の蓄積、血管や心臓そのものの老化が重なると心筋梗塞、高血圧や動脈硬化などのリスクが高まることが知られています。例えば、老廃物が付着した血管や老化し弾力を失った血管の血流は悪くなり、心臓は血液を押し出す力を強めるので、血圧は上がります。セルフケアのポイントは食生活の見直し、運動、冷えの改善、老廃物の排泄、ストレスへの上手な対処などです。

- 血圧を調整し、ストレスを緩和しリラックスする（抗ストレス、鎮静、自律神経調整、血圧調整）
- 冷えを緩和し、体液の循環を促進する（加温、血流促進、うっ滞除去）
- 体内の脂肪を溶解し、血液中の老廃物の排泄を促す（解毒、脂肪溶解、リンパのうっ滞除去）

### 教えて！1　心臓が止まると死んでしまうのは、なぜですか？

心臓は、血液を送り出すポンプの役割をしています。全身に分布する毛細血管を通して、細胞に栄養素や酸素、ホルモンを届けたり、細胞から二酸化炭素や老廃物を回収したりしています。心臓の働きが悪くなってしまうと、体中の細胞に必要な酸素や栄養が行き渡らなくなるだけでなく、老廃物の回収も滞ってしまうため、止まるわけにはいかないのです。

> 循環器系は、血流による体内の物質運搬係だよ。

**体（大）循環**

静脈とリンパ管が合流／動脈／心臓／酸素、栄養素など／静脈／リンパ管／細胞／二酸化炭素・老廃物／毛細血管を通じて各細胞へ

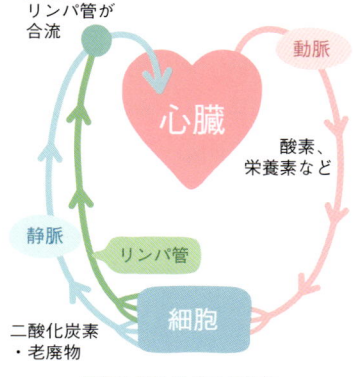

細胞では、酸素⇔二酸化炭素、栄養素⇔老廃物などの物質交換が行われる。老廃物は、静脈だけでなくリンパ管でも運ばれている。静脈とリンパの流れがよくなると、体の浄化に役立つ。

### 教えて！2　緊張すると心臓がドキドキするのはなぜですか？

心臓を中心とした循環器系の働きは、体の内外の変化に対応してホルモンや自律神経によって調節されています。緊張や不安を感じると自律神経の交感神経の働きが活発になり、心臓の拍動を増やします。ドキドキするのはそのためです。自律神経は心の状態を強く反映し、その中枢である脳の視床下部の働きは、感情の影響を受けると乱れてしまいます。

> ほっとする香りを選んで、リラックスしてね！

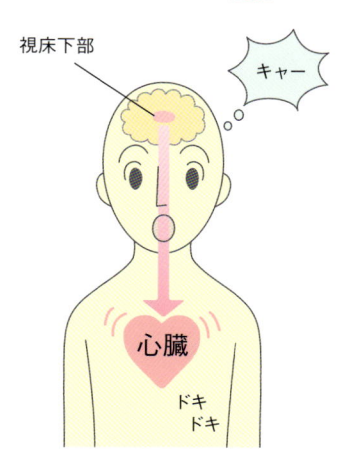

視床下部／キャー／心臓／ドキドキ

「心」の影響は、循環器系全体に及ぶ。ストレスや悲しみなどが続くと全身の健康状態に影響を与えてしまう。

## 冷え性

「冷えは万病のもと」。体が本来持っている治癒力は、体温36.5℃位で最もよく発揮されるといわれています。平熱が低いという方もそれを当たり前だと思わず、体を温める生活を心がけましょう。健康状態のアップにつながります。加温作用があり血流を促す精油を中心に選択するとよいでしょう。

### おすすめの精油

**メイン** オレンジ、マージョラム、ユズ、レモン、レモングラス、ローズマリー（カンファー、シネオール）

**サブ** オウシュウアカマツ、サイプレス、サンダルウッド、ジンジャー、パチュリー、ラベンダー

---

### column 3　主なリンパ節の場所とケア

私たちの体にはリンパ管を通じて全身にリンパ液が流れています。リンパ節は異物のろ過や免疫の働きを行います。ピンクで示したところは静脈角といい、鎖骨下静脈と内頚静脈とリンパ管が合流するところ。ここを刺激し、流れをよくすることが大切です。

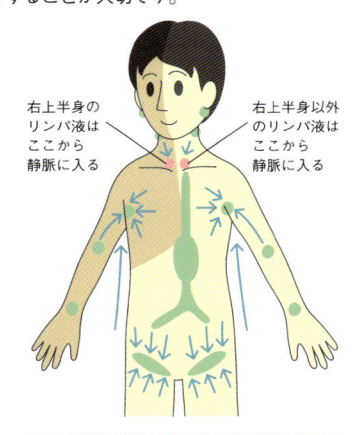

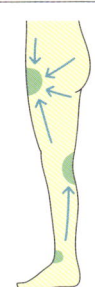

右上半身のリンパ液はここから静脈に入る

右上半身以外のリンパ液はここから静脈に入る

図に、主なリンパ節の場所を示しました。
リンパ系のトリートメントは、免疫機能や代謝機能の働きを整えるのに役立ちます。図で示したところを中心に、皮膚の表面をそっと押すか、矢印の方向に向かってトリートメントしましょう。力を入れないようにするのがポイントです。

---

### ホット&リラックスバスソルト

お風呂に入るのが難しいときは、バスソルトを作って手浴や足浴を行います。手や足の先の血流がよくなり、体全体も温まりリラックスできます。

ラベンダー　2滴
ユズ　2滴
天然塩　40g

作り方●天然塩に精油を加え、よくかきまぜる。

### 冷え性さんにおすすめのトリートメント

手足の末端から付け根まで、腹部、首、ひざの裏、手首、足首の周りをごく軽い圧でトリートメントします。むくみやすい方にもおすすめです。時間がないときは腹部と手首、足首のみでも大丈夫です。

オウシュウアカマツ　4滴
オレンジ（スイートまたはビター）3滴
ローズマリー・シネオール　3滴
キャリアオイルまたは無香料乳液　30ml

作り方●基材に精油を加え、よくかきまぜる。
＊むくみ・静脈瘤・痔（200ページ）も参照してください。

### しもやけ予防の軟膏

手足の指先、関節の周りにすり込んで使用します。ユズとゼラニウムの組み合わせは荒れた手にも役立ちますのでハンドクリームにも適しています。

ユズ　4滴
ゼラニウム　2滴
ベンゾインまたはローズウッド　2滴
ラベンダー　3滴
みつろう軟膏　30g

作り方●基材に精油を加え、よくかきまぜる。

## 動悸（頻脈）

病気からではなく緊張、興奮、心配などからくるものに。速すぎる呼吸や心拍を落ち着かせる作用がある精油を選択します。副交感神経の働きを高める精油がメインになりますが、ご自身の好みの香りも加えるようにするとより効果的でしょう。

**おすすめの精油**
**メイン** イランイラン、カモミール・ローマン、ネロリ、プチグレン、マージョラム、メリッサ、ラベンダー
**サブ** オレンジ、サイプレス、ベルガモット、ヒノキ、バレリアン、フランキンセンス、マンダリン、ローズ

### みかんのアロマスプレー

自分がいる空間や手首、ティッシュにスプレーし、香りを吸入します。柑橘系主体のやさしい香りが漂ってほっとさせてくれます。

マンダリンまたはビターオレンジ 6滴
ネロリ 3滴
プチグレン 3滴
無水エタノール 20ml／精製水 10ml

作り方●無水エタノールに精油を加え、希釈する。精製水を加え、よく振ってから使用する。

### エキゾチックアロマスプレー

熱帯に咲く花、イランイランをブレンドした、どこかエキゾチックな印象です。全体的にはしっかりとした香りで力強さも感じられます。

イランイランまたはカモミール・ローマン 3滴
ラベンダー 5滴
サイプレス 3滴
マージョラム 3滴
無水エタノール 20ml／精製水 10ml

作り方●無水エタノールに精油を加え、希釈する。精製水を加え、よく振ってから使用する。

## 低血圧・起立性低血圧

病気ではないが血圧が低く午前中は元気が出ない、立ち上がるとめまいや立ちくらみなどが、ときどき起こるという方に。血液循環を高める精油や自律神経系を調整する精油を組み合わせます。軽い運動も取り入れましょう。メリハリをつけるために朝はリフレッシュできるもの、夜はリラックスできるものと香りを変えるとよいでしょう。

**おすすめの精油**
**メイン** オレンジ、クローブ、サイプレス、ティーツリー、ペパーミント、レモン、ユーカリ、ローズマリー
**サブ** カモミール・ローマン、ネロリ、ベルガモット、マージョラム、マンダリン、ラベンサラ、ローズウッド

### 朝のアロマスプレー

自分がいる空間や手首、ティッシュにスプレーし、香りを吸入します。清々しく心身をリフレッシュする効果が高いレモンやペパーミントの香りが、目覚めをよくして心と体を活動モードにしてくれます。

ペパーミントまたはローズマリー 4滴
レモン 8滴
無水エタノール 20ml／精製水 10ml

作り方●無水エタノールに精油を加え、希釈する。精製水を加え、よく振ってから使用する。
＊ローズマリーは、好みの香りのものを使いましょう。

### 夜のアロマバス

活動過多の頭を休めて脱力しましょう。バスソルトを作製、または精油だけを湯に落として入浴します。日によってローズウッドをラベンダー、ネロリ、フランキンセンスなどに替えてもかまいません。

ベルガモットまたはマンダリン 2滴
ローズウッド 1滴
天然塩 40g

作り方●天然塩に精油を加え、よくかきまぜる。

# むくみ・静脈瘤・痔

静脈やリンパのうっ滞を除去、利尿、血管拡張、静脈強壮、収れん、血栓溶解などの作用があるものを選択します。臨床では、レモンやサイプレスなど柑橘系や樹木の精油がよく使われます。下半身の血液は、重力に逆らって心臓に運ばれるため、特に戻りにくいものです。ウォーキングや軽い運動を行い、筋肉の収縮で血液の戻りを助けるようにします。

### おすすめの精油

**メイン** サイプレス、サンダルウッド、ジュニパー、シダーウッド・アトラス、パチュリー、ヘリクリサム、レモン

**サブ** オレンジ、キャロットシード、ゼラニウム、ベチバー、マージョラム、ローズマリー・ベルベノン

## むくみの足浴用バスソルト

むくみが気になる日に精油をバケツのお湯に加えて足浴します。足浴後に軽くトリートメントを行うとより効果的です。同じレシピで入浴に用いてもよく発汗します。

| | |
|---|---|
| ジュニパー | 2滴 |
| ゼラニウムまたはレモングラス | 2滴 |
| 天然塩 | 40g |

作り方●天然塩に精油を加え、よくかきまぜる。

## むくみ・静脈瘤予防トリートメントクリーム

ひざ裏、ふくらはぎ、足首周りに塗布し、足の付け根に戻すように流します。毛細血管を強化する作用と血流促進作用があり冷えの改善に役立つ精油を組み合わせて用います。レモン、キャロットシード、サイプレスなどが使われます。

| | |
|---|---|
| サイプレスまたはジュニパー | 6滴 |
| キャロットシード | 3滴 |
| レモン | 6滴 |
| 市販の無香料クリーム | 40g |
| 小麦胚芽油 | 10ml |

作り方●基材をまぜ合わせる。精油を加え、よくかきまぜる。
＊静脈瘤がある場合は患部を避け、その上部をトリートメントします。
＊循環器系、泌尿器系のページも参照してください。

## 痔のときの塗付用軟膏

腫れて出たりする痔には、パチュリー、サイプレス、レモンなど静脈のうっ血を除去し、収れん作用があるものをブレンドします。切れてしまった痔は、切り傷と考えて以下のレシピにラベンダー、ミルラ、ヘリクリサム、ロックローズなどを1、2滴加えます。

| | |
|---|---|
| サイプレス | 3滴 |
| ゼラニウム | 3滴 |
| パチュリー | 3滴 |
| レモン | 3滴 |
| みつろう | 8g |
| セントジョーンズワート油 | 12ml |
| スイートアーモンド油 | 20ml |

作り方●基材を湯煎して溶かす。固まる直前に精油を加え、よくかきまぜる。
＊作り方は80ページ参照。
＊ゼラニウムは特にエジプト産がおすすめです。

## みんなのアロマ体験談

### 05 家族の冷え対策

家族みんなで足湯をしています。10月くらいから朝夕の寒さが身にしみてくると夏の疲れもあるのか自然と体が足湯を欲し、早速、用意しました。子ども達も「僕も入る！」と奪いあいです。3日くらい続けたのですが、その後は、準備や片付けが負担にならない程度に思い出しては利用しています。面倒くさいと思うこともありますが、いざというときには足湯があるというのは何となく安心です。精油は、ラベンダーやオレンジ、生理前後はクラリセージを入れています。足湯をしながらハーブティーを一緒に飲むと生理も生理痛も軽くすみます。夜、子ども達にはラベンダーを入れてあげます。お兄ちゃんは、足がとても冷たくてなかなか眠れないのですが、足湯の効果は抜群です。

（30代　女性）

## 症例 ▶▶▶▶▶▶▶▶▶▶▶▶▶▶▶ Case 02

### 「ローズマリーで生活にメリハリがつきました」  62歳 女性

#### 自覚症状
定年退職して4か月。生活にメリハリがなく、午前2時、3時まで寝付けないときもある。好きな時間に寝て、起きるという生活に飽きている。目の疲れと体の冷え、頻尿、肩こり、右股関節と腰、ひざに痛みがあり、病院では変形性膝関節症、腰痛症の診断をうけている。

#### 施術とセルフケアの方針
ご自宅でのセルフケア（下記参照）に加え、5回程度サロンでのトリートメントを提案。背中全体がまるで板のようにかたくなっているので、念入りに。生活の変化に合わせて心身を調整するよう心がける。
**初回のレシピ**：ローズマリー・カンファー4滴、ネロリ3滴、ローズウッド2滴、レモン2滴、ラベンダー2滴、ホホバ油20ml、マカダミア油20ml／ローズマリー・シネオールのローション（頭皮）
**施術**：全身・お顔・頭皮マッサージ

#### 自宅でのセルフケア
**朝**：ローズマリー・シネオール2滴、レモン1滴をマグカップかボウルにお湯に落とし、香りを吸入。
**夜**：①ローズウッドを使った入浴　②ネロリの芳香蒸留水による目の湿布
**その他**：日常のケアとして、ハーブティーの飲用とブレンドオイルでのセルフトリートメント（ラベンダー3滴、レモン2滴、ホホバ油15ml、マカダミア油15ml／ひざ用：ラベンダー5滴、ジンジャー3滴、ユーカリ・シトリオドラ3滴、ローズマリー・カンファー4滴、ホホバ油50ml）

#### 施術の実際
6か月にわたり7回施術を行う。初回以外のレシピは、状態に合わせて変更。同様に、施術も全身とお顔を中心に、必要に応じて頭皮のトリートメントを行う。

#### ご本人の感想
**1回目（10月15日）**
ローズマリーのローションで頭皮のトリートメントを受けたとき、すっきりして頭の中が切り替わったような感じがした。

**2回目（10月25日）**
朝、ローズマリーの香りを嗅いでからパソコンと犬の散歩をするようになり調子がよい。施術を受けてみて普段はリラックスしきっていない自分に気づいた。頭がぼーっとしてほどけているような感じ。体中がぽかぽかとあたたかくなっている。

**3回目（11月20日）**
気分の切り替えができると同時にリラックス感が得られるようになった。肩や腰が痛むことはあっても少し休めば調子が戻るようになった。ハーブティーの飲用7日目くらいから体の中がすっきりしてきて、不規則だった排便も朝、自然にお通じがあるようになった。

**4回目（12月5日）**
目も最近、疲れない。初回のときに作った顔用ローションがなくなると自分で作って継続して使用しているが、乳液もクリームもつけずにすむようになり、肌の調子が整ってきたように感じている。頻尿はあまり気にならなくなった。

**7回目（2月22日）**
アロマテラピーを受けて自分の体の変化に目が向くようになったことと、調子が悪い状態に気づけるようになったこと、ローション、吸入、手浴など簡単にセルフケアができるようになったことがうれしい。退職後の新しい生活のリズムも徐々に出来つつあり、同時に暮らしに「香り」という要素が新しく加わったことは大変いいことだと感じている。本来のフットワークの軽さが戻ってきて、入りたかった写真のスクールに入学して楽しい日々を過ごしている。

**Comment** ▶ ▶ ▶　数か月後、ご自身で撮影された写真を使って作成したカレンダーを送ってきてくださったとき、本当にうれしかったです。アロマは、生活を変えるきっかけにもなるのです。積極的にセルフケアを実践・継続することの大切さを教えていただいたケースです。

## からだと心編 ⑥ ストレス性の不調

神経系：中枢神経（脳、脊髄）、末梢神経（体性神経、自律神経）

ストレスや強いショックを受けたときに。腕の内側や手首、みぞおち、のどなどに塗布しましょう。2週間ほど続けて使用します。足の裏に塗布し、太陽神経叢のポイント（170ページ参照）を指圧するのも効果的です。

### アロマレスキュージェル

好きな精油 3滴
ベチバー 1滴
ネロリ 2滴
ラベンダー 3滴
ジェル基材 30g／ホホバ油 5ml
芳香蒸留水または精製水 5ml

作り方●基材をすべてまぜ合わせる。精油を加え、よくかきまぜる。

## アロマケアのポイント

ストレスや緊張、不安などの感情に脳の視床下部と下垂体は敏感に反応し、影響を受けます。その結果、自律神経や内分泌の調節機能が乱れ、便秘や下痢、月経不順、無気力、倦怠感などの不調につながってしまうことがあります。休息することによって機能は回復するので「心地よい」と感じ、リラックスできる香りや状況によって心身を刺激・強壮する精油を組み合わせましょう。体を温め、消化力や排泄力を高めることによって気力を充実させることも出来るでしょう。

- ●精神を鎮静、高揚させて、リラックスする（抗ストレス、多幸、鎮静、自律神経調整）
- ●冷えを緩和し、体液の循環を促進する（加温、血流促進、うっ滞除去）
- ●やる気を起こし、活動的にする（交感神経強壮、神経強化、精神鼓舞）

### 教えて！1　夜更かしをすると自律神経の働きが乱れるといわれました。どういうことですか？

睡眠、心臓の拍動、呼吸、食物の消化・吸収、排泄といった生命活動の多くは、交感神経と副交感神経（自律神経系）に支配されています。両者の働きをその時の心身の状態に合わせて調整している脳の視床下部はとてもデリケート。怒りや悲しみといった感情の波やストレス、生活習慣の乱れに影響を受け、結果的に自律神経の働きを乱します。

> アロマは、自律神経の働きを整えるサポートをするよ！

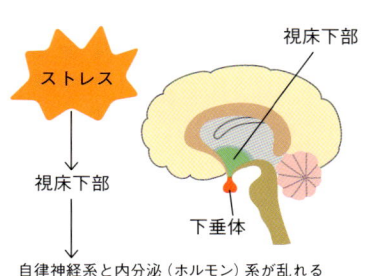

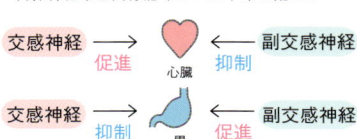

多くの場合、このふたつの神経はひとつの器官に対して互いに相反して働く。交感神経は、体を活動的な状態にし、心拍数や血圧を高め、胃腸の運動は抑制される。副交感神経は、体を休めるように働き、心拍数や血圧は下がり、胃腸の運動は活発になる。

### 教えて！2　好きな香りを嗅ぐと、とっても安心します。香りと心に関係はある？

嗅覚刺激は、ダイレクトに脳の大脳辺縁系に伝えられます。大脳辺縁系は、快・不快などの情動や食欲、性欲などの本能行動を調整しています。香りによって気分に変化が起こるのは、そのためだと考えられています。過去の楽しい体験の記憶と香りが結びついている場合も、その香りで安心感を覚えます。

> リラクゼーションには、大好きな香りを選ぼう！

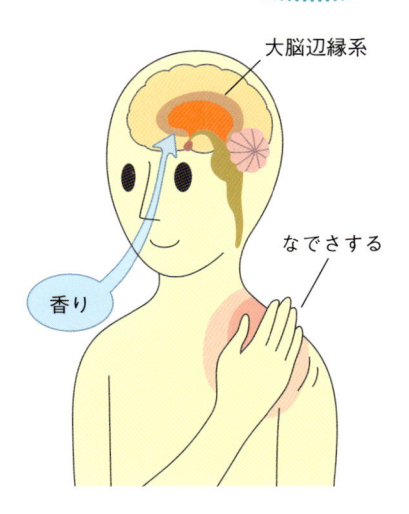

アロマテラピーでは、精油成分の作用や手でなでさするタッチングの効果以上に、嗅覚による脳への刺激も重要なポイント。

## 抗ストレス・心を鎮めたいとき

心静かな時間を過ごしたいときに。フランキンセンス、サンダルウッドなどお香のような印象の精油に、好きな香りやネロリ、カモミール・ローマン、オレンジなど花や柑橘系の精油をブレンドしてみましょう。いつの間にか平穏な気持ちを取り戻していることでしょう。

### おすすめの精油

**メイン** サンダルウッド、ゼラニウム、ネロリ、プチグレン、フランキンセンス、マージョラム、ラベンダー

**サブ** オレンジ、イランイラン、カモミール・ローマン、パチュリー、ベルガモット、マンダリン、ミルラ、ローズ、ローズウッド

### ストレス対策のトリートメント

背中全体にオイルを塗布し、仙骨から首の付け根まで脊柱のわきを母指で刺激します。時間が余りないときは、腕、のど、肩、みぞおち、足裏などに塗布するだけでも十分効果があります。

| | |
|---|---|
| ネロリ、カモミール・ローマンなど花の精油 | 2滴 |
| マージョラム | 2滴 |
| ラベンダー | 4滴 |
| キャリアオイルまたは無香料乳液 | 30ml |

作り方●基材に精油を加え、まぜる。

### お部屋を心安らぐ香りの空間に

精油の拡散は、アロマテラピーの効果を体感しやすい方法です。香りが広がった瞬間に、いつものお部屋が特別な場所にかわります。レシピは、1例ですので、ご自身がお好きな精油でお試しください。

| | |
|---|---|
| サンダルウッドまたはフランキンセンス | 2滴 |
| オレンジ（スイートまたはビター） | 3滴 |
| お湯 | |

作り方●ボウルに80度くらいのお湯を入れ、精油を数滴落として香りを拡散させる。

＊上記の精油でトリートメントオイルを作るときは、10mlの植物油にまぜてください。

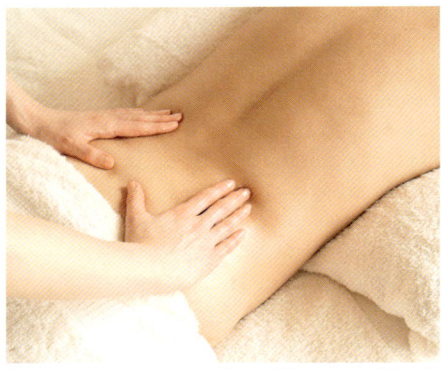

①手の平を密着させて、背中全体から肩先までを包み込むようにエフルラージュ（軽擦：なでさする手技）を行います。

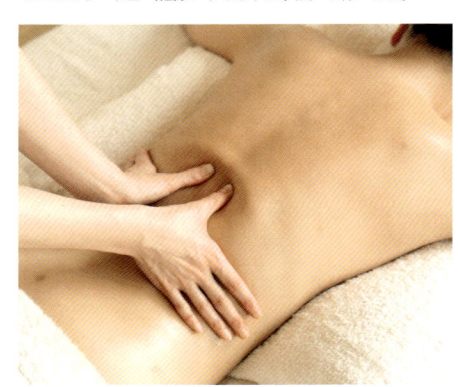

②仙骨からスタートし、脊柱に沿ってしっかり母指（親指）を滑らせます。こうして脊柱のわきから出ている神経を刺激することにより心身のバランスを整えることができます。

## 不眠・眠りが浅いとき

寝室の環境、昼寝のしすぎ、病気などが原因ではなく、頭ばかりが冴えて寝付けない、興奮や緊張がおさまらないときは、神経を鎮めて安眠を促す精油や体を温める精油で背中、みぞおち、のどへのオイル塗布、アロマバス、足浴などを行ってみましょう。

**おすすめの精油**
**メイン** ネロリ、プチグレン、マージョラム、マンダリン、マートル、ラベンサラ、ラベンダー
**サブ** イランイラン、オレンジ、カモミール・ローマン、クラリセージ、ゼラニウム、ベチバー、ユズ

### 簡単！洗面台での手浴

汗をあまりかかないライフスタイル、例えばエアコンで調整されたお部屋で過ごしがちで、体温の変動が少ないというのも眠りを妨げる原因となります。体に適度な温熱刺激を与えると熟睡しやすくなります。10〜15分程アロマバスや足浴するのもおすすめです。

カモミール・ローマンまたはイランイラン 1滴
プチグレン 1滴
ラベンダー 1滴
お湯

作り方●洗面台に少し熱めのお湯（40〜42度）をため、精油を垂らす。手首より10cmくらい上まで、またはひじまで5分間ほど浸す。目安は、うっすらと汗ばみ、赤い手袋をしたようになるぐらいまで。

### 寝室用 香りのスプレー

あらかじめ寝室のカーテンやシーツや枕などに少量をスプレーしておきます。ちょうど眠りに入る頃にほのかな香りが残るくらいの量を目安にして下さいね。就寝30分くらい前に背中、みぞおち、足などにトリートメントを行っても効果的です。

好きな精油 3滴
マージョラム 3滴
オレンジ（ビターまたはスイート）5滴
ラベンダー 4滴
無水エタノール 20ml／精製水 10ml

作り方●無水エタノールに精油を加え、希釈する。精製水を加え、よく振ってから使用する。
＊上記の精油でトリートメントオイルを作るときは、30mlの植物油にまぜてください。

## 不安・心配・プレッシャー

誰にでも心配や不安になる日はありますが、長く続くのはよくありません。少しだけ肩の力を抜きませんか？ イランイラン、ジャスミン、プチグレン、フランキンセンス、マンダリンなど柑橘系や花、樹脂の精油がそれを助けてくれるでしょう。

**おすすめの精油**
**メイン** イランイラン、ジャスミン、ベルガモット、プチグレン、ネロリ、マンダリン、ラベンダー、ローズウッド
**サブ** カモミール・ローマン、バジル、ベチバー、フランキンセンス、ミルラ、レモングラス、ローズ

### 心配を洗い流すボディソープ

少し甘くてフローラルな香りは、心配でいっぱいの心を落ち着かせ、気楽な気持ちを思い出させてくれます。体を洗いながら、一緒にアロマ効果を楽しみましょう。

プチグレン 3滴
イランイラン 4滴
マンダリンまたはオレンジ 10滴
ローズウッドまたはサンダルウッド 8滴
無香料ボディソープ 100ml

作り方●ボディソープに精油を加え、よくまぜる。

### プレッシャー・不安に負けないアロマバス

大事な試験や仕事の前日に。ぴりぴりした緊張感を楽にしてくれます。プレッシャーに負けないで自分自身の持つ力を存分に発揮したいときに使いましょう。

ジャスミン 1滴
ラベンダーまたはアンジェリカ 1滴
天然塩 40g

作り方●天然塩に精油を加え、よくかきまぜる。
＊上記の精油でトリートメントオイルを作るときは、10mlの植物油にまぜてください。

## ストレス性の肩こり・頭痛など

ストレスや緊張からくる背中や肩のこりや痛み、胃痛、頭痛のときに。好きな香りやリラックス効果がある精油を試してみましょう。アロマバス、背中のトリートメントが効果的です。自分でも気づかない緊張をほぐしてくれます。

### おすすめの精油

**メイン** イランイラン、カモミール・ローマン、ネロリ、マージョラム、マンダリン、ラベンダー、ローズウッド、ペパーミント

**サブ** オウシュウアカマツ、オレンジ、カルダモン、ゼラニウム、サンダルウッド、ブラックペッパー、ベンゾイン

---

### 夜のリラックスアロマバス

お風呂にバスソルトを入れてゆっくり温まります。ネロリを使った特別なブレンドです。不安、緊張、抑うつなどネガティブな感情や体の緊張を開放し、リセットしてくれます。

ネロリ 1～2滴
マージョラムまたはラベンダー 2滴
天然塩 40g

作り方●天然塩に精油を加え、よくかきまぜる。
＊上記の精油でトリートメントオイルを作るときは、10mlの植物油にまぜてください。

---

### 甘くやさしい香りに包まれて……

お部屋に香りを拡散して心地よい時間を過ごしましょう。木の香りが漂う中に、マンダリンとベンゾインがお菓子のような甘さを添えます。落ち着いた甘い香りが過敏になった心を包んでゆっくりと緊張をゆるめてくれます。

シダーウッド・アトラス 1滴
マンダリン 3滴
ベンゾイン 2滴
お湯

作り方●80度くらいのお湯をボウルに入れ、精油を落とす。
＊上記の精油でトリートメントオイルを作るときは、15ml（大さじ1）の植物油にまぜてください。

---

### 頭痛用ローション

常備しておきたいクラフトのひとつ。頭皮やこめかみに塗布し、首の後ろにもつけてこわばりを緩めましょう。最後に手を頭の両側の側頭部に数分当て、そっと包みこむように温める手当て法もかなり効果的です。

ペパーミント 4滴
ラベンダー 6滴
無水エタノール 3ml／精製水 27ml

作り方●無水エタノールに精油を加え、希釈する。精製水を加え、よく振ってから使用する。
＊あればメリッサを1滴加えるとより効果的です。基材をみつろうクリーム（市販の無香料クリーム30g）にして、クリームとしてもよいでしょう。

---

### みんなのアロマ体験談

**06**

#### 手放せなかった
#### 頭痛薬の代わりに……

ひどい頭痛と肩こりです。ヘルメットをかぶっているように感じ、耳鳴りもします。脳の検査では問題ありませんでした。家のことでストレスが多く、家族に振り回されない時間が欲しいと思っています。アロマローションを頭皮やこめかみにつけると頭痛が楽になります。痛くなる前に使うと予防になるので、必ずバッグに入れて外出しています。精油は、ペパーミントとラベンダーとローズかメリッサ、クラリセージ。家では、精油のお風呂やマッサージ、小分けしたシャンプーに、ラベンダーとペパーミントをまぜて使っています。最近は、何年も欠かせなかった頭痛薬をほとんど飲まなくなりました。もともと胃が弱くて荒れやすかったのですが、胃の調子もよくなっています。　（50代　女性）

## ショック・落ち込み・憂うつな気持ち

心の内側を調和させ、抗うつ作用がある精油を選択します。心を楽にして、自信や勇気を与えてくれます。候補の精油の種類が多いので、ご自身が大好きで心地よく感じる香りの精油を選択するのが最も効果的でしょう。

**おすすめの精油**

メイン イランイラン、ネロリ、フランキンセンス、ベチバー、ベルガモット、メリッサ、ラベンダー、ローズ

サブ アンジェリカ、ペパーミント、マージョラム、ミルラ、ローズウッド、ローズマリー・ベルベノン、ラベンサラ

### 心を楽にするアロマバス

心がつらい日はお風呂すらめんどうになることもありますが、ただお湯につかるだけでも気持ちを癒す効果があります。38〜40℃のお湯に好きな精油を2、3滴落として入浴してみましょう。

| | |
|---|---|
| ローズウッド | 1滴 |
| マンダリン | 2滴 |
| ラベンサラ | 1滴 |
| 天然塩 | 40g |

作り方●天然塩に精油を加え、よくかきまぜる。
＊憂うつな気持ちが続き、日常生活に支障が出るような場合は医師の診察をうけましょう。
＊上記の精油でトリートメントオイルを作るときは、10mlの植物油にまぜてください。

### 気持ちをほぐすバラのクリーム

ベルガモットもローズも自然がくれた天然の抗うつ剤ともいわれています。ハートを温め、つらい気持ちから解放してくれます。悲しいのに不思議と涙も出ない、胸やのどがつまるような感じ、後悔、閉塞感や孤独な気持ちを感じているときに…。

| | |
|---|---|
| ローズオットー | 3滴 |
| ベルガモット | 4滴 |
| サンダルウッド | 3滴 |
| ホホバ油 20ml／みつろう 5g／ローズ蒸留水 5ml | |

作り方●81ページ参照。
＊ローズがないときは、ゼラニウム1滴、ローズウッド3滴で代用してブレンドしてください。上記にプチグレンかベチバー1滴を加えるとより落ち着いた香りになります。

## 精神疲労・消耗・無気力

ストレスによって疲労困憊し、場合によっては無気力になり、何に対しても感情が動かないような状態に陥ってしまったときに。体を温め、心身を活性化する精油を中心に肝臓や腎臓、胃腸を刺激する精油もブレンドしましょう。（抗ストレス：204ページも参照）

**おすすめの精油**

メイン オウシュウアカマツ、シダーウッド・アトラス、ジンジャー、ジュニパー、ティーツリー、ローズウッド

サブ カルダモン、ゼラニウム、パルマローザ、ヒノキ、ブラックペッパー、ヤロウ、ユズ、レモングラス

### 元気を取り戻すオイル

頑張りすぎてへとへとになってしまったときに。心と体に活力を取り戻してくれます。あまり時間がないときは、腕の内側、胸骨、みぞおちへ塗布、耳全体を軽くもんだ後、両手で3分間ほど耳全体を包むようにしてみましょう。

| | |
|---|---|
| オウシュウアカマツ | 4滴 |
| ゼラニウム | 3滴 |
| ベルガモットまたはマンダリン | 4滴 |
| キャリアオイル | 30ml |

作り方●基材に精油を加え、まぜる。

### 洗顔ソープで疲れもさっぱり！

十分寝ても疲れが残っている感じがしたり、やることが多く、頭の中がいつも気ぜわしいのに行動がともなわず、だらだらとしてしまうようなときに。

| | |
|---|---|
| ティーツリー | 5滴 |
| レモン | 3滴 |
| ゼラニウム | 1滴 |
| 無香料液体フェイシャルソープ 50ml | |

作り方●基材に精油を加え、よくかきまぜる。
＊洗い上がりにしっとり感が欲しいときは、上記にホホバ油5mlを加えます。

## 目標に向かって頑張っているとき

オーバーワークが続くとストレスをはね返す元気がなくなってしまうことがあります。本来やろうとしていたことまで見失い、燃えつきてしまうことも……。疲れを癒し、粘り強く目標に向かう強さを与えてくれる精油を取り入れてみましょう。

**おすすめの精油**
- **メイン** オウシュウアカマツ、シダーウッド・アトラス、タイム・リナロール、プチグレン、ネロリ、ローズ
- **サブ** カルダモン、ジンジャー、サンダルウッド、ベチバー、ミルラ、グレープフルーツ、ローズマリー・カンファー

### 自分を取り戻すオイル

毎晩、入浴後に腕や足に塗布し、軽くトリートメントします。時間があるときは、体にも行いましょう。もう十分頑張っているご自分を受け入れていたわってあげてください。

ネロリ 2滴
ベチバーまたはシダーウッド・アトラス 2〜3滴
サンダルウッド 1〜3滴
カルダモン 2滴
ホホバ油 30ml

作り方●基材に精油を加え、まぜる。
＊サンダルウッド、シダーウッド、ベチバーの滴数は、好みで調整してください。

### 目覚めの手浴

手浴をする習慣をもちましょう。洗面台を利用すると楽に行えます。朝の数分間、精油を使って手浴をすると目覚めもよく、気分もすっきりしてエンジンがかかりやすくなります。

グレープフルーツまたはレモン 2滴
ローズマリー・カンファー 1滴
お湯

作り方●洗面器か洗面台に少し熱めのお湯をため、精油を垂らす。手首より10cmくらい上まで3〜5分間ほど浸します。
＊上記の精油でトリートメントオイルを作るときは、10mlの植物油にまぜてください。

## 気分転換・集中したいとき

部屋の空気を一掃し、リフレッシュ効果が高いものを選びましょう。場の雰囲気や頭を切り替えたいときに役立ちます。樹木の葉や幹、柑橘の皮などからとれる清々しい香りの精油がおすすめです。香りがいつまでもこもってしまうものはなるべく避けましょう。

**おすすめの精油**
- **メイン** グレープフルーツ、ジュニパー、ティーツリー、ユーカリ（グロブルス、ラジアータ）、レモン、ローズマリー（カンファー、シネオール）
- **サブ** オレンジ、ヒノキ、ブラックペッパー、ラベンダー、ペパーミント、レモングラス

### 爽やかエアフレッシュナー

集中したいときに。合間に、お部屋の中でスプレーします。

ティーツリー 5滴
レモンまたはグレープフルーツ 10滴
ローズマリー・シネオール 6滴
（カンファーの場合は 4滴）
無水エタノール 20ml／精製水 30ml

作り方●無水エタノールに精油を加え、希釈する。精製水を加え、よく振ってから使用する。

### 集中力をアップさせるアロマクリーム

目の前のことに集中して取り組みたいときに。こめかみ、みぞおち、のど、手首などに数回つけて使います。

レモン 4滴
シダーウッド・アトラス 2滴
ペパーミント 3滴
みつろうクリーム（市販の無香料クリーム）30g

作り方●基材に精油を加え、よくまぜる。

# 症例 ▶▶▶▶▶▶▶▶▶▶▶▶▶▶▶ Case 03

## 「アロマテラピーで全体的に体の不調が改善されました」  33歳 女性

### 自覚症状

寝つきの悪さ、月経不順、冷え症、胃痛。気持ちが切り替えられず、夜も仕事のことを考えている。ストレスが多くいつも気を張り巡らせている感じ。もともとのストレートネックに事故でのむちうちの後遺症が重なり、エアコンの風や気圧の変化で首がこりやすく痛む。

### 施術とセルフケアの方針

まず体を温めることを第一の目標とし、段階的に不調の軽減を試みる。精神面と痛む首と肩のサポートは随時行う。日常的に内用している睡眠導入剤、鎮痛剤、胃薬は継続。自宅でのセルフケアに加え、半年ほど継続したトリートメントを提案。
初回のレシピ：ラベンダー3滴、カモミール・ローマン2滴、ローズマリー・カンファー2滴、ホホバ油15ml、マカダミア油15ml ＊首と肩のみシラカバを1滴追加して塗布。
施術：首、肩、背中、腰、下肢（裏面）、腕

### 自宅でのセルフケア

夜：①シャワー中心の習慣を変える。②入浴中、足をもむ。③ラベンダー、プチグレン、ユズなどのアロマバス、首の温湿布　④オイル塗布（毎回施術の時、持ち帰ったもの）
その他：セルフマッサージ（ベルガモット2滴、ローズマリー1滴、プチグレン1滴とホホバ油15ml／ラベンダー2滴、ジュニパー3滴、レモングラス2滴とホホバ油20ml）コロン（ローズウッド3滴、レモン1滴、ホホバ油5ml）化粧水など多数。

### 施術の実際

11か月に渡り17回施術を行う。ご本人の希望により30分の施術を基本とし、頻度を増やして実施。初回以降のレシピは、状態に合わせて変更。

### ご本人の感想

1回目（7月25日）
首、肩、背中のこりがかなり緩和された。

2回目（8月8日）
前回のアロマのあと発熱。痰が残り、今も不快。

4回目（10月3日）
首の痛み、寝つき、体と手足の冷え、月経不順は変わらず。今日使ったネロリ、ベンゾイン、オレンジの香りが気に入り、アロマに興味が出て化粧水とオイルの作り方を質問。

6回目（11月14日）
オイルを一日に何度も首につけている。手足は冷えるが腰は温かい。首、肩のハリはあるが痛みはない。足裏がじゃりじゃりするのに気づく。（胃腸と膀胱）

7回目（11月28日）
ここ数日、首の調子がよく鎮痛剤を飲んでいない。寝つきの悪さは変わらず。精油をいくつか購入。

9回目（12月11日）
ネロリと芳香蒸留水を購入。化粧水を作ってみた。生理前の腰痛が軽く、周期も整ってきたと感じる。

12回目（2月13日）
足の冷えがよくなってきたと思う。休みの日は睡眠剤を使わなくなった。

14回目（3月13日）
ここ20日ばかり睡眠剤を飲んでいない。5年ほど使っていたのにうそのよう。

17回目（6月29日）
はじめは抵抗がなかったがやがて薬を飲まずにすめばと考えるようになった。アロマ導入以後、精神面での変化があり、仕事のプレッシャーを前ほどストレスと感じなくなった。時々、首が痛いが足の冷えはなく調子がよい。やると楽になるので家でのケアは苦にならず、今も化粧水や美容液を作っている。冷えがとれてきた頃より睡眠が良好になったように思う。

### Comment ▶▶▶

毎回30分と限られていた分、目標をより明確にし、ポイントをついた精油選択と施術を意識した点、ご本人のアロマへの関心が高く、クラフトを活用して細かくフォロー出来た点の2点が不調の緩和につながったものと思います。短時間でもできるケアがある、それを教えていただいたケースです。

からだと心編
**7**
# 女性のライフサイクルと不調

どの世代の女性にとっても、冷えは大敵！足浴は、体を温めるだけでなく、お部屋でできるので、リラックス効果も大！ポットに熱めの湯を準備し、お湯の温度が下がってきたら注ぎ足しましょう。ひざ掛けをするのも忘れずに。

**リラックス＆ホット足浴**

ユズ　1滴
ラベンダー　1滴
天然塩　40g
40度位のお湯適量

作り方●天然塩に精油を加え、よくかきまぜる。バケツにふくらはぎの半分くらいがつかるように湯を入れる。精油を加えた天然塩を加え、湯をかきまぜる。温度が下がってきたら、さし湯をする。

**アロマケアのポイント**

世代によって起こりやすい症状があるので個々のケースに見合った精油の選択が大切ですが、体の冷えやストレスは、不定愁訴を大きく悪化させる要因のひとつです。抗ストレス、加温作用のある精油をメインに排卵前後で使う精油を変えていきます。月経周期や月経の様子などを確認し、周期が安定しない場合は、調整作用がある精油をブレンドに加えます。

- 血液やリンパの流れを改善し、むくみや月経に伴う不快な症状を緩和する（加温、鎮痛、うっ滞除去）
- ストレスを緩和し、リラックスする（抗ストレス、自律神経調整、副交感神経強壮、鎮静、精神安定）
- 月経周期を確認し、ホルモンバランスの変化にあわせて精油を利用する（ホルモン調整、通経）

### 教えて！1 女性ホルモンについて、教えてください。

女性の体では、周期的なホルモン分泌の変化が起こります。女性ホルモンには、エストロゲンとプロゲステロンがあり、エストロゲンは、卵巣の卵胞から分泌され、生殖器の発達や月経の開始などに関わっています。プロゲステロンは、排卵後、卵胞が変化した黄体から分泌され、妊娠に備えて、子宮内膜を肥厚させ、子宮環境を整えます。

冷えやストレスは、女性ホルモンの分泌を狂わせてしまうことがあるよ！

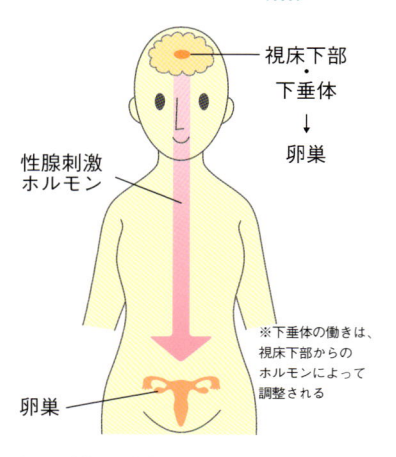

視床下部・下垂体
↓
卵巣

性腺刺激ホルモン

卵巣

※下垂体の働きは、視床下部からのホルモンによって調整される

脳の下垂体から分泌される性腺刺激ホルモン（FSH、LH）は、卵巣に働きかけてエストロゲンとプロゲステロンの分泌を促す。

### 教えて！2 「女性は、女性ホルモンに支配されている」といわれて、腹が立ちました！そういうものなのでしょうか？

少なからず影響はあります。月経終了後、次第にエストロゲンが増加する卵胞期は、代謝も活発で心身ともに好調な時期です。一方、排卵後、プロゲステロンが増加する黄体期は、体が水分や栄養分を溜め込みやすく、体温上昇、PMS、食欲増加、むくみなどが起きやすくなります。ホルモンの働きと心と体への影響を知り、上手に付き合うことが大切です。

212から215ページで、各ステージの不調に役立つレシピを紹介するよ！

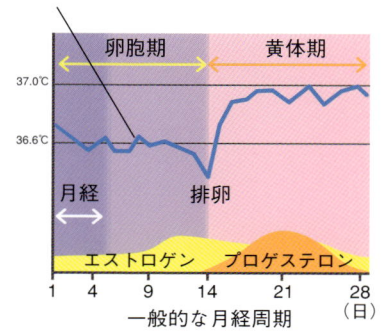

基礎体温
卵胞期 / 黄体期
37.0℃
36.6℃
月経 / 排卵
エストロゲン / プロゲステロン
1 4 9 14 21 28（日）
一般的な月経周期

女性の心と体は、月経周期のほか、思春期、成熟期、更年期、老年期といった各ステージによるホルモン状態の変化にも影響を受ける。

## 思春期の不調

10〜18歳頃まで。大人へと変化していく中で揺れる気持ちや、ニキビなどの肌トラブル、勉強やダイエットの悩み、過食、体臭が気になるなど成長期ゆえのトラブルも多い時期です。生殖器系はまだまだ未成熟なので月経不順、月経痛も起こりやすいものです。

### おすすめの精油

**メイン** オレンジ、カモミール・ローマン、グレープフルーツ、ティーツリー、ラベンダー、クラリセージ

**サブ** ゼラニウム、ジュニパー、ベルガモット、マンダリン、ユズ、レモン、ローズウッド、サイプレス

### つらい月経痛におすすめのトリートメント

仙骨の周辺や、腰、お腹に塗布します。骨盤内のうっ血を緩和するため、お風呂はシャワーでなく、お湯につかるほうがよいでしょう。無理な場合は、精油を使って足浴するのも効果的です。

| カモミール・ローマン 1滴 |
| オレンジ（スイートまたはビター）4滴 |
| クラリセージ 2滴 |
| キャリアオイル 30ml |

作り方●基材に精油を加え、まぜる。

### 不安定な月経周期対策トリートメント

月経が終わる頃から7日間くらい続けて下腹部、腰に塗布して軽くトリートメントを行いましょう。

| オレンジ（スイートまたはビター）4滴 |
| ジュニパー 2滴 |
| ラベンダー 2滴 |
| キャリアオイル 30ml |

作り方●基材に精油を加え、まぜる。

### ボディ用デオドラントローション

たとえば部活動の後などに用います。スプレー容器に入れておくと便利です。新陳代謝も活発で汗や皮脂も多くなる年頃の方にぴったりです。自宅では、精油をお風呂に3、4滴加えてアロマバスも行うとよいでしょう。

| サイプレス 2滴 |
| レモン 6滴 |
| ペパーミント 2滴 |
| 無水エタノール 10ml／精製水 90ml |

作り方●無水エタノールに精油を加え、希釈する。精製水を加え、よく振ってから使用する。

### お風呂で解決！情緒の安定・ストレス発散に

少し落ちこんでしまった日は、マンダリン、ラベンダー、カモミール・ローマンなどを試してみましょう。リフレッシュしたい日は、レモン、ジュニパーなどがおすすめ。

| オレンジまたはマンダリン 2滴 |
| ラベンダー 1滴 |
| 天然塩 40g |

作り方●天然塩に精油を加え、よくかきまぜる。
＊オレンジはスイートでもビターでもよいでしょう。上記の精油でトリートメントオイルを作るときは、10mlの植物油にまぜてください。

## 成熟期の不調

18～45歳頃まで。卵巣の働きも活発で生殖能力も高く、安定する時期です。視床下部と下垂体が、女性ホルモンのエストロゲン、プロゲステロンの分泌量を調整していますが、ホルモンのアンバランスによる不調を抱える方も少なくありません。体を温め、血液やリンパの流れを促す精油、生殖器系を強壮する精油などを取りいれ、リラックスできる環境作りを心がけます。

### おすすめの精油

**メイン** イランイラン、クラリセージ、ゼラニウム、カモミール・ローマン、サイプレス、ジュニパー、ゼラニウム

**サブ** グレープフルーツ、ジャスミン、ネロリ、プチグレン、メリッサ、ラベンダー、ローズウッド、ローズ

### つらい月経痛におすすめのトリートメント

腰、仙骨と下腹部まわりに塗布します。はじまる予定の7日ほど前からトリートメントしておくと月経が始まってからの痛みが軽減されることがよくあります。冷えは痛みを悪化させる要因のひとつです。

イランイラン 2滴
クラリセージ 3滴
ラベンダー 4滴
みつろうクリーム（市販の無香料クリーム）30g
またはキャリアオイル 30ml

作り方●基材に精油を加え、まぜる。
＊冷えが強い方はオレンジを3滴上記レシピに加えます。

### PMS対策のトリートメント：むくみ

下腹部の不快感、便秘、頭痛、腰痛、情緒不安定、乳房のはりなど様々ですが、むくみもそのひとつです。排卵後に増えるプロゲステロンの影響で体は水分を溜め込みやすくなるといわれています。

カモミール・ローマン 2滴
サイプレス 4滴
ゼラニウム 2滴
みつろうクリーム（市販の無香料クリーム）30g
またはキャリアオイル 30ml

作り方●基材に精油を加え、かきまぜる。

### PMS対策のボディソープ：情緒不安定・イライラ・過度な食欲

黄体期には気持ちの上下や涙もろさ、落ち込み、イライラなどを感じる傾向があります。過食もよく見られます。気持ちを安定させる精油や好きな香りをメインに選択しましょう。

ローズオットーまたはジャスミン 4滴
ゼラニウム 3滴
ローズウッド 6滴
ベルガモット 8滴
無香料ボディソープ 100ml

作り方●基材に精油を加え、よくまぜる。
＊上記の精油でトリートメントオイルを作るときは、精油滴数を半分以下にして30mlの植物油にまぜてください。

### ホルモンバランスを整えるアロマクリーム

香りの吸入やアロマバスを3か月ほど継続して行ってみましょう。リラックス効果や気持ちを高揚させる精油をメインに用います。イライラや情緒不安定、落ち込み、ストレスが気になりはじめたとき、サイプレスやクラリセージが役立ちます。

ユズまたはオレンジ 4滴
サイプレス 3滴
ネロリまたはローズ 2滴
クラリセージ 2滴
みつろうクリーム（市販の無香料クリーム）30g

作り方●基材に精油を加え、よくかきまぜる。
＊オレンジは、スイートでもビターでも、好みのほうを使ってください。基材をキャリアオイル30mlに変え、トリートメントオイルにしてもよいでしょう。

## 更年期の不調

個人差はあるものの45～55歳頃までの間に卵巣機能は徐々に衰え、女性ホルモンの分泌量は減少、性腺刺激ホルモンが過剰になるなどホルモンバランスが変化します。多汗、顔面紅潮、めまい、膣の乾燥、うつ状態、情緒不安定、頭痛などの不定愁訴が起こりやすくなります。ホルモン調整、抗ストレス、加温作用などがある精油を中心に選び、環境作りも心がけます。

### おすすめの精油

**メイン** イランイラン、クラリセージ、カモミール・ローマン、サイプレス、ジャスミン、ゼラニウム、ネロリ、ローズ

**サブ** パルマローザ、ベルガモット、マンダリン、レモン、ローズマリー・ベルベノン、ラベンダー、ローズウッド

### 更年期の緊張・ストレスの緩和のトリートメント

クラリセージ、ネロリ、ベルガモット、マンダリン、ラベンダー、ローズなどの吸入（3種類選び、合計2、3滴ティッシュに垂らして香りを吸入する）やアロマバス（2、3滴お風呂に入れて入浴する）もおすすめ。

クラリセージ 3滴
サイプレス 3滴
カモミール・ローマン 2滴
キャリアオイル 30mlまたはみつろうクリーム（市販の無香料クリーム）30g

作り方●基材に精油を加え、よくまぜる。

### ホットフラッシュ・過度の発汗対策のアロマバス

更年期のホットフラッシュ、多汗を緩和するといわれているサイプレスに好きな精油を加えて用います。サイプレスが多すぎると皮膚に若干刺激を感じることがありますので、2滴までにとどめましょう。

サイプレス 1～2滴
好きな香りの精油 2滴
天然塩 40g

作り方●天然塩に精油を加え、よくかきまぜる。

### 膀胱炎・膣炎予防のアロマバス

エストロゲン分泌量の減少にともない、膣も乾燥しやすくなり、細菌への抵抗力が低下してかゆみや炎症を起こしやすくなります。このブレンドは、免疫力も高めてくれます。

ラベンダー 2滴
ティーツリー 2滴
天然塩 40g

作り方●天然塩に精油を加え、よくかきまぜる。
＊195ページも参照してください。

### 笑顔になれる練り香

体調の変化や年を重ねることへの不安や気分の落ち込み、情緒不安定さ、イライラなどに効果的な練り香を作製しましょう。

イランイランまたはローズ 3滴
ゼラニウム 2滴
好みの柑橘系の精油 5滴
プチグレン 1滴
クラリセージ 2滴
サンダルウッド 5滴
みつろう 4g／ホホバ油 16ml

作り方●みつろうと植物油を湯煎して溶かし、クリーム容器に入れる。表面が固まりはじめたら、精油を加え、竹串でかきまぜる（80ページ参照）。

## 老年期の不調

60代半ば以降になると生殖機能はなくなり、女性ホルモンの影響を受けなくなります。皮膚のしわやたるみ、ひざや関節の痛み、腰痛なども増えてきます。心と体の変化を受け入れ、それぞれの個性を大切にしながら、人生で得た知恵や経験をいろいろな場面に生かして、穏やかに年を重ねていくために役立つ香りはたくさんあります。

### おすすめの精油

**メイン** イランイラン、オレンジ、オウシュウアカマツ、カモミール・ローマン、キャロットシード、パチュリー

**サブ** ヒノキ、フランキンセンス、マンダリン、ユズ、ラベンダー、ラベンサラ、ローズウッド

### 今日を楽しむオイル

心地よい香りは心穏やかに日々を楽しむ余裕を与えてくれます。肌に触れること、そのこと自体が神経系を通じて脳を活性化して免疫系を刺激してくれます。

イランイラン 2滴
メリッサ 1滴
ジンジャー 3滴
キャロットシード 1滴
キャリアオイル 30ml

作り方●基材に精油を加え、よくかきまぜる。

### ひざ・腰の痛み用アロマクリーム

加齢とともに筋力の低下、関節のクッションである軟骨が磨耗し、腰痛やひざの痛みが起こります。炎症や痛みを緩和する精油をブレンドしお風呂上りにひざのまわりに塗布しましょう。

オウシュウアカマツ 4滴
サイプレス 3滴
ユーカリ・シトリオドラ 2滴
ユズ 3滴
みつろうクリーム（市販の無香料クリーム） 30g

作り方●精油を基材に加え、よくかきまぜる。
＊基材をキャリアオイル30mlに変え、トリートメントオイルにしてもよいでしょう。

## みんなのアロマ体験談

### 07 足の痛みにアロマのセルフケア

坐骨神経痛とひざの痛みが気になっています。足が軽くなって歩くのが楽なので、自宅で定期的にアロマのセルフケアをしています。ユズ、ジンジャー、ジュニパー、オウシュウアカマツ、ラベンダーをブレンドしたオイルをひざの周りと裏側、太もも、お尻、腰など、手が届く範囲で塗っています。つけると途端に温かくなり、じわっと汗が出ます。
以前は、ふくらはぎがつったり、足がむずむずする感じがしたりして気持ちが悪かったのですが、それも少なくなりました。痛みがなければ毎日穏やかに過ごせます。
あれっ？と思ったのは、アロマをはじめてから便秘をしなくなったせいか、体重は減っていないのにきつかったスカートのホックが入るようになったことです。以前より気持ちも明るくなり、庭仕事もやりだしています。　　　　　　　　　（60代　女性）

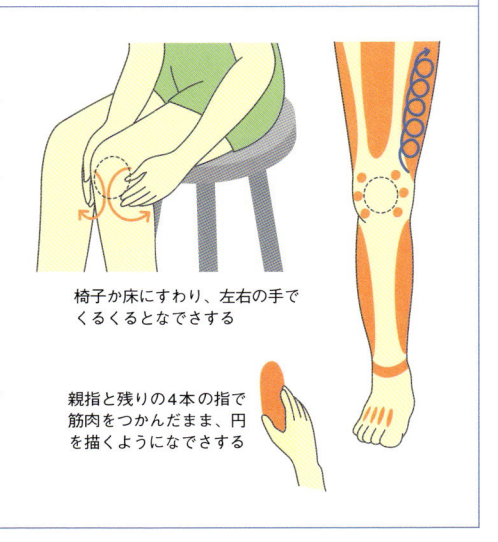

椅子か床にすわり、左右の手でくるくるとなでさする

親指と残りの4本の指で筋肉をつかんだまま、円を描くようになでさする

## からだと心編
### 8 免疫力と生活習慣病

好きな本を読む、音楽を聴く、ヨガやストレッチで体を動かす………。気持ちも体も開放され、心から楽しめる自分だけの特別な時間。香りはそれをもっと素敵に演出してくれます。心身ともに満ち足りてふと気づくと免疫力も高まっていることでしょう。

**リラックスアロマスプレー**
グレープフルーツ 12滴
ティーツリー 6滴
ラベンダー 6滴
好きな花、樹脂、木部の精油 6滴
無水エタノール 10ml／精製水 90ml

作り方●精油を無水エタノールで希釈し、精製水を加える。スプレーボトルをよく振ってから使用する。

**アロマケアのポイント**

肯定的な感情は、免疫細胞の働きを活性化し、否定的な感情は弱めてしまうといわれています。ストレスが長く続くと自律神経系や内分泌系がまず敏感に反応し、免疫システムもアンバランスにさせてしまいます。ストレスがあるときでも、好きな香りをうまく使うと心地よい感覚や楽しい気持ちを思い出すことが出来ます。病的なものは必ず医師の診察を受けましょう。

- ストレスを緩和し、リラクゼーションを図る（抗ストレス、自律神経調整、精神安定、鎮静）
- 腸の働きを活性化し、排泄を高める（緩下、腸内免疫の向上、腸内細菌のバランス調整）
- 白血球、リンパ球など免疫細胞の働きを活性化する（免疫の刺激・強化）

## 教えて！1　「免疫」って何ですか？

細菌やウイルス、ほこりなどに囲まれて生活していても、必ずしも病気になるとは限りません。それらを無毒化し、体を守るというシステム「免疫」があるからです。リンパ球、マクロファージ、好中球など免疫細胞によるもの、抗体によるもの、皮膚や粘膜によるバリア機能、抗菌物質を含む粘液、涙などによるもの、胃酸、腸内細菌などによるものなどがあります。

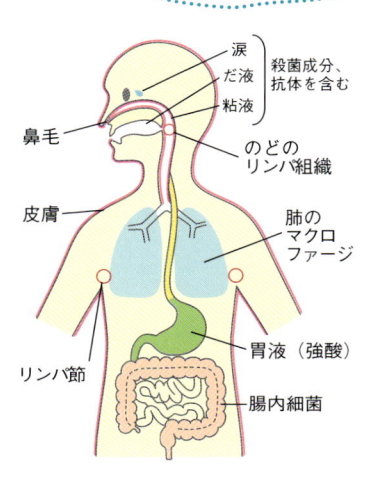

> 膿は、死んだ細菌と白血球の残骸だよ！

（図：涙・だ液・粘液（殺菌成分、抗体を含む）、鼻毛、のどのリンパ組織、皮膚、肺のマクロファージ、リンパ節、胃液（強酸）、腸内細菌）

免疫細胞には、細菌や異物を無毒化する抗体の生産に関与するリンパ球と「食作用」という働きで取り込み、消化して分解してしまうマクロファージ、好中球などがある。

## 教えて！2　免疫力を上げるには、どうしたらいいですか？

運動、睡眠、食事といった基本的な生活習慣を整えることで、神経系の働きやホルモンバランスが調整され、免疫力も上がります。また、笑ったり、楽しさを感じたりすると、リンパ球を増やし、その働きを高めるといわれています。心の状態によって変動する脳内の神経伝達物質やホルモンが、免疫に直接影響を与えるのです。

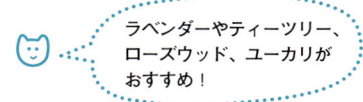

> ラベンダーやティーツリー、ローズウッド、ユーカリがおすすめ！

**健康を支える3つの柱**

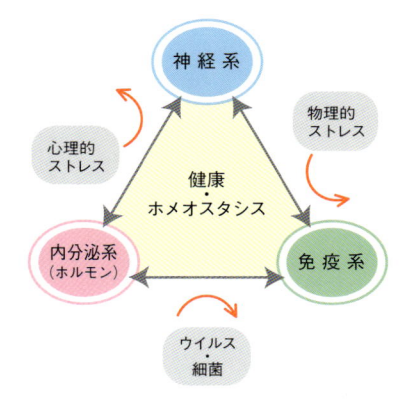

（図：神経系／内分泌系（ホルモン）／免疫系、中央に「健康・ホメオスタシス」、外側に心理的ストレス、物理的ストレス、ウイルス・細菌）

免疫系ー神経系ー内分泌系は、互いに連動し、補いあって体を守っている。アロマテラピーは、日常的なストレスの緩和やこの3つの系のバランスを調整し、健康やホメオスタシスを守ると考えられている。

## 生活習慣病予防

セルフケアのポイントは、①ストレスコントロール ②肝臓、腎臓の働きを高めデトックス（体内浄化）③軽いトリートメントで皮膚を刺激する ④食生活の見直し ⑤運動 ⑥リンパや血液の循環を促す ⑦快眠・快便を心がけることなどです。①、②、③、⑥、⑦はアロマテラピーがかなり利用できる分野です。

**おすすめの精油**

**メイン** オウシュウアカマツ、キャロットシード、ティーツリー、ユーカリ、ローズマリー、ラベンサラ、ラベンダー

**サブ** オレンジ、ジンジャー、ゼラニウム、パルマローザ、ベチバー、マートル、レモン、ローズウッド、クローブ

### デトックスのためのアロマオイル

アレルギーや生活習慣病の予防、ダイエットしたいとき、まず取り組むべきものが体内の浄化です。発汗、利尿などの作用がある精油を用います。足裏と足首周りを刺激したのち、体の末端から体液を心臓に流すように手を動かします。

- オウシュウアカマツ 4滴
- ジュニパー 3滴
- ゼラニウム 2滴
- キャロットシード 2滴
- キャリアオイルまたは無香料乳液 30ml

作り方●基材に精油を加え、まぜる。

### 免疫系を整えるアロマクリーム

免疫の働きを高めるといわれている1,8-シネオールを含むユーカリなどの精油を免疫細胞が多数存在しているリンパ節、胸腺、みぞおち、腹部などに塗布します。時間があるときは、背中にオイルを広げて脊柱にそって親指（母指）でフリクション（強擦）します（やり方は、204ページを参照）。

- ティーツリー 3滴
- ユーカリ・グロブルス 2滴
- レモン 4滴
- ラベンダー 3滴
- みつろうクリーム（市販の無香料クリーム）30g

作り方●基材に精油を加え、よくかきまぜる。
＊基材をキャリアオイル30mlにしてもよいでしょう。

## 肥満予防

脂肪の燃焼を助ける精油をメインに選択します。ストレスから過食してしまうときは、食欲を調整し、満たされた気持ちをもたらす多幸作用、抗ストレス作用があるものも加えましょう。月経前は食欲が増してダイエットしにくい期間です。この時期はリラックスして心穏やかに過ごすようにしましょう。

**おすすめの精油**

**メイン** グレープフルーツ、サンダルウッド、サイプレス、シダーウッド・アトラス、ブラックペッパー

**サブ** ベルガモット、ペパーミント、マンダリン、ローズマリー・ベルベノン、ローズマリー・シネオール

### 食欲を調整するアロマ香水

猛烈に食欲がわいてきたときは、手のひらにスプレーして香りを吸入、いったん気持ちを落ち着かせます。ダイエットストレスを乗り切りましょう。

- グレープフルーツかベルガモット 6滴
- ブラックペッパー 3滴
- ラベンダー 2滴
- ローズマリー（シネオールまたはベルベノン）6滴
- 無水エタノール 20ml／精製水 10ml

作り方●無水エタノールに精油を加え希釈する。精製水を加え、よく振ってから使用する。

### 脂肪をやっつけるトリートメントオイル

脂肪が気になる部位に塗布しましょう。香りに慣れてしまうと効果が上がりにくいので、期間がたったらサンダルウッドをサイプレスやシダーウッド・アトラスなどに変更して行いましょう。

- サンダルウッド 4滴
- グレープフルーツ 5滴
- ローズマリー・ベルベノン 3滴
- ヘーゼルナッツ油 10ml／マカダミアナッツ油 20ml

作り方●基材に精油を加え、まぜる。
＊体の冷えが強い方はブラックペッパーまたはユズを3滴追加しましょう。

## 脂質異常症・糖尿病予防

肥満、脂質異常（高LDLコレステロール、低HDLコレステロール、および高中性脂肪）、糖尿病、高血圧、動脈硬化、冷え症などの症状は並行して起こることが多いものです。脂肪溶解、コレステロール値の低下、血液浄化作用がある精油に、リラックス作用のある精油も組み合わせましょう。

**おすすめの精油**
- **メイン** オウシュウアカマツ、キャロットシード、ジンジャー、プチグレン、ペパーミント、ローズマリー・ベルベノン
- **サブ** カモミール・ローマン、ゼラニウム、ユーカリ・シトリオドラ、ユーカリ・グロブルス、ラベンダー

### デトックスオイル①

運動や生活パターンを見直し、アロマケアをしてみましょう。キャロットシードの精油には独特の香りがあり、ややクセのあるブレンドですが、冷えや体内浄化に役立つレシピです。

プチグレン 3滴
キャロットシード 2滴
ジンジャー 2滴
ローズマリー（シネオールまたはベルベノン）3滴
キャリアオイル 30ml

作り方●基材に精油を加え、まぜる。

### デトックスオイル②

すい臓を強壮し、糖尿病を予防する働きをより強化したブレンドです。ゼラニウムは、入手可能ならエジプト産がおすすめです。

オウシュウアカマツ 4滴
ローズマリー・ベルベノン 3滴
ゼラニウム 2滴
カモミール・ローマン 1滴
キャリアオイル 30ml

作り方●基材に精油を加え、まぜる。

## 高血圧・動脈硬化予防

血液中の中性脂肪、LDLコレステロール、老廃物が多くなると血液の粘性が増し、血管壁が老化して血圧も上がりやすくなります。血圧降下作用がある精油を中心に、神経を鎮静する作用がある精油、冷えや肥満の改善、体液の浄化に役立つ精油をブレンドします。ご自分の好みの香りも一緒に使うとよいでしょう。

**おすすめの精油**
- **メイン** イランイラン、プチグレン、ネロリ、マージョラム、マンダリン、メリッサ、ラベンダー
- **サブ** オウシュウアカマツ、ゼラニウム、ベルガモット、ユーカリ・シトリオドラ、レモン、ローズ

### 血圧を整えるトリートメントオイル

お薬の代わりにはなりませんが、ストレスや緊張、疲労や睡眠不足が続くなど血圧が上がりやすい条件が重なったとき、ご自宅でのセルフケア用に。下記のレシピにオレンジやマンダリンを2、3滴加えてもよいでしょう。

イランイラン 2滴
ラベンダー 4滴
マージョラム 3滴
キャリアオイルまたは乳液 30ml

作り方●基材に精油を加え、まぜる。

### リラックスのための香りの拡散

トリートメントをするだけの時間がとれないときに行います。お部屋に広がる香りを感じるだけでも気持ちをリラックスさせ、高い血圧や速すぎる呼吸、脈拍が落ち着いてくることがよくあります。

ラベンダー 2滴
マンダリン 3滴
お湯（80度位）

作り方●お湯を入れたボウルに精油を落とし、香りを拡散します。

＊おすすめの精油や好みの香りの精油を2種類ほど選び、合計4〜5滴でもよいでしょう。

## 花粉症の予防と対策

症状の度合いには、先天的な要因だけではなく、食生活やストレスの有無が大きく関わってきます。ストレスが多いと免疫系や自律神経系の働きが乱れやすくなり、花粉の影響をより受けやすくなります。免疫系を活性化して自然治癒力を高める精油に加え、リラックスできる好きな香りの精油を選択しましょう。十分な休息もとるように心がけたいものです。

### おすすめの精油

**メイン** ティーツリー、ペパーミント、ユーカリ（グロブルス・ラジアータ）、ラベンサラ、ラベンダー

**サブ** カモミール・ローマン、カモミール・ジャーマン、メリッサ、レモン、ローズウッド、ローズ

### 花粉症と戦う！ バスソルト

ラベンサラ、ユーカリ・ラジアータどちらかだけでもかまいませんし、ティーツリーでも大丈夫です。ラベンダーを1、2滴加えて一緒にブレンドすると効果もアップし、香りが全体的にまろやかな感じに仕上ります。

- ユーカリ・ラジアータ 2滴
- ラベンサラ 1滴
- 天然塩 40g

作り方●天然塩に精油を加え、よくかきまぜる。

### 花粉症を乗り切るお部屋対策

鼻づまりや鼻粘膜の炎症を緩和する作用がある精油をブレンドしてアロマポットまたは湯を入れたボウルに垂らし、室内に芳香を拡散します。このレシピは、風邪の予防にも役立ちます。

- ユーカリ（グロブルスまたはラジアータ）3滴
- ペパーミント 2滴
- レモン 2滴
- お湯（80度位）

作り方●お湯を入れたボウルに精油を落とし、香りを拡散する。
＊おすすめの精油から2種類ほど選び、合計4滴ほどで行ってもよいでしょう。

### 鼻周りの塗布オイル

小鼻の周り、鼻柱の横、鼻の付け根、耳の下、あごの下にオイルを塗布し、少量すりこみます。鼻が通り、呼吸がしやすくなります。

- ユーカリ・ラジアータ 4滴
- ペパーミント 3滴
- ラベンダーまたはティーツリー 3滴
- キャリアオイル 30mlまたはみつろう軟膏 30g

作り方●基材に精油を加え、まぜる。

### 鼻スッキリ！ スプレー

使い捨てのマスクや空気中にスプレーします。マスクについた精油の香りが、鼻の通りをよくし、頭重感を緩和してくれます。

- レモン 3滴
- ローズマリー・シネオール 2滴
- ユーカリ・ラジアータ 4滴
- 無水エタノール 20ml／精製水 30ml

作り方●無水エタノールに精油を加え希釈する。精製水を加え、よく振ってから使用する。

## 喘息の予防

発作時は、基本的に鎮静作用の精油は用いません。副交感神経の過剰な作用で発作が起こると考えられているからです。喘息は、アレルゲンの有無だけでなくストレスも関係があるといわれています。自律神経系のバランス調整、免疫強化などの作用があり、リラックスできる精油を日常生活に取り入れることもセルフケアになり、予防につながります。

### おすすめの精油

**メイン** サイプレス、ジュニパー、フランキンセンス、ローズマリー・シネオール、ユーカリ・ラジアータ、ニアウリ・シネオール

**サブ** イランイラン、ビターオレンジ、バジル、プチグレン、マートル、マンダリン、マージョラム

### トリートメントオイル（大人用）

このオイルは、発作が起きていないときに使用します。ストレスを感じているときに。背中全体にエフルラージュ（軽擦）の方法でオイルをすりこむとリラックスしやすくなります。

| | |
|---|---|
| サイプレス | 3滴 |
| プチグレンまたはマンダリン | 2滴 |
| ユーカリ・ラジアータ | 2滴 |
| カモミール・ローマン | 1滴 |
| キャリアオイル | 30ml |

作り方●基材に精油を加え、よくまぜる。

### トリートメントオイル（子ども用）

首のまわり、胸元、背中にすりこみます。喘息のメインの治療は、必ず医師の指示に従ってください。

| | |
|---|---|
| ラベンダー | 2滴 |
| ローズマリー・シネオール | 2滴 |
| ユーカリ・ラジアータ | 2滴 |
| キャリアオイル | 30ml |

作り方●基材に精油を加え、よくまぜる。

### みんなのアロマ体験談 08

**精油を予防に活用しています**

とても息が苦しくて横になって寝られない日が続きました。家にあったユーカリとティーツリーをマスクに垂らしたり、のどにつけてみました。あまり効果は感じられませんでしたがフランキンセンス、プチグレン、ユーカリ、ローズマリーを使ってみると呼吸がかなり楽になり、咳もおさまりました。気になったので病院で診察を受けたところ、喘息様の気管支炎と診断され、気管支を拡げる薬をもらいました。
30代後半になってから風邪が長引くようになり、こんな症状がよく起きるようになりました。忙しい日が続く時期や風邪の季節は予防のためにフランキンセンスとユーカリ・ラジアータ、プチグレンの精油を常備しています。

（30代　女性）

### みんなのアロマ体験談 08

**アロマのおかげで活力が出てきました**

アレルギー体質で花粉症と喘息、鼻炎があります。肩こりがひどくてアロマテラピーのサロンに通い始めて約2年、気づいたら発作の回数が少なくなっていました。疲れやストレスがたまると朝方咳が出て、胸が苦しくなります。そんなときは病院でもらった喘息の薬を1錠だけ飲むこともありますが、以前に比べて乗り切るのが楽になりました。普段は免疫が上がるかなと思ってティーツリーとユーカリ、香りが好きなのでレモン、オレンジ、ユズをお風呂やティッシュに垂らして枕元に置いて使っています。特にティーツリーは風邪のときは欠かせません。ラベンダーの香りはちょっと苦手です。アロマやハーブティーを使うようになってずいぶん、活力が出てきた感じがします。　（40代　女性）

## からだと心編
### 9 皮膚のトラブル

乾燥、しみ、しわが気になるときに、クリームを目元や乾燥しているところ、ひじやかかとなどに塗布します。このレシピで使用するパルマローザ、ローズウッド、その他ラベンダー、ローズ、ゼラニウムは、ほとんどの肌タイプのケアに向きます。

**全身ケア用クリーム**

パルマローザ 3滴
ローズマリー・ベルベノン 2滴
ローズウッド 3滴
乳化ワックス 8g
カリテバター 10g
スイートアーモンド油 10ml
ホホバ油 10ml
ローズ芳香蒸溜水 100ml

作り方●82ページ参照。

＊上記のクリーム20gにアロエベラジェル20gやハーブティンクチャー5mlをまぜると使用感がライトになります。また、ローズ芳香蒸留水の代わりに、精製水でもよいでしょう。

**アロマケアのポイント**

十分な水分と油分の補給、クレンジング、ビタミンCやカルシウムの摂取、冷えの改善などを心がけ、表情筋やリンパの流れに沿ってのトリートメントや蓄積した汚れや古い角質を除くクレイパックを行います。ストレスや便秘も肌荒れの要因になるので、体内浄化や抗ストレスを目的としたボディのトリートメントや食生活の見直しも同時に行いましょう。

- ●皮脂分泌を調整し、新陳代謝を促す（収れん、皮脂分泌調整、皮膚細胞活性化）
- ●循環を促進し、冷えを改善、体内老廃物の排泄を促す（血流促進、うっ滞除去、解毒）
- ●かゆみや炎症をやわらげ、傷の治りを早める（抗炎症、皮膚軟化、殺菌、瘢痕形成、癒傷）

### 教えて！1 お肌がきれいな人は、健康に見えますが、皮膚にはどんな働きがあるのですか？

皮膚は、人体で最大の臓器です。体の最も外側を覆い、水分の蒸発、外部からの衝撃や化学物質、紫外線、細菌の侵入を防いでいます。その他、体温調節、排泄の機能や温度や痛みなどを感じる感覚器官としての役割もあります。また、皮膚は健康状態を映す鏡で、胃腸や気持ちなどが疲れているときは、くすみやしみ、吹き出物が出来ることがあります。

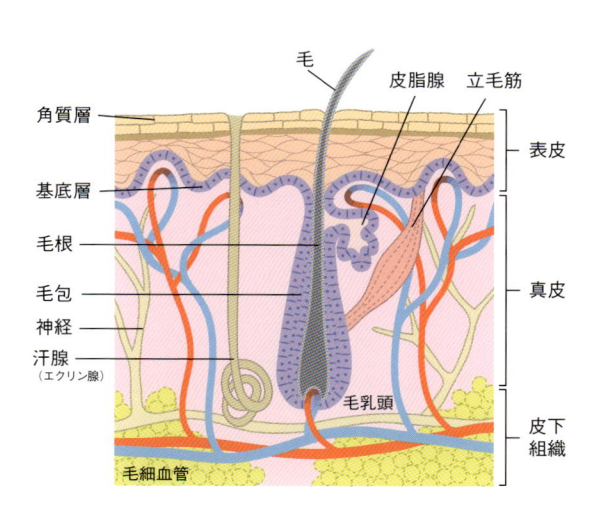

**表皮（ひょうひ）**
表面は、弱酸性で殺菌作用がある皮脂で覆われる。表皮には、血管、リンパ管、神経はない。一番下の基底層は細胞分裂が盛んなところ。基底層で生まれた新しい細胞は、上に押し上げられて角質となり、最後はアカとなって剥がれ落ちる。これを「ターンオーバー」といい、約28日周期で繰り返されるが加齢とともに遅くなる。

**真皮（しんぴ）**
血管、神経、リンパ管、立毛筋、皮脂腺、汗腺が存在。保水力に優れたヒアルロン酸などに満たされたゼリー状の基質の中に、コラーゲン、エラスチンが存在。ストレス、紫外線、加齢によりコラーゲンやヒアルロン酸は減少、皮膚はハリを失い、しわも多くなる。顔の血流を高めると、皮膚細胞への栄養補給を促し、美肌につながる。

**皮下組織（ひかそしき）**
大部分は脂肪細胞で外部からの衝撃から体を守り、断熱効果、栄養の貯蔵庫としても働いている。皮下組織の下は、筋肉、骨格と続く。

## オイリー肌のケア

肌を引きしめ、皮脂分泌を調整する精油や芳香蒸留水を選択します。月経前は、皮脂分泌は乱れがちですが、過度の洗顔で皮脂を取りすぎるのも禁物です。この時期は気持ちが上下しやすいので、好きな香りを選択し、のんびりと過ごすように心がけましょう。

**おすすめの精油**
サイプレス、ジュニパー、ゼラニウム、ベルガモット、マンダリン、レモン、ローズウッド、ローズマリー・ベルベノン、ラベンダー

**おすすめの芳香蒸留水**
アロエ水、ネロリ水、ハマメリス水、ペパーミント水、ローズマリー水

### オイリー肌の引きしめローション

顔のてかりや毛穴の広がりが気になるときに。Tゾーンなどメイクが崩れやすい部位につけましょう。皮膚を引きしめる作用がある精油と芳香蒸留水を用います。精油を加えるとより効果的ですが、芳香蒸留水のみをパッティングしてもかまいません。

ローズマリー・ベルベノン 1滴
レモン 2滴
サイプレス 1滴
無水エタノール 10ml
ネロリ水 45ml／ハマメリス水 45ml

作り方●無水エタノールに精油を加え希釈する。芳香蒸留水を加え、よく振ってから使用する。
＊アルコールが苦手な方は、5mlに減らし、その分芳香蒸留水を増やすか芳香蒸留水だけで作りましょう。

### トリートメントオイル

3日に1回ほど繊細なタッチで顔のトリートメントを行います。終わったらティッシュで軽くおさえ、余分なオイルを吸い取ります。皮膚がたるんでくると毛穴が大きな涙型になり、より目立ちます。トリートメントを行うとお肌のハリも出てきますし、皮脂分泌の調子が整ってきます。

レモン 1滴
ジュニパー 1滴
ゼラニウム 1滴
マカダミアナッツ油 10ml／ホホバ油 10ml

作り方●基材に精油を加え、まぜる。

### ディープクレンジングパック

毛穴が目立つ原因のひとつが皮膚の溝（皮溝）に溜まった汚れや古い角質です。クレイ（粘土）を使って肌に負担がないよう汚れを取り除きます。目の周り以外の顔全体に塗布、汚れを吸着させ5分ほど置いてからそっと洗い流してください。週に1〜2回ほど行います。

ラベンダー 1滴
オレンジまたはゼラニウム 1滴
プレーンヨーグルト大さじ 1杯
クレイ（カオリン）大さじ2／はちみつ 小さじ1/2
ネロリ水またはローズマリー水 適量

作り方●クレイに少しずつ芳香蒸留水、はちみつ、精油、ヨーグルトを加え、よくまぜる。
＊冷蔵庫で保存しましょう。保存期間は約3週間です。

### フェイシャルスチーム

蒸気を顔にあてて毛穴を開き、汚れや老廃物を出しやすくします。その後は、ぬるま湯で洗顔し、最後は必ずローションやクリームなどで毛穴を引きしめて整えます。香りによるリラックス効果も期待できるでしょう。お湯に垂らす精油は1、2滴です。ニキビ肌にもお試しください。

サイプレス 1滴
ローズマリー・ベルベノン 1滴
グレープフルーツ 1滴
またはドライハーブひとつかみ（ローズマリー、ペパーミント、カモミール・ジャーマン、セージなど）
お湯（80〜90度位）

作り方●洗面器にお湯を入れ、精油を垂らす（または、洗面器にドライハーブを入れ、熱い湯を入れる）。頭からバスタオルをかぶり、目を閉じて顔に蒸気を当てる。

## ニキビのケア

皮脂分泌の調整、ニキビの原因となる細菌を抑え、皮膚を清浄にして収れんする効果がある精油と芳香蒸留水をメインに使用します。芳香蒸留水のみを化粧水代わりにしてもかなりの効果が期待できます。皮膚が過敏なときにおすすめです。

**おすすめの精油**
ゼラニウム、ティーツリー、パルマローザ、プチグレン、ミルラ、ユーカリ・ラジアータ、ラベンダー、ローズウッド、ローズマリー・ベルベノン

**おすすめの芳香蒸留水**
タイム水、ティーツリー水、ペパーミント水、ローズマリー水

### ニキビ対策塗布オイル

1日数回、ニキビの部分だけに1、2滴を綿棒で塗布。炎症や化膿している場合には、下記のレシピにカモミール・ローマン、ペパーミントを1滴加えるとよいでしょう。

ティーツリー 4滴
ラベンダー 5滴
ローズウッド 3滴
ホホバ油 30ml

作り方●基材に精油を加え、まぜる。

### 大人のニキビ対策ローション

ストレスによるホルモンバランスの乱れから皮脂の分泌が過剰になり、ニキビが出来るケースも増えています。その場合は皮膚の殺菌消毒作用だけではなく、心身をリラックスする効果がある精油を用いて精神面をサポートすることが大切です。

ラベンダーまたはクラリセージ 2滴
マンダリン 3滴
サンダルウッド 2滴
無水エタノール 5ml／ローズ水 50ml／ネロリ水 50ml

作り方●無水エタノールに精油を加え希釈する。芳香蒸留水を加え、よく振ってから使用する。

## 乾燥肌のケア

皮膚の潤いや弾力を保ち、皮膚細胞を活性化する精油や皮脂分泌を整える精油を選択します。同時に水分を十分に取り、ビタミン類の多い果物や野菜、適当な油分を含む食事をとるよう心がけましょう。

**おすすめの精油**
カモミール・ローマン、キャロットシード、サンダルウッド、フランキンセンス、ゼラニウム、パルマローザ、ローズ、ローズウッド、ラベンダー

**おすすめの芳香蒸留水**
アロエ水、カモミール水、ゼラニウム水、パルマローザ水

### 乾燥肌用ローション

お肌を潤し、美肌作りに役立ちます。ローションをしみこませたコットンを5分ほど肌にのせてローションパックを行った後、右記のフェイスオイルを薄くのばします。

ローズウッド 1滴
ゼラニウム 1滴
ラベンダー 2滴
グリセリン 5ml／無水エタノール 5ml
はちみつ 小さじ1／ローズ水 100ml

作り方●無水エタノールに精油を加え希釈する。グリセリン、はちみつ、ローズ水を加え、よくまぜる。
＊アルコール濃度をかなり低くしていますが、苦手な方は、無水エタノールなしで作成してください。ローズ水の代わりに、精製水100mlでもよいでしょう。

### お肌しっとりフェイスオイル

夜、ローションのあとに塗布します。トリートメントオイルとしても使えます。トリートメントが終わったらティッシュで軽くおさえ、余分なオイルを吸い取ります。

フランキンセンス 2滴
オレンジ（スイートまたはビター）3滴
パルマローザ 2滴
マカダミアナッツ油 10ml／ローズヒップ油 10ml
アボカド油 10ml

作り方●基材を合わせる。精油を加え、まぜる。

## 敏感肌のケア

最初は芳香蒸留水のみでスタートし、様子を見ながら少しずつ精油を加えていくとよいでしょう。肌のバリア機能がかなり低下しているときは、芳香蒸留水やキャリアオイルさえ刺激になることがあります。そのような場合は精製水を使います。

**おすすめの精油**
カモミール(ローマン、ジャーマン)、ゼラニウム、ティーツリー、パルマローザ、ラベンダー、ローズウッド、ローズ

**おすすめの芳香蒸留水**
アロエ水、カモミール水、パルマローザ水、ペパーミント水、メリッサ水、ラベンダー水、ローズ水

### 敏感肌用ローション

カモミールとローズの芳香蒸留水はお肌を潤し、皮膚の乾燥やかゆみの緩和に役立ちます。

カモミール・ローマン 1滴
ラベンダー 2滴
無水エタノール 5ml
カモミール水 50ml／ローズ水 50ml

作り方●無水エタノールに精油を加え、希釈する。芳香蒸留水を加え、よく振ってから使用する。

＊芳香蒸留水の代わりに、精製水100mlでもよいでしょう。また、芳香蒸留水は数種類をまぜてもよいですし、上記レシピの量の1/2に減らし、精製水を加えて薄めてもよいでしょう。

### 湿疹・かゆみ対策クレイの入浴剤

植物油やクレイの粒子が皮膚表面を覆い、バリア機能を高めてくれます。皮膚の新陳代謝を助け、かゆみを和らげる作用がある精油を中心にブレンドします。入浴後にかゆみ対策のローション(左下)も併用するとよいでしょう。

ラベンダー 1滴
カモミール(ローマンまたはジャーマン) 1滴
ローズウッド 1滴
天然塩 20g／モンモリオナイト(クレイ) 15g
マカダミアナッツ油またはホホバ油 小さじ1/2

作り方●天然塩、クレイ、植物油、精油を加え、よくかきまぜる。

### かゆみ対策ローション

皮膚炎、湿疹、乾燥などで肌のかゆみがあるときに。様子を見ながら手の平の上でローションにホホバ油、マカダミアナッツ油、スイートアーモンド油などを数滴まぜて皮膚に薄く塗布してもよいでしょう。

ラベンダー 2滴
ペパーミント 1滴
カモミール・ローマン 1滴
無水エタノール 5ml
アロエ水・ティーツリー水・ローズ水・メリッサ水のいずれか 100ml (ブレンドしてもよい)

作り方●無水エタノールに精油を加え希釈する。芳香蒸留水を加え、よく振ってから使用する。

＊肌のバリア機能が低下していて、刺激を感じるときは、芳香蒸留水の量を1/2に減らして残りは精製水にしてください。また、ホホバ油、マカダミアナッツ油に刺激を感じるときは、加えないでください。

## みんなのアロマ体験談 10

### かゆいじん麻疹に、アルガン油は◎

睡眠不足や疲れて気持ちにも余裕がなくなると、じん麻疹がおこります。一度掻くとかゆみが止まらなくなって傷になり、いつもの化粧水やファンデーションもダメなくらい敏感になります。お風呂から出るとすぐ肌が乾き、口を動かすと突っ張り、こわばってお面みたい。アロマテラピーは好きですが、こんなときは何をつけてもすぐ乾きます。アルガン油単品で試しにつけてみるとしっとり感が持続して全然こわばりませんでした。4、5日後からはアルガン油10mlにローズウッドとラベンダーを1滴ずつ入れて使うと、2週間ほどで肌は柔らかくなり、じん麻疹もおさまりました。それから定番に。最近は、市販の無香料クリームとアルガン油をまぜて使うこともあります。　(30代　女性)

## 日焼けのケア

日焼けは、軽いやけどと同じと考え精油を選びましょう。日焼けした直後は、炎症を抑えて肌を冷却する精油と芳香蒸留水をメインに使用します。ぬるめのアロマバスやローションがおすすめです。落ち着いてきたら乾燥やかゆみを緩和し、皮膚の代謝を促すものを使用します。

**おすすめの精油**
カモミール・ローマン、ティーツリー、ペパーミント、ラベンダー、ローズ

**おすすめの芳香蒸留水**
アロエ水、ペパーミント水、ラベンダー水、ローズ水

### 日焼け肌用ローション

日焼けした直後で首、背中などが炎症を起こし、お風呂にも入れないし、寝るのもつらい、さわれないなどというときには、このローションをスプレー容器に入れて何度も全身にスプレーします。

- ラベンダー 5滴
- ティーツリー 3滴
- ペパーミント 2滴
- 無水エタノール 10ml／グリセリン 10ml
- アロエ水100ml／ローズ水とペパーミント水 合計100ml

作り方●無水エタノールに精油を加え希釈する。グリセリン、芳香蒸留水を加え、よく振ってから使用する。
＊アルコールが苦手な方は、無水エタノールは使わずに、グリセリンに精油をまぜてから芳香蒸留水を加えます。

### 日焼け肌用ジェル

肌の赤みが落ち着くと次は急激に乾燥してきます。保湿効果があるアロマジェルを作って塗布しましょう。

- カモミール・ローマン 2滴
- ローズウッド 3滴
- ラベンダー 3滴
- アロエジェル 80g／ホホバ油 20ml
- グリセリン 10ml

作り方●基材を全てまぜて練る。精油を加え、さらによく練る。
＊アロエジェルの代わりに、ジェル基材（70ページ参照）でもよい。

## 傷あと・色素沈着・しみの予防

加齢により、28日という皮膚の生まれ変わり（ターンオーバー）の周期が乱れるとメラニン色素を含む皮膚細胞がなかなか垢となって剥がれ落ちず、いつまでも表皮にとどまってしまい、しみや色素沈着が出来やすくなります。

**おすすめの精油**
オレンジ、キャロットシード、カモミール（ローマン・ジャーマン）、ゼラニウム、パチュリー、フランキンセンス、ネロリ、ラベンダー、レモン、ローズ

**おすすめの芳香蒸留水**
オレンジフラワー水、ラベンダー水、ローズ水

### 美白用美容液

ローズ芳香蒸留水を浸したコットンで5分程パックを行った後、気になる部位にごく少量塗布します。ローズヒップ油だけ塗布しても効果的です。オイルの香りが独特なので、精油を加えたほうが好まれます。

- ゼラニウムまたはローズウッド 3滴
- レモン 4滴
- カモミール・ローマン 2滴
- キャロット油 10ml／ローズヒップ油 15ml
- ホホバ油 25ml

作り方●基材を合わる。精油を加え、まぜる。

### 美白クレイパック

ネロリとラベンダーは、表皮の基底層の細胞を刺激して新しい皮膚を育ててくれます。秋に向けて白い肌を手に入れたいときや特別な日に向けてのスペシャルケアに。目の周りを避けてお顔に塗布し、5分ほど置いて洗い流します。

- ネロリ 1滴
- ラベンダー 1滴
- クレイ（カオリンまたはモンモリオナイト） 40g
- ネロリ水か精製水 適量／はちみつ小さじ 1/2〜1杯

作り方●クレイに芳香蒸留水、精油、はちみつを加え、耳たぶくらいの固さに練る。

## 肌の若返り・アンチエイジング

お肌のおとろえが気になりはじめたら、お肌の弾力を取り戻し、しわやしみの予防などに効果的とされるローズ、ネロリ、ローズマリー・ベルベノン、ローズウッド、マンダリンなどの精油や、パルマローザやゼラニウムなどゲラニオールという成分が多い精油を取り入れてみましょう。

**おすすめの精油**
イランイラン、キャロットシード、ゼラニウム、ネロリ、パルマローザ、ラベンダー、ローズウッド、ローズ、ローズマリー・ベルベノン、マンダリン

**おすすめの芳香蒸留水**
アロエ水、カモミール水、ゼラニウム水、パルマローザ水、ローズ水

### 特別な日のボディオイル

ローズを使った贅沢なオイル。続けてお使いになることで5年後、10年後の肌に違いが出てくるはずです。

オレンジまたは好みの精油 4滴
サンダルウッド 3滴
ローズオットー 3滴
ホホバ油 20ml／マカダミアナッツ油 20ml
アボカド油またはアルガン油 10ml

作り方●基材に精油を加え、まぜる。
＊オレンジは、スイート、ビターのどちらでもよいでしょう。

### アイケアクリーム

小じわや乾燥が気になる目元のケアに。ローズ水を浸したコットンでパックを5分行った後、薄く塗布してのばします。

ローズウッド 2滴
ゼラニウム 1滴
ラベンダー 1滴
みつろう 6g／カリテバター 5g
ホホバ油 10ml／ローズヒップ油 10ml／ローズ水 3ml

作り方● 81ページのみつろうクリームの作り方を参照。

### アンチエイジングローション

お肌のハリやつやを回復し、明るく楽しい気持ちをもたらし、内面の美しさを引き出してくれます。

ローズまたはネロリ 2滴
フランキンセンス 1滴
マンダリン 2滴
パルマローザ 1滴
無水エタノール 10ml／ローズ水またはアロエ水 80ml
グリセリン 10ml

作り方●無水エタノールに精油を加え希釈する。グリセリン、芳香蒸留水を加え、よく振ってから使用する。

### みんなのアロマ体験談

**11**

#### アロマは男性にもおすすめです

ヘチマコロン乳液60mlにバラとラベンダーの精油を2滴ずつ入れたものを全身に使っています。保湿効果がとてもよく、また、さわやかな雰囲気をつくることもできます。「加齢臭よりもバラやラベンダーの香りはいいわね」と妻に好評です。肌が乾燥するので前から乳液だけは使っていましたが、今はいつも精油入りです。精油は、妻が持っている中から選びました。「男がバラというのも……」と迷いましたが、香りもいいしスーッとして気分がいいので決めました。アロマに興味が出てきてシチリアへの旅行ではオレンジの花を塩漬けにした入浴剤をお土産にしました。ときどき、枕の横にレモングラスを1滴垂らしたティッシュをおいて眠りにつきます。30年前に赴任したタイが思い出される懐かしい匂いです。　　　　（70代　男性）

## ヘアケア

毛穴につまった古い汚れを除く、頭皮の血液を促すなど、何よりも頭皮のケアが大切です。おすすめの精油を参考に、毎日のお手入れに精油やクレイ、芳香蒸留水を取り入れてみましょう。

### おすすめの精油

| | |
|---|---|
| ふけ、かゆみ | ティーツリー、ゼラニウム、サンダルウッド、シダーウッド・アトラス、ラベンダー、ユーカリ |
| 育毛 | ヒノキ、シダーウッド・アトラス、ヒバ、ペパーミント、オレンジ、ユズ、レモン、ローズマリー |
| 油っぽい頭皮 | クラリセージ、ゼラニウム、レモングラス、ティーツリー、マートル、マンダリン |
| 敏感な頭皮 | ラベンダー、カモミール・ローマン、ローズウッド |
| ダメージヘア | イランイラン、パルマローザ、ゼラニウム、ローズウッド、サンダルウッド、レモングラス |

**おすすめの植物油** オリーブ油、カメリア油、太白(ゴマ)油、ホホバ油
**おすすめの芳香蒸留水** アロエ水、ヒバ水、ペパーミント水、ローズマリー水

---

### パサつく髪のヘアオイル

シャンプー前に指の腹を使ってオイルを頭皮と髪になじませ、蒸しタオルとラップで10分ほど覆います。その後、湯で流してから普通にシャンプーします。リンスは不要です。

パルマローザ 3滴
イランイラン 2滴
ゼラニウム 3滴
ホホバ油 50ml

作り方●基材に精油を加え、まぜる。
＊ホホバ油の代わりに、太白(ゴマ)油やカメリア油、オリーブ油でもよいでしょう。

### ブラッシングスプレー

ブラシの前に髪にスプレーすると櫛通りがよくなります。また、髪の根もとにすりこむようにすると頭皮のトニックや寝ぐせ直しとしても使用できます。

ローズマリー(ベルベノンまたはシネオール) 3滴
ゼラニウム 2滴
レモングラス 1滴
無水エタノール 10ml／アロエ水 90ml／ホホバ油 5ml

作り方●無水エタノールに精油を加え希釈する。アロエ水を加え、よく振ってから使用する。アルコールが苦手な方は、無水エタノールは使用せず、アロエ水100mlで作製する。

### キシキシしない！アロマリンス

石鹸シャンプーの使用感を快適にするリンスです。精油にはリンス効果があり、かなり髪がしなやかに。酢と精油が髪のpHバランスを整えてくれます。

ゼラニウム 6滴
オレンジ(スイートまたはビター) 8滴
イランイラン 4滴
レモングラス 3滴
りんご酢 500ml／ホホバ油 10ml／グリセリン 10ml

作り方●ホホバ油に精油を加え希釈する。グリセリン、りんご酢を加え、よくまぜる。
方法●洗髪後、洗面器1杯のお湯に20ml程度加え、髪全体を浸してなじませてから流す。
＊酢の香りが苦手な方は、クエン酸50g＋グリセリン20ml、精製水500mlでためしてみてください。精製水の代わりにセージ、ローズマリー、レモングラスなどのハーブティーを濃いめに抽出しても。

### ディープクレンジングシャンプー

2週間に一度、お手入れをしましょう。クレイは、毛穴の奥の汚れや皮脂、スタイリング剤などをしっかり取り除き、精油の浸透を助けてくれます。毛根を刺激し育毛効果がある精油をブレンドして作りましょう。

ローズマリー(ベルベノンまたはシネオール) 3滴
マンダリン 4滴
ペパーミント 2滴
石鹸シャンプー(または自宅のシャンプー) 20ml
クレイ(ラスルまたはモンモリオナイト) 10g
精製水 適量

作り方●クレイを容器に入れ、精製水を加えて練る。練ったところにシャンプーと精油を加え、さらによく練る。
＊使いやすい固さになるように精製水・シャンプーの量は調整してください。冷蔵庫に保存して2週間以内に使い切ること。かびが生えやすいので注意しましょう。

からだと心編

## 10 応急手当

指を切った！転んだ！家族のちょっとした怪我などに、アロマ救急箱は大活躍します。精油や消毒用エタノールをはじめ、すばやく対応できるように、滅菌ガーゼや容器、ハサミなども一緒に入れておきましょう。

**アロマ救急箱** おすすめのものを紹介します。

精油：カモミール、ティーツリー、ペパーミント、ヘリクリサム、ラベンダー、ローズ、ユーカリ・ラジアータなど

キャリアオイル：アルニカ油、カレンデュラ油、セントジョーンズワート油

その他：消毒用エタノール、滅菌ガーゼ、包帯、コットン（脱脂綿）、綿棒、マスク、ハサミ、ピンセット、包帯止めテープ、スプレー容器、クリーム容器など

**アロマケアのポイント**

なるべく早く精油を塗布します。精神面の鎮静、痛みや炎症の緩和、傷口からの細菌感染の予防、皮膚再生を促進し傷の治りを促す、免疫系を活性化する精油を選択します。オールマイティーに効果があるのはラベンダー（真正）です。激しい痛み、高熱、大きく開いた傷、重度のやけどなどは医師の診察が必要です。セルフケアには限界があることを覚えておきましょう。

- 傷を殺菌・消毒し、細菌、ウイルスからの感染を予防する（抗菌、抗ウイルス）
- 痛み、炎症を緩和して傷の治りを促進する（抗炎症、瘢痕形成・癒傷、血腫抑制）
- 不安感、ショックを和らげる（抗不安、鎮静、精神安定、コーチゾン様）

---

**教えて！1**

友人は、救急箱にティーツリーとラベンダーの精油を常備しています。精油は応急手当に使えるのですか？

アロマテラピーは医療にかわるものではありませんが、急な怪我や打撲、切り傷などで、手元に何もなくて困ったときに、消炎・鎮痛剤、止血剤、消毒薬の代わりになります。また、プラスαの効果として、香りが精神的な落ち着きを取り戻すのを助け、事態に冷静に対処する心の余裕をもたらしてくれます。

---

**よくある症状におすすめの精油**

**吐き気・嘔吐・乗り物酔い**
大人：バジル、ペパーミント、レモン、ローズマリー・ベルベノン
子ども：カモミール・ローマン、プチグレン、マンダリン

**ショック・精神的動揺**
サイプレス、カモミール・ローマン、ベルガモット、ラベンダー

**歯痛**
クローブ、ティーツリー、ペパーミント＊一刻も早く歯科医へ。アロマテラピーでは治りません

**頭痛**
メリッサ、ラベンダー、ペパーミント、ローズマリー、ローズ＊激しい頭痛は深刻な病気の可能性もあります。

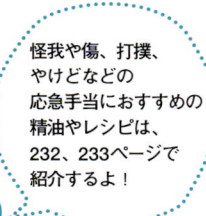

1、2本そろえておくと助かるよ。

怪我や傷、打撲、やけどなどの応急手当におすすめの精油やレシピは、232、233ページで紹介するよ！

## 怪我、切り傷の応急手当

抗菌、抗ウイルス、瘢痕形成作用がある精油と水を使って傷口を洗い流しましょう。傷口からの感染を予防、細胞を活性化して治癒を早めます。出血があるときは、止血作用と収れん作用がある精油と芳香蒸留水も加えましょう。ラベンダーは真正（アングスティフォリア種）を使います。

### おすすめの精油

**出 血** ゼラニウム、ラベンダー、レモン、サイプレス、ロックローズ、ハマメリス芳香蒸留水

**消毒・治癒の促進** ラベンダー、ティーツリー、カレンデュラティンクチャー

### 傷の洗浄と消毒

緊急の場合で、近くに消毒薬がない場合におすすめのレシピです。ボトルをよく振り、その水で傷を洗い流します。

| | |
|---|---|
| ラベンダー | 5滴 |
| ミネラルウォーター | 500ml |

作り方●ペットボトルのミネラルウォーターにラベンダーを加え、ボトルをよく振る。

### すり傷・切り傷用スプレー

傷にラベンダーを1滴、原液でつけます。包丁などで切って出血しているときはレモン、サイプレス、ハマメリス蒸留水をまぜて患部に直接スプレーします。傷口に貼る絆創膏にもラベンダーを1滴垂らしておきましょう。

| | |
|---|---|
| ラベンダー | 6滴 |
| ティーツリー | 4滴 |
| レモンかローズウッド | 3滴 |
| 無水エタノール | 5ml |
| 精製水（またはハマメリス蒸留水） | 45ml |

作り方●無水エタノールで精油を希釈し、精製水を加え、まぜる。
＊子ども用は、精油はラベンダーとティーツリーのみにして、エタノールと水の量を2倍に。

### 止血用ガーゼ

小さい傷は、精油を垂らしたガーゼや脱脂綿で傷口を覆います。大きな傷は、ローズまたはハマメリス水に精油を加えて、患部全体に精油を散布します。

| | |
|---|---|
| ゼラニウム | 2滴 |
| ラベンダー | 1滴 |
| ロックローズ | 1滴 |

方法●脱脂綿かガーゼに精油を含ませ、傷をおさえる。
＊ローズ水かハマメリス水100ml（50mlずつでもよい）に上記の精油を加え、よく振って患部にスプレーするのもよいでしょう。

### 鼻血のときの冷湿布と塗布オイル

なかなか止まらないときは、鼻骨の上への冷湿布と鼻の中へのオイルの塗布を組み合わせ、内側と外側からケアしましょう。

| | |
|---|---|
| ゼラニウム | 1滴 |
| ラベンダー | 1滴 |
| ロックローズ | 1滴 |
| 冷水 | （適量） |
| アルニカ油 | 5滴（他の植物油でも可） |
| 脱脂綿 | |

方法●洗面器に冷水を入れ精油を落とし、脱脂綿に含ませ冷湿布を行う。アルニカ油を綿棒かティッシュで鼻の中に塗布する。
＊精油は揃うものだけでOK。

## やけど、打撲・捻挫の応急手当

やけど、打撲、捻挫のときは、腫れ、痛み、炎症が起こります。冷却して抗炎症、鎮痛する精油を選びましょう。やけどは、抗菌作用と瘢痕形成作用のあるものも一緒に使うと治りをはやめ、ひどく膿んだり、跡が残ることが少なくなります。打撲には、麻酔作用があるペパーミント、消炎・鎮痛作用が強力なシラカバ、ヘリクリサムを使用します。

### おすすめの精油
**やけど・日焼け** ラベンダー、ティーツリー、ペパーミント、ローズ芳香蒸留水

**腫れ・内出血・痛み** ラベンダー、シラカバ、ヘリクリサム、ペパーミント、ユーカリ（シトリオドラ、グロブルス）

### やけどの応急手当

やけどをしたらすぐに冷やし精油を原液でつけます。ひりひりした痛みがおさまり、水疱が出来にくくなります。ただし、料理中やアイロンがけなどで起こりがちな、表面が赤くなり、小さい水疱が出来る程度のやけどに限ります。精油は使用前に学名を確認しましょう（*Lavandula angustifolia*）。大人には、ラベンダー・スピカも有効です。

ラベンダー　1滴

方法●原液を1滴、患部に塗布する。
＊子どもの場合は、ラベンダー10滴を植物油かローズ水5ml（小さじ1程度）で希釈してから塗布します。
＊氷水にラベンダーを2滴落とし、患部を浸し直接冷却するのもよいでしょう。

### 打撲、捻挫用塗布オイル

打撲・捻挫の直後に、ラベンダーかヘリクリサムを原液で1滴ずつすりこみ（子どもはラベンダーのみ）、冷水、保冷パックなどで冷却してから数回、下記塗布用オイルをつけましょう。内出血したあとのあざ、痛み、腫れを防ぐ効果があります。

ヘリクリサム　2滴
ラベンダー　2滴
ユーカリ・ラジアータ　2滴
アルニカ油（他の植物油でも可）　20ml

作り方●植物油に精油を希釈し、よくまぜる。
＊子ども用には精油の滴数を半分にします。

## 虫刺されに

予防のために、虫が嫌う香りを体や服に身につけておきましょう。刺されたらすぐに毒素の解毒・中和、抗炎症、鎮掻痒作用がある精油を用いると最小限の腫れにとどまり、かゆみの程度もかなり軽減されます。ラベンダーは真正（アングスティフォリア種）を使います。

### おすすめの精油
クローブ、ゼラニウム、ティーツリー、ペパーミント、ユーカリ・シトリオドラ、ラベンダー、ローズ

### 虫刺され用ジェル

蚊、ダニ、ブヨになど刺されたときに下記のジェル、あるいはティーツリーかラベンダーを原液で1滴つけておくとかゆみや炎症がひどくなりません。キャンプなどに携帯しておくと便利です。

ラベンダー　10滴
ティーツリー　10滴
ゼラニウムまたはユーカリ・シトリオドラ　2滴
ホホバ油 10ml／アロエジェル 20g

作り方●アロエジェルとホホバ油をやや色が白っぽくなるまでまぜ、精油を加える。
＊6歳以下のお子さん用の場合、精油の滴数を半分にします。
＊基材はみつろう軟膏30gでもよいでしょう。

### 虫除けスプレー

蚊や虫が嫌う香りをブレンドします。長袖、長ズボンでも裾から入ってくることもあるので、手首や足元は数回スプレーしましょう。マラリア蚊が多い熱帯地域へ旅行した方に喜ばれたレシピです。

ユーカリ・シトリオドラ　8滴
ラベンダー　8滴
ゼラニウム　4滴
クローブ　3滴
無水エタノール 10ml／精製水 90ml

作り方●無水エタノールに精油を加え希釈し、精製水を加える。よく振ってから使用する。
＊クローブを減らして他の精油を1滴ずつ増やしてもOK。

## 家族・生活編 1　赤ちゃんと子どものアロマ

### 不眠・不安・ストレス

環境の変化やお友達との関係、毎日の出来事に順応していく中でうまく表現しきれない気持ちを腹痛や不眠、かんしゃくなどの症状として表してしまうこともよくあります。マンダリンやカモミール・ローマンなどの香りが役立ってくれます。

**おすすめの精油**
オレンジ（スイート、ビター）、カモミール・ローマン、ネロリ、マンダリン、ベンゾイン、ラベンダー、ローズウッド、ローズ

### リラックスオイル

ショックなことがあった日やストレスを感じている様子がうかがえるときに。ゆっくりお話を聞きながらお腹をさすってあげるとよいでしょう。赤ちゃんには、植物油のみで行います。

マンダリン　3滴
ローズウッド　2滴またはローズ　1滴
キャリアオイル　50ml（または植物油25ml、無香料乳液25ml）
作り方●基材に精油を加え、よくかきまぜる。

### 便秘と下痢に、「の」の字の手当

便秘のときは、腹部を「の」の字を書くように優しくさすります。下痢はお湯に精油を落としタオルを浸して絞り、腹部に当てて温めます。

ラベンダー　2滴
カモミール・ローマンまたはネロリ　1滴
ホホバ油　50ml
作り方●基材に精油を加え、よくかきまぜる。

### 夜泣き、イライラに

緊張や不安を落ち着かせ、本来の明るさを取り戻してくれる優しい作用の香りを漂わせます。赤ちゃんの夜泣き、イライラしがちなお子さんに。絵本の読み聞かせのときに香りを漂わせるのもなかなかよいものです。

カモミール・ローマンまたはラベンダー　1滴
マンダリンかオレンジ　2滴

方法●電気式のアロマライトで香りを拡散するか、精油をティッシュかコットンに垂らしてお部屋に置く。
＊お子さんが触れないよう注意しましょう。

### みんなのアロマ体験談

#### 「足のお風呂」で元気になりました

息子（4歳）は、毎朝「お腹が痛い」と保育園に行きたがりませんでした。本当に軟便で下痢気味。無理に連れて行くと泣き叫び、親子で途方にくれてしまった日もありました。給食が怖い、先生が怖いといいます。保育園のある日は「足のお風呂に入りたい」というのでオウシュウアカマツの足浴を用意し、夜は親子でラベンダーやカモミール・ローマン、マンダリンなどでトリートメントやアロマバス。やがて元気に登園するようになりました。今、息子は野球が大好きな小学4年生。あれからちょっとした不調には、アロマとハーブを使っています。

（30代　女性）

**アロマケアのポイント**

休息と予防を中心に行います。子どもには、精油よりも作用がマイルドな芳香蒸留水が肌にやさしく大活躍です。ユーカリ・グロブルス、ローズマリー・カンファーなど刺激が強い精油は使いません。希釈濃度も大人より薄めに設定します。また、お子さんが一人で精油に触れることがないよう保管場所に気をつけましょう。

- ●細菌、ウイルスから体を守り、咳や痰を緩和する（抗菌、抗ウイルス、去痰、鎮咳）
- ●体を温め、免疫系を刺激して自然治癒力を高める（免疫強化、消化促進、血流促進）
- ●不安感、緊張を和らげる。安心感をあたえる（鎮静、抗不安、多幸、精神安定）

## 風邪

ユーカリの中では刺激が少ないラジアータ種とティーツリー、マートルを中心にブレンドします。香りの拡散と塗布用クリームや軟膏を併用すると苦しい息や咳を楽にして回復をはやめます。ペパーミントは刺激が強いので、子どもには使いません。

**おすすめの精油**
カモミール・ローマン、ティーツリー、マートル、ユーカリ・ラジアータ、ラベンサラ、ローズウッド、ラベンダー、マンダリン

### 風邪用塗布軟膏

のど、胸元に塗ります。耳痛を訴えるお子さんも多いので耳の下も忘れずに。熱にはユーカリ・ラジアータを垂らした冷水にタオルを浸して体を拭きます。体を少し起こしてから背中を軽くたたいてあげると痰が出やすくなります。

- ユーカリ・ラジアータ 6滴
- ティーツリー 2滴
- カモミール・ローマン 1滴またはラベンダー 2滴
- みつろう軟膏 50g

作り方●基材に精油を加え、よくかきまぜる。
＊基材は市販の無香料クリーム50gでもOK。

### のど・鼻用ジェル

ジェルは、乳液やオイルよりさらっとした使用感です。塗ってすぐに乾きますから鼻の周りやのど、パジャマを着ているときに便利です。

- マートル 3滴
- ローズウッドまたはラベンダー 2滴
- ラベンサラ 1滴
- ジェル基材 22g／ホホバ油 3ml
- タイム・リナロール芳香蒸留水 3ml

方法●基材をよくまぜ合わせ、精油を加える。
＊タイム・リナロールの芳香蒸留水がない場合は、ホホバ油を2倍にするか手持ちの蒸留水で代用してください。また、基材をみつろう軟膏30gで代用できます。

### お部屋の浄化に

お部屋の空気を浄化する優しい香りのレシピです。

- マンダリン 2滴
- マートル 2滴
- ローズウッド 2滴

方法●電気式のアロマライトで香りを拡散するか、精油をティッシュかコットンに垂らしてお部屋に置く。
＊お子さんが触れないよう注意しましょう。

## みんなのアロマ体験談

### 13 ティーツリーとユーカリのうがい効果は抜群！

6歳と10歳の子どもがいます。我が家では、のどに痛みを感じるとティーツリーとユーカリ・ラジアータを1滴ずつ水にたらして、うがいするのが恒例になっています。パパは、扁桃腺が弱いので、今まではいつもイソジンでまめにうがいをしていました。アロマ信者の私の意見は半信半疑のようでしたが、実際に子どもたちがやっているのを見て、アロマのうがいの効果には納得したようです。今ではパパも一緒にやっています。子どもたちも、このうがいで初期の風邪の予防ができ、昨年は発熱するような風邪は引かずにすみました。　　　（30代 女性）

家族・生活編
## ② 入院中のアロマ

自分や家族が入院することになってしまったときに、病室にリラックスする香りを取り入れてみませんか。ベッドサイドの抗菌や手足のトリートメントなど、病室でも簡単にできるセットです。

**アロマ入院セット**
おすすめのものを紹介します。
精油：ベルガモット、カモミール・ローマン、ティーツリー、ペパーミント、ラベンダー、レモン、ローズウッド
キャリア：ホホバ油、ジェル基材、乳液
その他：洗面器、タオル、コットン、消毒用エタノール、マグカップ、スプレー容器、マスク、洗面器、綿棒など

**アロマケアのポイント**

優しい香りは、患者さんだけではなくつきそうご家族の気持ちも和らげてくれることでしょう。ほんの数滴のマンダリンやベルガモット、ラベンダーは落ち込みがちな気持ちを力づけ、ユーカリ、ティーツリーは病室の空気を清浄にしてくれます。個室ではなく大部屋で行う場合は、他の患者さんに配慮し、揮発がはやく香りが残らない軽いタイプの精油を中心に選びましょう。

- ●細菌、ウイルス、真菌から体を守る（抗菌、抗ウイルス、抗真菌）
- ●免疫力を刺激し、自然治癒力を高める（免疫強化、消化促進、血流促進、加温）
- ●心地よく楽しい時間を作り出す（鎮静、鎮痛、多幸、精神安定）

## リラクゼーション・気分転換に

入院中のリラクゼーションなどにアロマは役立ちますが、使用する場合は、担当の医師や看護師さんに一声かけてから行うようにしましょう。また、同部屋の方にも配慮が必要です。
精油は、リラクゼーション効果のあるものやスキンケアに役立つもの、抗菌作用のあるものなどがおすすめです。

**おすすめの精油**
アロマ入院セットの精油の他、オレンジ、ネロリ、マンダリン、ユズ、パルマローザ、ユーカリ（グロブルス、ラジアータ）、サイプレスなど

### 入浴・足浴・手浴でリフレッシュ

入浴、足浴、手浴等を行うときに精油を使うと気分転換、ストレスの緩和も図りやすく、精油の持つデオドラント作用や抗菌作用が体の清潔を保つのに役立ち、保温効果もより持続し入眠を助けてくれます。

ラベンダーまたはマンダリン　2滴
ローズウッド　2滴
精油希釈用の乳化剤（バスミルク）　2〜3ml

作り方●精油を乳化剤に入れ希釈する。お湯に加えてかきまぜる。
＊精油は合計で3〜4滴にします。
＊温度の目安：足浴・手浴は40〜42度、入浴は39〜40度

### アロマの清拭で、気分もさっぱりと

たまには気分を変えて、精油を使った清拭もおすすめです。好きな精油をお湯に垂らして、体を拭きましょう。

ラベンダー　2滴
スイートオレンジまたはティーツリー　2滴
お湯

方法●洗面器1杯の湯に精油を落とし、タオルを浸して絞って清拭に使用する。
＊精油は合計で3〜4滴にします。清拭は実際に肌に触れるときにタオルの温度が下がるので熱めのお湯を用意しましょう。

---

**こんな場面でも！**
入院中でも、アロマはいろいろなお手伝いができます。
方法は、とても簡単！　精油をティッシュに2滴ほど垂らして香りを吸入します。

- ●何か処置や診察を受ける前の緊張の緩和に
  スイートオレンジ、カモミール・ローマン、ラベンダーなどが役立ちます。
- ●食欲があまりなく吐き気もあるときに
  オレンジ、グレープフルーツ、レモンなど柑橘系がよいでしょう。
- ●つらい痰に
  痰を出しやすくしてくれるのはユーカリ（グロブルス、ラジアータ）、ティーツリー、ラベンサラ、ペパーミントなどです。

家族・生活編
## ③ **動物**のアロマ

普段は入浴剤代わりに保温、消臭、汚れを落とす作用があるクレイ（粘土）のみを使用します。皮膚炎や傷があるときは、精油を1滴加えましょう。お腹を支え、手足だけがお湯に浸かるようにします。

### クレイのホット足浴剤
ラベンダー、ティーツリー、マンダリンのうち、いずれか1滴
クレイ 大さじ1〜1.5（約30g）／お湯

作り方●クレイをお湯に入れ、よくかきまぜる。症状があるときは精油を加える。
＊たらいか洗面器を使用してください。
＊耳が温かくなってきたらお湯から出してタオルで水分をよく拭きましょう。

**アロマケアのポイント**

犬や猫、うさぎなど動物の嗅覚は、人間と比べると格段に優れています。換気に十分気を配り、香りをいきなり鼻先に持っていかないよう配慮し、人よりも薄い濃度で反応を見ながら使いましょう。トイレやケージなどの掃除に精油を使った後も、動物がすすんでケージに入ろうとするときはいいのですが、通常は自然に香りが消えてから戻すようにします。

- 細菌、ウイルス、真菌から体を守る（抗菌、抗ウイルス、抗真菌）
- 体の機能を刺激し、自然治癒力を高める（抗ストレス、免疫強化、血流促進、消化促進）
- ダニ、ノミ、蚊を防ぐ。皮膚の健康を保つ（昆虫忌避、癒傷、皮膚軟化、保湿）

## 動物のアロマの注意点

濃い濃度での精油の使用は、かえってストレスになります。基本は0.1％～0.3％（特に敏感な子や体重が軽い子は0.05％以下）に調整し、鼻先ではなく背中側から触れてください。普段は植物油、ハーブティンクチャー、芳香蒸留水を中心に、症状があるときは精油を使い、種類や濃度も変えるなど方法を変えるとよいでしょう。

## おすすめの精油

オレンジ、グレープフルーツ、ゼラニウム、ティーツリー、ネロリ、ヒノキ、パチュリー、プチグレン、ベンゾイン、マンダリン、レモン、レモングラス、ラベンダー、ローズウッド、ローズマリー

＊香りの好みには個体差があります。
＊猫にティーツリー・柑橘・針葉樹系の精油を用いないという考え方もあります。

## ペットの虫除けスプレー

完全に忌避するのは難しいですが、蚊が嫌いな香りを配合しました。顔へ向けず、体の上にスプレーし、軽くブラッシングしてあげてください。

- シトロネラかレモングラス 2滴
- ラベンダー 2滴
- ゼラニウム 1滴
- クローブ 1滴
- 無水エタノール 10ml／水 90ml

作り方●無水エタノールに精油を加え、希釈する。水を加え、よく振ってから使用する。

＊精油は、合計6滴（精油の濃度0.3％）で作製。濃度を薄くするときは無水エタノールと水の量を2倍にするなどします。
＊飼い主さん用には精油の滴数を2～3倍にしてください。

## 足裏・肉球用クリーム

湿疹や乾燥して足裏がひび割れてしまった子に。夏のアスファルトはかなりの熱さに。お散歩のあとにちょこっとつけてあげてください。シアバターの保湿効果で、しっとりすべすべで弾力のある肉球になります。精油なしでも十分効果的です。

- マンダリンまたはオレンジ 1～2滴
- ローズウッド 1～2滴
- ラベンダー 1～2滴
- シアバター 50g／みつろう 20g／ホホバ油 30ml

作り方●シアバターとみつろうを湯煎して溶かしホホバ油を加える。粗熱がとれたら精油を加え、竹串でかきまぜ、固まるまで待つ。

## ペットのトラブル対策シャンプー

ダニ、ノミ、アレルギー、湿疹、かきこわし等がある子に。ノミやダニを予防し、皮膚の再生を助けるアロマシャンプーです。毛並みを整え、つやを出すホホバ油も配合しました。リンスはいりません。

- ラベンダー 1～2滴
- ティーツリーまたはマヌカ 1～2滴
- カモミール・ローマン 1滴
- ゼラニウムまたはオレンジ 1滴
- ホホバ油 20ml／カレンデュラチンキ 10ml
- 石鹸液体シャンプー（無香料）70ml

作り方●ホホバ油にチンキ、精油を加え、希釈する。石鹸シャンプーに加え、よくまぜてから使用する。

## 衛生管理のための掃除用スプレー

ケージ、トイレの消臭と掃除、掃除の仕上げに散布してペーパーでふき取りましょう。不衛生だと皮膚トラブルにもつながります。

- ペパーミント 1～2滴
- ヒノキまたはヒバ 2～3滴
- 無水エタノール 10ml
- 精製水 90ml（またはヒバ蒸留水）

作り方●無水エタノールに精油を加え、希釈する。精製水を加え、よく振ってから使用する。

＊基材は、市販のペット消臭用基材または重曹水（6～7％）100mlでもよいでしょう。

## 家族・生活編 ④ 掃除・洗濯のアロマ

汚れを落とす作用と抗菌作用に優れた成分のリモネンが多く含まれるオレンジが便利です。窓ガラスやガスレンジ、テーブル、電子レンジや冷蔵庫の内部の掃除に使用します。

### オレンジのクリーナーと食器用洗剤
オレンジ 15滴
ローズマリーまたはローズウッド 5滴
クリーナー：無水エタノール 20ml、精製水 80ml
食器用洗剤：無添加の液体石鹸 100ml

作り方●クリーナー…無水エタノールで精油を希釈し、精製水を加え、よく振ってまぜる。食器用洗剤…無添加の液体石鹸に精油を加え、よく振ってまぜる。

**活用のポイント**

基本的には、汚れをよく落とす作用や防ダニ、防カビなどの作用がある柑橘系やハーブ系、樹木系の精油を使いますが、場所によっては、より強力な抗菌作用や抗真菌作用がある精油も利用するとよいでしょう。便器の内側や浴室の水アカ、石鹸カスの頑固な汚れは水で2倍に薄めた酢、2〜5％濃度のクエン酸水（小さじすりきり1〜2杯／水200ml）を吹きかけてから粉せっけん、重曹を使うとよく落ちます。

- ●洗濯、キッチン・トイレは、消臭、抗菌効果もプラスする（抗菌、デオドラント）
- ●洗濯機、浴室は防カビ、じゅうたん、畳は防ダニ効果をプラスする（抗真菌、防ダニ、抗菌）
- ●汚れを中和する素材で前処理すると汚れがよく落ちる（酢の酸、重曹のアルカリの中和、溶解）

---

**教えて！** 重曹やお酢を使ったナチュラル系の素材と精油の使い方を教えてください。

素材には、汚れを溶かして落とすエタノール、油汚れを包み込み、乳化して落とす石鹸、酸性の油汚れを中和して落とす重曹、アルカリ性の石鹸カスやトイレの便器の汚れを中和して落とすお酢などがあります。こびりついたしつこい汚れは、天然塩、重曹で軽く研磨しましょう。それぞれの素材は、一緒に使うと洗浄力がアップ。たとえば重曹と石鹸、重曹とお酢は、抜群の相性。クレイ、重曹はニオイを吸着する力もあるので消臭剤にも利用できます。最初は、消臭剤として粉のまま、トイレや下駄箱に置き、ニオイを吸わなくなったら掃除用クラフトを作ってしまえば、とても便利です。

### 主なナチュラル系の素材と精油

**重曹**（炭酸水素ナトリウム $NaHCO_3$）

研磨作用、中和作用、消臭作用、発泡作用
主に油脂系の汚れ（酸性）を中和して落とす。掃除用には、工業用のグレードのもので十分。粉のままクレンザーにする、水や液体石鹸とまぜてペースト、水に溶かしてスプレーにして使う。シンク、洗面台、浴槽に。ただし、木製、アルミ製品は、黒ずんでしまうので要注意。

**酢・クエン酸**

溶解作用、中和作用、抗菌作用、消臭作用
酢の中の酸は、アルカリ性の汚れを中和、溶解してはがれやすくする。たとえばお風呂場の石鹸カス、ポットやコーヒーメーカーの水アカ、排水口やトイレの便器の内側の汚れに。酢は、重曹と一緒に使うと汚れ落ちがさらにアップ。

**精油**

抗菌作用、溶解作用、防虫作用
もともとの素材の力に精油の作用が加わると効果がよりアップする。スイートオレンジ（*Citrus sinensis*）が便利。主要成分リモネンは、汚れを溶かして落とす。ティーツリーのテルピネン-4-オール、ペパーミントの$\ell$-メントールは、抗菌作用に優れ、掃除向き。

#### ワンポイントアドバイス

- ●リモネン、シトラール、ヒノキチオールといった精油の成分は、抗菌、洗浄、防虫効果に優れており市販品にも配合されている。
- ●エタノール、酢、精油でニオイの元となる細菌の繁殖をおさえ、精油の香りでニオイをマスキング（カバー）して消臭もできる。
- ●重曹、クレイ、炭は、ニオイそのものを吸着して消臭する。

## キッチンやお部屋のお掃除に

ほのかな香りで気分もすっきりとして掃除が快適に！床、畳などの拭き掃除に精油を2～3滴垂らした水を使います。防ダニや殺菌効果もあり、しつこい汚れが落ちやすくなります。精油と重曹、エタノールの組み合わせもおすすめです。

**おすすめの精油**
オレンジ、クローブ、タイム、ティーツリー、ヒノキ、ペパーミント、ユーカリ・グロブルス、ラベンダー、レモン、ローズマリー・シネオール、ローズウッド

---

### じゅうたん・車内の汚れに

汚れとニオイを落としてくれる重曹と塩を使います。車には、運転中眠くならないすっきりした香りが向いています。

レモングラスまたはローズマリー 10滴
ティーツリー 10滴
塩 200g／重曹 200g

作り方●材料を全てまぜ合わせ密閉容器に保存する。塩を入れずに、重曹400gで作製してもよい。
＊汚れた部分に振りかけ、しばらく放置して掃除機で吸いとります。最後に固く絞った雑巾でよく拭きましょう。
＊ローズマリーはシネオールでもベルベノンでもよいです。

---

### 洗面台・シンク・バスタブのクレンザー

皮脂や油の汚れを中和、研磨作用もある重曹をクレンザー代わりに使います。自宅の洗剤との併用も可能です。料理の後のフライパンと魚焼き器を洗うときに効果抜群！

スイートオレンジまたはレモン 10滴
ティーツリー 6滴
クローブまたはタイム 3滴
A　重曹 200g（または重曹 120g、粉石鹸 80g）
B　重曹 150g、液体石鹸 40ml、酢 10ml

作り方●A、Bどちらかを選び、材料と精油をまぜ合わせ密閉容器に保存する。
＊多少古くなった精油でも大丈夫です。

---

### キッチン用除菌スプレー

梅雨時など食中毒が気になる季節に手指、包丁、まな板などにシュッとひと吹き。ペパーミントは、殺菌、消毒する作用があります。ニンニクを調理したあと、手に塩を取ってスプレーをシュッとしてこすり合わせるとニオイが取れます。

ペパーミント 8滴
レモン 12滴
無水エタノール 20ml／精製水 80ml

方法●無水エタノールで精油を希釈し、精製水を加えよくまぜる。
＊上記にクローブと月桃、タイムなどを5滴ほど加えると抗菌作用が増してゴミ箱、三角コーナー用の除菌・消臭スプレーになります。

---

### トイレの床掃除・消臭用スプレー

トイレの床や便座にふきかけて掃除したり、水を流した後に便器の内側にスプレーしておきます。残り香もよいのでトイレが楽しみになるかもしれません。

ペパーミント 10滴
ローズウッドまたはラベンダー 5滴
ベルガモットまたはライム 10滴
無水エタノール 60ml
精製水 140ml

方法●無水エタノールで精油を希釈し、精製水を加えよくまぜる。
＊酢と水を1：1でまぜたもの200mlを基材としてもよい。

## 衣類、洗濯に

抗菌作用があり衣類をふんわりと香らせる精油を使用しましょう。カモミール・ジャーマン、ジャスミンなど色が濃い精油は向きません。中世のヨーロッパでは、シーツをラベンダーやローズマリーの株の上に干して香りをつけたそうです。

**おすすめの精油**
ペパーミント、ハッカ、ユーカリ（グロブルス、ラジアータ）、ティーツリー、ラベンダー、ローズマリー・シネオール

### リネンの香りづけとニオイ予防

重曹と精油を入れると洗剤の量を2〜3割ほど減らすことができます。ポイントは洗剤より先に重曹を溶かすこと。重曹と精油の効果で部屋干しのニオイもおさえられ、洗濯物もふんわりと仕上がります。洗濯物の香りづけには、アロマスプレーを作り、干した洗濯物やアイロンのときに吹きかけるという方法もあります。

ティーツリー、ユーカリ、ラベンダー、ローズマリーのうちいずれか1、2種類 合計10滴
重曹 50g／洗濯用洗剤（適量）

方法●あらかじめ精油と重曹を入れてから洗剤を入れる。
＊精油だけでも。
＊干した洗濯物には、精油10滴、無水エタノール10ml、精製水40mlでアロマスプレーを作り、ふきかけてください。

### 洗濯槽の掃除と除菌に

石鹸カスやカビの汚れには酢や重曹が役立ちます。月に1度くらい行うとよいでしょう。

ティーツリー 10滴
ユーカリ・グロブルス 10滴
重曹 200gまたは酢 200ml

作り方と使い方●洗濯槽の中に水をため、重曹あるいは酢と精油を入れて洗濯機を回し、時間をおいて排水する。

### 衣類の防虫用香りサシェ

衣類の防虫剤や香りづけに使います（写真上）。ドライのハーブをコットンの代わりにしてもよいでしょう（写真下）。香りはやがて弱くなるので、定期的に精油を垂らしましょう。

シダーウッド（レッドまたはアトラス） 3滴
ラベンダー 2滴
パチュリー 1滴
レースのハンカチや袋、コットン

作り方と使い方●レースのハンカチや袋（お茶パックやだしパックでもよい）に、精油を数滴含ませたコットンを入れ、クローゼットなどに。

## column ④ 妊娠中のアロマテラピー

週数によって使えない精油を確認する、お腹が張る時は行わないなどいくつかポイントさえ押さえればアロマテラピーは、つわり、むくみ、熟睡感のなさ、腰痛、背中の痛み、便秘など妊娠中の不快な症状（マイナートラブル）の緩和にとても役立つものです。

下記の表は、妊娠中のアロマテラピーについてポイントをまとめたものです。体調やそれぞれのケースによって注意点が変わるので、担当医師、助産師、アロマセラピストに相談しながら行いましょう。

家庭では、柑橘系の精油をメインに芳香浴、アロマバスでアロマを活用してください。

初めての妊娠にアロマケアを取り入れた中浜薫さん。妊娠7か月から定期的にトリートメントに通い、ご自宅では、お腹と腰周り、重くてだるい足を毎日欠かさずセルフトリートメント。お風呂にゆっくり入って体を温めるよう心がけました。「アロマをはじめて、ピリピリした感じがなくなったね」と夫の賢一郎さん。「今のほうが活動的。だるさも少ない。前は、仕事だけで疲れちゃったけど。もともとボディクリームを塗るのが好きだから、それが自分のケアにもなればなお嬉しい」と薫さん。いつもは夜2、3回起きてしまうのに、アロマトリートメントをした当日と翌日は朝までよく寝られるなど、効果が目に見えることも励みになったそうです。

やがて女の子が誕生。気にしていた妊娠線は出来ませんでした。産後もベビーマッサージや母乳のためのハーブティーを続けているそうです。

妊娠中のトリートメントはシムスの体位で行う。

|  | 月数 | 週数 | 妊娠中のアロマテラピーのポイント |
|---|---|---|---|
| 妊娠初期<br>11週6日まで | 3か月 | 8〜11週 | ●妊娠初期は、精油の使用を避ける。<br>●個人差があるが柑橘系の吸入でつわりの症状が楽になる人も。 |
| 妊娠中期<br>12週0日〜<br>27週6日まで | 4か月<br>5か月<br>6か月<br>7か月 | 12〜15週<br>16〜19週<br>20〜23週<br>24〜27週 | ①**妊娠全期**<br>妊娠全期を通じ、切迫流産・早産の傾向があり、お腹が張るときはアロマテラピーを一切行わないこと。毎回、張りを確認する。安定期に入ったらアロマを開始。16〜20週が目安。妊婦さんにストレスと冷えは大敵！家庭では体を温め、リラックス効果がある精油を中心に。<br>ラベンダー（真正）、スイートオレンジ、ローズウッド、マンダリン、ユズ、レモンなど→芳香浴、アロマバス、部分トリートメント |
| 妊娠後期<br>28週0日〜<br>41週6日まで | 8か月<br>9か月<br>10か月 | 28〜31週<br>32〜35週<br>36〜41週 | ②**妊娠後期**<br>睡眠不足、疲労、足のつり、むくみ、腰痛、背部痛が増加。→背中や下肢、お腹周りのトリートメント、妊娠線の予防ケア<br>仰臥位低血圧症候群に注意。「シムスの体位」が妊婦さんには楽なのでおすすめです。<br>③**37週0日〜**<br>禁忌だった精油も一部解禁。アロマセラピストの指導・管理のもと、クラリセージ、クローブ、ジャスミン、ジュニパー、パルマローザなどもお産に向けた心と体の準備に使われることがあります。<br>④**いよいよお産**<br>慣れ親しんだ好きな香りと分娩促進の精油を準備。<br>長丁場に備え、ハーブティーと緊張をほぐす芳香浴がおすすめ。 |

※仰臥位低血圧症候群とは……仰向けの姿勢を長くとると背中の血管が圧迫され、冷や汗、息苦しさ、血圧低下や貧血様の症状が起こる。体を左に向けるとすぐにおさまる。

※シムスの体位とは……まず、左側臥位になり、右手、右足を曲げ、抱き枕をかかえる。反対の手足を後ろに抜く。楽な姿勢になるよう、枕やクッションを使うとよい。右側を下にしてもよい。

## 日本のアロマテラピーの現状と展望

リラクゼーションから
メディカルへ
メディカルから
リラクゼーションへ

アロマテラピーをご自身の専門分野に
取り入れている方々を様々な方面から取材し、
将来の展望や現状についてお話をうかがいました。

植物の香りを利用したリラクゼーションやヒーリング(癒し)の方法として、アロマテラピーが日本に導入されてから20数年たちました。その広がりは、単にアロマテラピーの分野だけにとどまることはありませんでした。

現在、アロマテラピーは、エステティックやヒーリング系のセラピーを提供するサロン、鍼灸・整骨・整体などの治療院、病院、介護施設、助産院などでも取り入れられるようになりました。リラクゼーションからメディカルへ、そしてメディカルからリラクゼーションへ。一方通行ではなく、「癒し」と「医療・治療」の世界が互いによりそい、融合してクライアント(患者)の心と体の健康レベルを高めようとする流れが生まれているのです。

植物油に精油を希釈してトリートメントを行う、香りの吸入、アロマバスなど基本的な精油の使い方は変わりませんが、希釈濃度やトリートメントのアプローチの方法は、取り入れられた分野により少しずつアレンジされています。どの視点から精油を利用するかによって新しい言葉も生まれています。ファミリー・アロマテラピー、ビューティー・アロマテラピー、ホリスティック・アロマテラピー、スポーツ・アロマテラピー、メディカル・アロマテラピー、マタニティー・アロマテラピー、アロマ・ヒーリングなど多数あります。同じアロマテラピーといってもそれぞれの言葉が示す内容は少しずつ違い、日本の土壌に合わせて独自の発展を遂げた結果といえるでしょう。さらに、今まであまり関係がなかった農業や園芸、福祉、教育などの分野でもアロマテラピーとの間に接点が生まれています。

## 医療01
## 現代医療と代替療法を融合し、クオリティーの高い看護を提供したい

**横田実恵子**先生
東京警察病院産婦人科 助産師・英国IFA認定アロマセラピスト

　助産師・横田先生がアロマテラピーを学んだのは、自らの看護の質の向上が目的でした。産後の友人を訪問し、その疲れきった姿を目の当たりにし、生活エリアに入ることではじめて見えてきたものがあったそうです。もっと何かしてあげたい、マイナートラブル*に対してもできることがあるのではないか。悩んだ末に出合ったのがアロマテラピーでした。慣れない育児に心身ともにストレスを抱える母親の背中をトリートメントし、悩みを傾聴すると、母乳の出もよくなり、笑顔が戻るといいます。

　院内でのアロマセミナー、看護研究、自身も経験を重ねる中で確実な手ごたえを感じ、看護部長を通して院長への起案書を提出、産科でのアロマテラピーの体制を整えていきました。

　産科での導入は比較的スムーズだといいます。出産は自由診療であること、バースプランをたてる「妊婦主体のお産」へのニーズの増加などが理由だと考えられます。

　現在、常勤助産師、看護師のアロマテラピーの有資格者は4名。アロマセラピストとして、また医療者として、両方の視点からのアセスメントを心がけ、妊婦検診と母親学級では、マイナートラブルの緩和や分娩・産後に役立つアロマテラピーの方法を指導しています。

　「お産になって初めて精油を使うよりも妊娠中から取り入れ、そのままの流れでお産に入るとアロマテラピーの効果を最大限に引き出せます。不安や緊張が強いとお産は進みません。お産の初期では、慣れ親しんだ好きな香りを漂わせて気持ちをやわらげ、いよいよ痛みが強くなったら精油を使った温湿布やマッサージで心も体も弛緩し、休息させることで自然なお産へと整えます。私は、充実したお産の体験がその後のよりよい育児へとつながるものだと考えています」

＊マイナートラブルとは
順調な妊娠の経過をたどるにつれ、多くの妊婦が訴える不快症状。医学的な「治療」の対象ではない。腰部・背部痛、つわり、むくみ、静脈瘤、熟睡感のなさ、など。アロマトリートメントを行うとかなり緩和されるという。

助産師としてのスキルにアロマテラピーを取り入れ、妊娠・出産・産後育児までを視野にいれた継続的でホリスティックな看護ケア・保健指導に取り組んでいる。2003年、英国IFA認定アロマセラピスト資格取得。東京警察病院では、アロマテラピー外来を開設している。

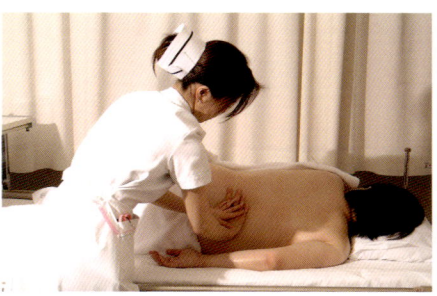

妊婦さんに左手と左足で抱き枕をかかえてもらい、シムスの体位にてアロマトリートメントを行っているところ。痛みやだるさの訴えが多い肩、腰、下肢は特に念入りに行う。背中のトリートメントはリラックスしやすく、妊婦さんからの人気も高い。

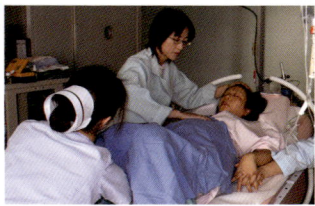

上・アロマ外来で主に使用する精油は、クラリセージ、ローズウッド、ラベンダー、スイートオレンジなど。

下・伊澤登志子さんはバースプランの中で夫とアロマセラピストの立ち会いを希望。写真は、分娩室にて助産師が会陰押さえをしているところ。産婦、夫、アロマセラピスト、助産師がお産に向けてそれぞれの役割を行う。お産進行中の体位は、産婦が心地よいと感じるものに合わせて随時変えて施術を行う。痛みの合間にふっと眠ったあと、強い陣痛が来て男の子が誕生。

## 医療02
# 医療と自然療法を結ぶコーディネーターを目指して

**中村裕恵**先生
トータルヒーリングセンター　ホメオパス・ヒーラー、医師

　ホメオパシー、アロマテラピー、ヒーリングなどの自然療法を取り入れ、通常の医療機関ではなかなか実現できなかったセラピーを実践している中村裕恵先生にお話をうかがいました。

　10数年前、病院の総合診療科で一般内科医として日々頑張っていた中村先生。働きづめでアレルギーが悪化。気分転換に教室へ行ってみたのがアロマテラピーとの最初の出合いでした。

　人間は心と体が一体となった存在であると考えるホリスティック医学について学ぶうち、心と体を統合している気（生命エネルギー）の存在にも気づきはじめました。まずアロマテラピーを補完療法として入院患者さんに導入しましたが、仲間の医師の受け入れはあまりよいものではありませんでした。

　「病気を持った患者さんやその家族を含めた患者さんを取り巻く環境や意識を変革するような医療、半健康人だと感じている人たちが健康に自信が持てるように手助けする医療を目指そうと決意しました」という中村先生は、やがて病院からクリニックへと勤務の場を変え、先生がホメオパシーのレメディやフラワーエッセンスを処方し、アロマトリートメントをアロマセラピストにまかせて連携しながら患者さんに自然療法を提供するというスタイルを数年かけて作り上げ、地域医療の中で徐々によい成果をあげていきました。

　先生の次の目標は、患者さんや一般の人に一般論としての病気の知識やセルフケアの方法を指導すること、生命エネルギーそのものを強化し、整えることで心身の不調の改善を図ること、医師、治療家、セラピストなど健康や治療に関わる人へのメンテナンスを行うことの3つです。そのための場も立ち上げました。「医療だけでは足りないと思われる部分を自然療法で補う統合医療を行う際に、私が大切にしていることは、医療のプロとして、またホメオパス、ヒーラーとしてそれぞれのプロの目からみたてることです。その人にあった自然療法を推薦し、セラピストさんと連携しながら患者さんやクライアントさんのセルフケアを助けるコーディネーター的なドクターでありたいと思っています」

> 1992年医師となる。ホメオパシー、アロマテラピー、ヒーリングなどを学び、それらを取り入れたホリスティックな医療に取り組んでいる。一般病院、診療所、クリニックの勤務を経て2007年、エネルギー医学の研究と実践を行うトータルヒーリングセンターを開設。

健康相談中の中村先生。クライアントが訴える不調を総合的判断し、その人に合うと思われる自然療法を提案する。場合によっては、医療的な治療を行うようアドバイスすることもあるという。相談は足浴をしながら行い、クライアントが心身ともにリラックスできるよう気を配る。

一般の方を対象に、アロマテラピーやホメオパシーの季節ごとのセルフケアの方法を指導する講座をはじめ、専門家を対象としたスキルアップのための自然療法のセミナーも開催している。

様々な自然療法の中から、それぞれのクライアントに合ったセラピーが受けられる。写真は、右下からヒスイ、玄武岩、フラワーエッセンス、ホメオパシーのレメディ、オーラソーマボトル、精油。石はアロマテラピーと組み合わせて行う、トータルヒーリングセンターオリジナルのトリートメントに使用する。

**教育01**

## 植物と人とをコーディネートできる人材を育てたい

**木村正典**先生
東京農業大学農学部 バイオセラピー学科 人間植物関係学研究室准教授

　時代の流れとともに、「人と植物の共生」をキーワードとして自然環境の保護、健康、福祉、心の癒しという側面を含めて植物のもつ機能を再評価し、人と植物との関わり方を研究する新しい学問が生まれました。いちはやくこの分野の研究室を立ち上げた木村先生に、園芸や農業に関する講義や実習に加え、アロマテラピーの導入を決めた理由をうかがいました。

　「都市に住む人のQOL（生活の質）を高めたり、都市の環境を向上・改善するために、植物がもつ多面的な働きを生かして人と社会のリレーションシップに活用したいと考えています。将来、学生が学んだ知識をもとに社会の中での具体的な生かし方を考えたときに、アロマセラピストやガーデンデザイナーという職業があり、栽培から離れた分野でも活躍できるということを知ってほしかった」

　そんな思いが講義に取り入れるきっかけだったといいます。先生が目指しているのは、より豊かな暮らしの実現や地域コミュニティの活性化に園芸やアロマテラピーを利用すること。たとえば、小学校やマンションの屋上などに菜園を作り、その手入れを通して人々が触れ合える場所や機会とする。自分で種をまき、育て、収穫し、それを味わうという体験は、子どもたちの情操を育み、食育や環境問題への関心にもつながります。造園業者はメンテナンスフリーの庭造りを目標としますが、家庭では「かかる手間」を一緒に楽しもう！　という発想なのです。

　その時にリーダー役になれる人材、専門知識を生かして人と植物とをつなぐコーディネーターを数多く育てることが先生の夢。

　「人と植物のパートナーシップ、人と人との絆を結ぶきっかけや場をつくる可能性がアロマテラピーにはあると思う。広い意味では、アロマテラピーも人間植物関係学の研究対象に入るのです」

　ガーデニングやアロマテラピーが求められる背景には、都会で失われつつある緑への欲求があるのかもしれません。どんなに生活が便利になっても自然と離れて暮らしていくことは決して出来ない、お話をうかがってその思いを強く持ちました。

> 木村先生のご専門は、都市園芸学。主な研究テーマは、都市における園芸の役割、技術開発、屋上緑化、建物緑化、植物による都市アメニティの向上など。ご自身が担当する「ハーブの育て方」、「分野別実験・実習」の中でアロマテラピーを取り入れている。

街路樹下のラベンダーの植栽。暑さや蒸れに弱く、夏の切り戻し作業は欠かせない。手入れは、学生と市民が一緒に行う。花は、クラフトに加工する。卒業後も地域で指導が出来るようキャンパス見学会などでは、クラフト作りの講師役を学生が担当する。

上・東京都世田谷区のある小学校では、子どもたちが屋上で、エダマメやニンジン、ミニトマトなどを育てている。木村先生は、その指導にも積極的に携わる。「ただ、植えるだけじゃなくて食べられなきゃ。収穫の喜びやクラフトを作る楽しみを味わってもらいたいんだ」と話す先生はとても楽しそう。

下・アロマ実習後、「トリートメント中はいつもより友達と話が出来ると気づいた」、「家族にもやってあげたい」などのレポートが寄せられている。

**教育02**

## 患者さんに寄り添える看護を目指して

**茶園美香**先生
慶應義塾大学看護医療学部 准教授 臨床看護学担当

　看護学は、医学的知識、心理学、社会学などの学問を土台にした実践的で総合的な学問です。患者さんの全体（身体、心理・社会、スピリチュアル）を見て、その方が抱える苦しみを和らげる、それが茶園先生の「緩和ケア」の大きなテーマです。

　「痛みの緩和は、薬を使うのが原則ですが、心の痛みやスピリチュアルな痛み（生きる意味を見失う）のような薬では緩和できない苦しみもあります。それらを少しでも和らげる看護を提供するために緩和ケアの考え方と方法論を学ぶ科目を設けています」

　学生に緩和ケアの考え方と方法論を教える中で、いくつかある補修療法の中からなぜアロマテラピーを選んだのか、その理由をうかがいました。

　「手を生かしたケアは、少なくなる傾向があります。緩和ケアでは、この手を生かしたケアがとても大切だと考えています。アロマは香りだけではなく、トリートメントしながら患者さんに触れて関わることができますね。アロマを使うと人に触れやすくなり、それによって心地よさが生まれ、心が和らぎ、心を開放する効果もあるように思います。また、鎮痛薬による緩和方法に加えてアロマテラピーを学ぶことで、患者さんの苦しみを和らげる選択肢が増えると考えています」

　アロマの勉強をして病院実習に出た学生が、患者さんにレモンとジンジャーの精油を使ってマッサージを行ったケースでは、化学療法を受け、吐き気に苦しんでいらした患者さんの吐き気が落ち着き、希望されていた外泊ができたそうです。また、アロマテラピーを行っている間、患者さんがご自分のことをたくさん話され、実習先の看護師さんに驚かれたケースも多かったといいます。身体的な心地よさと共に苦しみを表現しやすくなった、つまりアロマテラピーが患者さんの苦しみに関わる入り口、きっかけになったのかもしれません。

　「大学病院であっても、患者さんのニーズを満たし、寄り添う、そんな関わりが出来る看護師であって欲しい。アロマテラピーがそのための引き出しのひとつになればと思っています」

> 茶園美香先生のご専門は、緩和ケア。看護学生が緩和ケアに関心を持つことを目ざして、講義・演習・実習を必修科目にしている。この緩和ケア領域の演習・実習を必修とする看護大学は、全国でも数少ない。アロマテラピーは、患者さんに手で触れるケアを提供するための方法として取り入れている。

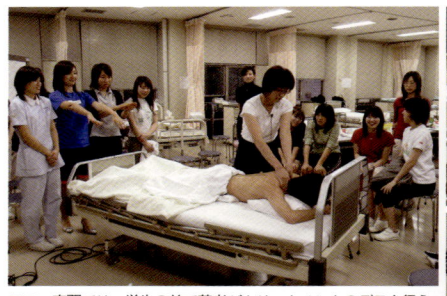

アロマ実習では、学生の前で著者がトリートメントのデモを行う。その後、2人ひと組のペアになりトリートメントの実習を行う。使用するトリートメントオイルは、それぞれが精油を選び、ブレンドしたオリジナルのもの。

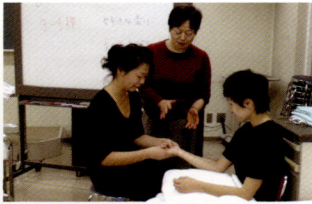

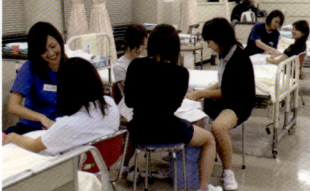

上・学生にやさしく話しかける茶園先生。技術的なことだけでなく、トリートメントをしてもらうとどんな気持ちがするか、どうすると相手が心地よいと思うかなど、実践に役立つ指導を行っている。

下・足浴をしながら手のトリートメントの実習を行っているところ。足浴は、好みの精油をブレンドしたバスソルトを使用。

## スポーツ

## 選手の立場にたち、現場に対応したアロマケアを提供したい

**軽部修子**先生
スポーツアロマ・コンディショニングセンター　チーフトレーナー

　香りを嗅いでリラックスするという一般的なアロマテラピーのイメージと軽部修子先生が提案するアロマテラピーは全く違うものです。有名な自転車レースのツール・ド・フランスに参加するフランスナショナルチームはアロマテラピーを取り入れたケアを行っていますが、ここ数年、日本でもスポーツとアロマテラピーの結びつきが強くなってきました。

　日本最大の自転車レース、ツアー・オブ・ジャパンに参加する「パールイズミラバネロ」というクラブチームに軽部先生のトレーナーチームは毎年帯同しています。8日間の間に1日100〜200kmを走り切る過酷なレースです。試合後の筋肉疲労はすさまじく、通常の精油の希釈濃度（1〜2％）ではリカバリーしないので基本は5％、場合によってはもっと濃い濃度で用いるそうです。事前の肌質のチェックは必要ですが、選手の格段の運動量と代謝のよさ、1時間に1〜1.5リットルと試合中に摂る水分量も多く、汗や尿から速やかに排泄され、問題はないとのこと。捻挫にはペパーミント、シラカバ、ヘリクリサムを加えたクレイ湿布で素早くアイシングを行います。

　「選手は試合のためだけに厳しい練習に耐えています。ケガで出場できないことになったとしたら……。私も選手だったことがあるだけにその辛さは痛いほどわかります。精油を使ったほうが使わないよりも短時間で筋肉をほぐし、活性化できます。次の試合までにいかにはやく怪我や疲労を回復させ、準備が出来るかがアスリートには重要なポイントです」

　広瀬由幸さんはアパレルメーカーに勤務する40代後半の一般アスリート。05年から毎年宮古島トライアスロンレースに参加しています。軽部先生の施術を定期的に受けるようになってから怪我が減り、モチベーションもあがってきたそうです。「昔とは疲れの抜け方が全然違います。試合の次の日でも痛みがかなり軽減し、リカバリーされます。筋肉の質も柔らかくなりました。月に1〜2回施術を受けますが、あとは自分でオイルをすり込んでいます。私にとってメンタル面のケアも大切です。心と体の両方にアプローチできるアロマは有効な武器です」

> 軽部先生は、スポーツメーカーに勤務する中で怪我やストレスに悩む多くの選手たちと出会った。ご自身の選手としての経験を生かし、プロのスポーツ選手や一般アスリートを対象にスポーツアロマ・コンディショニングを提案。選手に合った施術を行うことができるトレーナーの育成にも努めている。

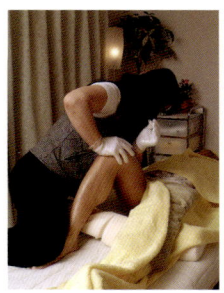

左・スポーツアロマ・コンディショニングは運動前の筋肉をいち早くウォーミングアップし、運動後の疲労や痛んだ腱や筋肉の早期回復に導くもの。精油の希釈濃度も通常よりも濃い2.5〜5％を基本とし、施術方法も腕などを使って力を入れて行う。写真は、硬化した腸脛靭帯をケアしているところ。
右・広瀬由幸さん。試合直前は、軽部先生のサロンを訪れる。

上・軽部先生がいつも使っているクリームとオイル。「パールイズミラバネロ」の選手も日常の手入れに使用している。

下・日本最大の自転車レース、ツアー・オブ・ジャパンでの軽部先生のトレーナーチームの活動の様子。選手のケアは数人で行うこともある。トレーニング以上に運動後のアフターケアが重要であり、一流選手ほど怠らない。

## 謝辞：あとがきにかえて

本書はアロマテラピーについての基本的な事柄をまとめたものです。日本にアロマテラピーが導入されてから20数年がたち、科学的な検証もなされるようになりつつあります。可能な限り最新の情報を盛り込むよう努力しました。また、科学的に立証されてはいませんが伝統的な民間薬として広く知られている効用やブルガリア、マダガスカル、パプアニューギニア、ドイツで著者が聞き取り調査したもの、臨床で感じたものも併記しました。原料植物72種の学名についてはラテン語での読み方をカタカナで表記しましたが、完全な発音を表現しきれないことをご理解ください。浅学ゆえ誤りもあるかと思います。忌憚なきご意見を賜れれば幸いです。

執筆にあたっては多くの方のご協力をいただきました。快く写真を提供してくださった斎藤誠さん、理恵・ワーケンティンさん、ペルーIIAPのElsa.Rengifo先生、小野セシリアさん、東京農業大学の宮田正信先生、木村正典先生、伊藤健先生、貴重な資料を提供くださり、植物療法の歴史についてもご指導くださった大槻真一郎先生、何度も原稿に目を通してくださった三上杏平先生、中村裕恵先生、取材にご協力いただいた各先生方、マダガスカルIMRAのDelphin.Rebehaja先生、北海道医療大学の関崎春雄先生、北見ハッカ記念館の佐藤敏秋さん、ジャパン・ハーブ・スクールの尾上豊さん、クライアントの皆さんに厚くお礼申し上げます。アロマテラピーを最初に伝授くださったハーバートハウスの栗崎小太郎先生、セラピストとして育ててくださり、今も励まし続けてくださるビーワンセルフの河合直樹先生、河合裕美先生、Academy of Holistic Studiesの北畠英子先生には感謝の言葉しかありません。

きっかけとは面白いものです。子どもの頃、草花の標本作りや母と行ったバラ園でのスケッチを通じて植物に興味を持ちました。そして学生時代に聞いた「21世紀は園芸治療の時代が来る」という言葉、それらがなかったらアロマセラピストになっていなかったかもしれません。興味が向くまま、止めることなく自由に道を進ませてくれた両親、応援してくれた友人、家族にも感謝致します。新星出版社の皆さん、コーディネーターの新谷佐知子さんには大変お世話になりました。デザイナーの飯野明美さん、写真家の一之瀬ちひろさん、スタイリストの宮田麻貴子さん、イラストレーターの佐藤繁さん、大西里江子さんは、この本をとても美しくわかりやすいものに仕上げてくださいました。心より感謝申し上げます。

2008年8月　和田文緒

# 索引

### あ
足裏の反射区 170
圧搾法…43
アロマクラフト…61、74、88
アロマテラピーの禁忌…55
アロマテラピーの作用…34
アンチエイジング…228
アンフルラージュ法…43
胃痛…187、189
胃もたれ…188
インフルエンザ…182
エフルラージュ…92
エマルシファイングワックス…71
オイリー肌のケア…224
オイルトリートメント…61
オイル塗布…37、89
嘔吐…231
落ち込み…207

### か
香りの拡散…59
香りの強弱…67
香りのノート…64
果実酢…71
風邪…181、182、235(子ども)
肩こり…175、176、206
下半身の疲れ…177
花粉症の予防と対策…220
かゆみ対策…226
カリテバター…70
眼精疲労…177
関節痛…178
肝臓(の強壮)…190
乾燥肌のケア…225、226
気管支炎…183
傷あとの予防…227
ぎっくり腰…179
気分転換…208、237

基本の姿勢…93
キャリア…56、70
キャリアオイル…71、160
嗅覚…30、31、32、33
強擦法…92
切り傷の応急手当…232
起立性低血圧…199
筋肉痛…176
筋肉裂傷…179
クールダウン…174
クエン酸…71、241
グリセリン…71
クレイ…70、76、83
軽擦法…92
ゲートコントロール説…36
怪我の応急手当…232
月経痛…212、213
ケモタイプ…41
下痢…187、188、189、234(子ども)
腱鞘炎…178
高血圧予防…219
抗ストレス…204
香調…66
光毒性…55
更年期の不調…214
心を鎮めたい…204
鼓腸…191
こむら返り…176

### さ
坐骨神経痛…178
痔…200
シアバター…70
ジェル基材…70
色素沈着の予防…227
脂質異常症予防…219
思春期の不調…212
歯痛…231

しみの予防…227
ジャン・バルネ…23
重曹…71、241
集中したいとき…208
消炎…178
消化不良…188
揉捏法…92
静脈瘤…200
消耗…207
症例…185、201、209
食あたり…188
女性ホルモン…211
ショック…207、231
腎臓(の強壮)…194
心配…205
酢…241
水蒸気蒸留法…42
頭痛…206、231
ストレス性の不調…202、234(子ども)
生活習慣病予防…218
成熟期の不調…213
精神的動揺…231
精神疲労…207
精製水…71
精油…38、40、42、44、52、53、106、241
精油希釈剤…71
精油成分…48、49、50、51
精油滴数の計算…57
精油の主な作用と意味…45
精油の化学…48
精油の希釈濃度…57、58
精油の吸収・排泄経路…46、47
咳…181、183
施術のポイント…89
セルフケア…172
喘息の予防…221
洗濯のアロマ…240、243

疝痛…189
前立腺肥大…195
掃除のアロマ…240、242、243

### た
体内浄化…192
タッチング…34、35、36
打撲…179、233
だるさ…177、184
痰…183
チャクラ…68
調合…67
腸内ガス…191
鎮痛…178
低血圧…199
デトックス…218、219
手のあて方・置き方…93
天然塩…70
動悸…199
動物のアロマ…238、239
糖尿病予防…219
動脈硬化予防…219
トップノート…65
ドライハーブ…70
トリートメント…89、90、94(背中)、95(腰・お尻)、96(下肢)、97・102(お腹)、98・100(ハンド・腕)、99(頭)、99(頭皮の動かし方)、101(ひざ下・足裏)、102(フェイス)、102(みぞおち)、104(デコルテ・首・肩)

### な
ナックリング…92
ニーディング…92
ニキビ…225
二次代謝…38

入院中のアロマ…236、237
乳化剤…71
乳化ワックス…71
妊娠出産のアロマ…54、244
眠りが浅い…205
捻挫…179、233
のどの痛み…183
乗り物酔い…231

### は
ハーブ…38
排便リズムの乱れ…189
パウダー類…72
吐き気…190、231
はちみつ…72、76
発熱…184
鼻づまり・鼻水・鼻風邪…184
冷え性…198
疲労感…177
肥満予防…218
日焼けのケア…227
敏感肌のケア…226
頻尿…194
頻脈…199
不安…205、234(子ども)
二日酔い…190
不眠…205、234(子ども)
フリクション…92
プレッシャー…205
ブレンド…62、63、64
ブレンドファクター…64
フロクマリン類…55
ヘアケア…229
ベースノート…65
ベッドのセッティング…91
便通…189
便秘…189、234(子ども)
膀胱炎…193、195、214

芳香蒸留水…72
芳香植物…38
ホールディング…92

### ま
抹茶粉…72、76
マルグリット・モーリー…24
みつろう…70
ミドルノート…65
無気力…207
むくみ…200
虫刺され…233
無水エタノール…71
無添加せっけん…71
胸やけ…188
免疫(力)…217

### や
やけど…233
憂うつな気持ち…207
有機溶剤法…43
腰痛…175、176、215

### ら
リウマチ…178
利尿促進…194
リラクセーション…237
リンパ節…198
ルネ=モーリス・ガットフォセ…23
冷却…179
冷浸法…43
老年期の不調…215
ロバート・ティスランド…24

# クラフト・レシピ索引

## あ

アロマキャンドル…
　消化器の不調 186
アロマ救急箱…230
アロマジェル…82、眼精疲労177、
　鼻風邪184、レスキュー202、
　日焼け肌227、虫刺され233、
　のど・鼻（子ども）235
アロマシャンプー…88、
　クレンジング 229、動物 239
アロマスプレー…84、
　クールダウン 174、
　受傷直後の冷却 179、風邪 182、
　動悸（頻脈）199、
　低血圧・起立性低血圧 199、
　不眠・眠りが浅い 205、
　エアフレッシュナー 208、
　花粉症 220、すり傷・切り傷 232、
　虫除け233、虫除け（動物）239、
　掃除（動物）239、
　除菌（キッチン）242、
　トイレ（床掃除・消臭）242
アロマ入院セット…236
アロマバス（入浴剤）…
　風邪予防 180、湿疹・かゆみ 226
アロマバス（バスソルト）…
　疲労回復 177、痛み 178、
　二日酔いの朝 190、頻尿 194、
　膀胱炎 195、冷え性 198、
　低血圧・起立性低血圧 199、
　プレッシャー・不安 205、
　ストレス性の肩こり・頭痛 206、
　憂うつ 207、
　情緒の安定・ストレス発散（思春期）
　212、花粉症 220
アロマバス（バスミルク）…入院 237
アロマはちみつ…吐き気 190
アロママスク…風邪 182、

　花粉症 220
アロマリンス…88、
　石鹸シャンプー用 229
うがい…180、183
オーデコロン…86、風邪 182

## か

吸入…59、咳 183
クリーナー…240
クリーム→みつろうクリーム参照
クレイパック…83、84、美白 227
クレンザー…242
クレンジングクリーム…88
クレンジングパック（オイリー肌）
　…224
化粧水→ローション参照
香水…87、恋する香水 87、
　食欲調整 218
腰湯・座浴（バスソルト）…
　膀胱炎 195

## さ

サシェ…防虫 243
止血用ガーゼ…232
湿布…応急手当 179
手浴…不眠／眠りが浅い 205、
　目覚め 208、入院 237
消臭・デオドラントスプレー…79
消毒…232
食器用洗剤…240
清拭…入院 237
精油の拡散…ストレス 204、
　ストレス性の肩こり・頭痛 206、
　高血圧・動脈硬化予防 219、
　花粉症 220、
　夜泣き、イライラ（子ども）234、
　部屋の浄化（子ども）235
洗顔ソープ…

　精神疲労・消耗・無気力 207
全身用シャンプー…88
洗濯槽掃除・除菌…243
足浴…下半身の疲れ 177、
　むくみ 200、冷え 210、
　入院 237、動物 238

## た

頭皮トニック→ローション参照
塗布オイル…病後の回復 184、
　食あたり 188、胃痛・疝痛 189、
　頻尿 194、花粉症（鼻）220、
　ニキビ 225、乾燥肌 225、鼻血 232、
　打撲・捻挫 233
トリートメントオイル…
　腰痛／こむら返り／筋肉痛 176、
　利尿促進 194、前立腺肥大 195、
　膀胱炎 195、冷え性 198、
　むくみ・静脈瘤予防 200、
　ストレス 204、
　精神疲労・消耗・無気力 207、
　自分を取り戻す 208、
　月経痛（思春期）212、
　月経周期対策（思春期）212、
　月経痛（成熟期）213、
　むくみ（PMS）213、
　緊張・ストレスの緩和（更年期）214、
　今日を楽しむ（老年期）215、
　肥満予防 218、脂質異常症予防 219、
　糖尿病予防 219、血圧を整える 219、
　喘息（大人／子ども）221、
　オイリー肌 224、パサつく髪 229、
　リラックス（子ども）234、
　便秘と下痢（子ども）234

## な

乳液…88
乳液クリーム…82、全身ケア 222

クラフトごとに、症状や用途を引くことができます。青い数字は、基本のクラフトの作り方のページです。

入浴剤…74
練り香…87、更年期 214

**は**
ハーブクリーム…79
ハーブ石鹸…76
ハーブチンキ→ハーブティンクチャー
ハーブティー…消化促進 188、
　お腹のハリ 191、体内浄化 192
ハーブティンクチャー…78、79
パウダーフレグランス…87
バスソルト…75→各レシピはアロマ
　バス・足浴・手浴参照
美容液→美白 227
フェイシャルスチーム（オイリー肌）
　…224
ヘアケアスプレー…88
ボディオイル…アンチエイジング 228
ボディソープ…心配 205、
　情緒不安定・イライラ・過度な食欲
　（PMS）213

**ま**
マウススプレー…85、183
みつろうクリーム…81、肩こり 176、
　消炎・鎮痛 178、
　捻挫・打撲・ぎっくり腰／
　じん帯・筋肉の裂傷 179、
　胸やけ・胃もたれ 188、便通 189、
　肝臓の強壮 190、腸内ガス 191、
　腎臓の強壮 194、
　気持ちをほぐす 207、
　集中力アップ 208、
　ホルモンバランス 213、
　ひざ・腰の痛み（老年期）215、
　免疫系を整える 218、
　足裏・肉球用（動物）239
みつろう軟膏…80、風邪 182、
　インフルエンザ 182、
　しもやけ予防 198、痔 200、
　風邪（子ども）235

**や**
やけど（応急手当）…233
汚れ落とし（じゅうたん・車内）…242

**ら**
リネンの香りづけ・ニオイ予防…243
ローション…77、頭痛 206、
　デオドラント（思春期）212、
　オイリー肌 224、
　ニキビ（大人）225、乾燥肌 225、
　敏感肌 226、かゆみ 226、
　日焼け肌 227、
　アンチエイジング 228
冷湿布…受傷直後の冷却 179、
　発熱 184、鼻血 232

## 参考文献

『脳と神経の生物学』伊藤薫著（培風館）
『感情の生理学』髙田明和著（日経サイエンス社）
『解剖生理学』竹内修二著（医学芸術社）
『トートラ人体解剖生理学』佐伯由香・黒澤美枝子・細谷安彦・高橋研一編（丸善株式会社）
『解剖学の要点　改定2版』加藤征治著（金芳堂）
『人間の知恵の歴史』大槻真一郎著（原書房）
『ヒポクラテス全集』大槻真一郎編集・翻訳責任（エンタプライズ）
『ディオスコリデスの薬物誌』大槻真一郎編責任（エンタプライズ）
『近代植物学の起源』アグネス・ハーバー著　月川和雄訳（八坂書房）
『植物生理学入門』桜岡英博・柴岡弘郎・清水碩　著（培風館）
『香料の事典』藤巻正生・服部達彦・林和夫・荒井綜一　編（朝倉書店）
『香りの百科』日本香料協会編（朝倉書店）
『香料化学入門』渡辺昭次著（培風館）
『薬用天然物化学』奥田拓男編（廣川書店）
『ケモタイプ精油事典』（編集ナード・ジャパン）
『エッセンシャルオイル総論2007』三上杏平著（フレグランスジャーナル社）
『微生物と香り』井上重治著（フレグランスジャーナル社）
『花はなぜ香るのか』渡辺修治著（フレグランスジャーナル社）
『香料の歴史』山田憲太郎著（紀伊國屋書店）
『最新香料の事典』荒井綜一・小林彰夫・矢島泉・川崎通昭　編集（朝倉書店）
『医学の歴史』小川鼎三著（中公新書）
『香りの世界をさぐる』中村祥二著（朝日選書）
『匂いの身体論』鈴木隆著（八坂書房）
『香辛料の民俗学』吉田よし子著（中公新書）
『生き方としての健康科学』山崎喜比古・朝倉隆司　著（有信堂）
『社会園芸学のすすめ』松尾英輔著（農山漁村文化協会）
『バラの誕生』大場秀章著（中公新書）
『薔薇のパルファム』蓬田勝之・石内都　著（求龍堂）
『花言葉（上・下）』春山行夫著（平凡社ライブラリー）
『花の神話と伝説』C・M・スキナー著　垂水雄二・福屋正修訳（八坂書房）
『園芸植物大事典』（小学館）
『世界有用植物事典』（平凡社）
『新聖書植物図鑑』廣部千恵子著（教文館）
『薬用植物学』西岡五夫編著（廣川書店）
『植物療法』R.F.ヴァイス著　山岸晃訳（八坂書房）
『ハーブの科学』陽川昌範著（養賢堂）
『化粧品油脂の科学』廣田博著（フレグランスジャーナル社）
『芳香療法の理論と実際』ロバート・ティスランド著　高山林太郎訳（フレグランスジャーナル社）
『ジャン・バルネ博士の植物＝芳香療法』ジャン・バルネ著　高山林太郎訳（フレグランスジャーナル社）
『医学・薬学ラテン語』大槻真一郎著（三修社）
『はじめてのラテン語』大西英文著（講談社現代新書）
『英語語源辞典』（研究社）
『アロマトピア　1〜81号』（フレグランスジャーナル社）

●著者

## 和田文緒
英国IFA認定アロマセラピスト　英国IFA認定講師
AEAJ認定アロマテラピーインストラクター
東京農業大学農学部農学科卒業。高等学校理科教師を経てアロマセラピストに。リラクゼーションサロン シーズseed'sを主宰。現在、Academy of Holistic Studies、トータルヒーリングセンター、日本アロマコーディネータースクールの講師のほか、慶應義塾大学非常勤講師を務める。著書に『一から覚える！アロマクラフトレッスン 暮らしに役立つ四季のレシピ』（ブラス出版）がある。

### 監修協力
**三上杏平**「PART1 精油の化学」監修
東京農業大学農学部農芸化学科卒業。ナードジャパン顧問、（社）日本アロマ環境協会認定プロフェショナル。アロマテラピースクールで精油化学・調合・植物化学などの講師を務める。アロマ関連著書に『エッセンシャルオイル総論2007』、『アロマテラピストのための最近の精油科学ガイダンス』（共にフレグランスジャーナル社）などがある。

**中村裕恵**「PART4 セルフケア症状別ガイド」医学監修
東京女子医科大学医学部卒業。同付属病院消化器内科、国立東京医療センター総合診療科を経て、都内診療所やクリニックに勤務。その間、国内外で自然療法を学ぶ。現在、トータルヒーリングセンターにてホメオパシーを中心とした総合的なヒーリングを行う。自然療法の専門家などへの解剖生理学の講義も数多い。著書に『ホメオパシー バイブル』（新星出版社）などがある。

---

アロマテラピーの教科書

| 著　者 | 和　田　文　緒 |
| 発行者 | 富　永　靖　弘 |
| 印刷所 | 公和印刷株式会社 |

発行所　東京都台東区台東4丁目7　株式会社 新星出版社
〒110-0016　☎03(3831)0743　振替00140-1-72233
URL http://www.shin-sei.co.jp/

Ⓒ Fumio Wada 2008　　　　　　　　　Printed in Japan

ISBN978-4-405-09165-8